U0163965

許鋖輝總策畫　中華章法學會主編

跨界章法學研究叢書

第四冊

辭章風格教學新論

蒲基維　著

萬卷樓圖書股份有限公司出版

總序

　　「章法學」又稱「雙螺旋層次邏輯學」，是研究深藏於宇宙人生「萬事萬物」之間，以「陰陽二元」雙螺旋互動為基礎，產生層層「轉化」的動態作用，而形成其「雙螺旋層次邏輯」系統的一門學問。若要挖掘這種使「萬事萬物」不斷「轉化」之「雙螺旋層次邏輯」，將它們彰顯出來，則非靠由一般「科學方法」提升到哲學層面的「方法論」不可。而這些「方法論」，是可在「陰陽二元」的不斷互動下，主要經「移位」（秩序）、或「轉位」（變化）、「對比、調和」與「包孕」（聯貫 ←→ 統一），產生「互動、循環、往復而提升」之「0一二多」雙螺旋層次邏輯運動，構成其「微觀」（方法論：個別）、「中觀」（方法論原則：概括）而「宏觀」（方法論系統：體系）的完整體系，以呈現其普遍性與適應性，而由此正式打開「跨界章法學」研究的一扇扇大門 [1]。

1　此扇門自1974年開始逐漸打開，見陳滿銘：《比較章法學》（臺北市：萬卷樓圖書公司，2012年11月初版）。頁1-377。即以個人專著而言，除《比較章法學》外，《學庸義理別裁》（2002年）、《論孟義理別裁》（2003年）、《蘇辛詞論稿》（2003年）、《意象學廣論》（2006年）、《辭章學十論》（2006年）、《多二一（0）螺旋結構論——以哲學、文學、美學為研究範圍》（2007年）、《篇章意象學》（2011年），皆屬「跨界章法學」之性質。

一　微觀層面的跨界章法學

　　這主要是就「章法類型（結構）」[2] 而言的。凡是「章法」都由「陰陽二元」互動，呈現其層次邏輯關係，而形成多種類型。這種「陰陽二元」互動觀念的論述，在中國的哲學古籍裡，很容易找到。其中以《周易》與《老子》二書，為最早而最明顯。

　　在此，限於篇幅，僅舉《周易》來看，它以「陰陽」為其一對基本概念，是由此陰（斷 --）陽（連 ——）二爻而衍為四象，再由四象而衍為八卦、六十四卦的。而八卦之取象，是兩相對待的，即乾（天）為「三連」（☰）而坤（地）為「六斷」（☷）、震（雷）為「仰盂」（☳）而艮（山）為「覆碗」（☶）、離（火）為「中虛」（☲）而坎（水）為「中滿」（☵）、兌（澤）為「上缺」（☱）而巽（風）為「下斷」（☴）；而所謂「三連」（陰）與「六斷」（☷）、「仰盂」（☳）與「覆碗」（☶）、「中虛」（☲）與「中滿」（☵）、「上缺」（☱）與「下斷」（☴），正好形成四組兩相互動之運作關係，以呈現其簡單的「二元互動」之邏輯結構。後來將此八卦重疊，推演為六十四卦，雖更趨複雜，卻依然存有這種「二元互動」的運作關係，如「坎（☵）上震（☳）下」（〈屯〉）與「震（☳）上坎（☵）下」（〈解〉）、「艮（☶）上巽（☴）下」（〈蠱〉）與「巽（☴）上艮（☶）下」（〈漸〉）、「乾（☰）上兌（☱）下」（〈履〉）與「兌（☱）上乾（☰）下」（〈夬〉）、「離上（☲）坤（☷）下」（〈晉〉）與「坤（☷）上離（☲）下」（〈明夷〉）……等，就是如此。而〈雜卦〉云：

2　陳滿銘：《章法學綜論》（臺北市：萬卷樓圖書公司，2003年6月初版），頁17-33。
　　又，蒲基維：〈章法類型概說〉，《大學國文選・教師手冊・附錄三》（臺北市：普林斯頓國際公司，2011年7月二版修訂），頁483-523。

乾，剛；坤，柔。比，樂；師，憂。臨、觀之意，或與或
求。……震，起也；艮，止也。損、益，衰盛之始也。大畜，
時也；無妄，災也。萃，聚，而升，不來也。謙，輕；而豫，
怡也。……兌，見；而巽，伏也。隨，無故也；蠱，則飭也。
剝，爛也；復，反也。晉，晝也，明夷，誅也。井，通；而
困，相遇也。咸，速也；恆，久也。渙，離也；節，止也。
解，緩也；蹇，難也。睽，外也；家人，內也。否、泰，反其
類也。……革，去故也；鼎，取新也。小過，過也；中孚，信
也。豐，多故也；親寡，旅也。離，上；而坎，下也。……大
過，顛也；頤，養正也。既濟，定也；未濟，男之窮也。姤，
遇也，柔遇剛也；……夬，決也；剛決柔也。君子道長，小人
道憂也。

　　這些卦的要義或特性，都兩兩互動，如剛和柔、樂與憂、與和
求、起和止、衰和盛、時和災、見和伏、速和久、離和止、外和內、
否和泰、去故和取新、多故和親寡、上和下……等等。由此反映宇宙
人生之「雙螺旋層次邏輯」，為人生行為找出準則，以適應宇宙自然
之動態規律[3]。

　　到目前為止，透過「模式研究」（人為探索）以對應「客觀存在」
（自然呈現）[4]的努力結果，已發現之「章法類型」有：今昔、久

3　陳滿銘：〈論螺旋邏輯學的創立——以哲學螺旋與科學螺旋為鍵軸探討其體系之建
　　構〉，《國文天地・學術論壇》31卷1期（2015年6月），頁116-136。又參見徐復觀：
　　《中國人性論史・先秦篇》（臺北市：臺灣商務印書館，1978年10月四版），頁
　　202；陳望衡：《中國古典美學史》（長沙市：湖南教育出版社，1998年8月一版一
　　刷），頁182。
4　陳滿銘：〈論辭章之無法與有法——以客觀存在與科學研究作對應考察〉，彰化師大
　　《國文學誌》23期（2011年12月），頁29-63。

暫、遠近、內外、左右、高低、大小、視角轉換、知覺轉換、時空交
錯、狀態變化、本末、淺深、因果、眾寡、並列、情景、論敘、泛
具、虛實（時間、空間、假設與事實、虛構與真實）、凡目、詳略、
賓主、正反、立破、抑揚、問答、平側（平提側注、平提側收）、縱
收、張弛、插補、偏全、點染、天（自然）人（人事）、圖底、敲
擊……等類型[5]，都由「陰陽二元」互動所形成。大抵而論，屬於
本、先、靜、低、內、小、近……的，為「陰」為「柔」，屬於末、
後、動、高、外、大、遠……的，為「陽」為「剛」[6]。如「正反」
法以「正」為「陰」而「反」為「陽」、「因果」法以「因」為「陰」
而「果」為「陽」，而其他的也皆如此，以反映自然運動的雙螺旋層
次邏輯準則。

　　就單以「偏（陽）全（陰）」而言，「三一」語言學派創始人王希
杰認為就是「方法論」，說：「值得一提的是，在〈從偏全的觀點試解
讀四書所引生的一些糾葛〉一文[7]中，滿銘教授說：『讀古書，尤其是
有關義理方面的專著，很多時候是不能一味單從「偏」（局部）或
「全」（整體）的觀點來瞭解其義的。讀《四書》也不例外，必須審
慎地試著辨明「偏」還是「全」的觀點來加以理解，才不至於犯混同
的毛病。』……我認為，滿銘教授的這一說法是具有『方法論』意義
的。」[8]

　　可見這些由「陰陽二元」互動所形成之「章法類型」（含「章法
結構」），能在《周易》中尋得其哲理根源，成為「章法學」中屬於

5　陳滿銘：《章法學綜論》，頁17-32。

6　陳望衡：《中國古典美學史》，頁184。

7　陳滿銘：〈從偏全的觀點試解讀《四書》所引生的一些糾葛〉，臺灣師大《中國學術
　　年刊》13期（1992年4月），頁11-22。

8　王希杰：〈陳滿銘教授和章法學〉，《畢節學院學報》總96期（2008年2月），頁1-5。

「微觀」層面之「方法論」；而由此呈現「微觀」層面之「跨界章法學」。

二 中觀層面的跨界章法學

這主要是就「章法規律」而言[9]的。由「章法類型」所形成之「章法結構」，是在「陰陽二元」互動之作用下，由「移位」或「轉位」與「對比、調和」、「包孕」而形成的。其中由「移位」呈現「秩序律」；「轉位」呈現「變化律」；「對比、調和」徹下、徹上以呈現「聯貫律」；由「包孕」徹下、徹上以呈現「統一律」。而這種「雙螺旋層次邏輯」之四大規律，乃先由「秩序」或「變化」而「聯貫」，然後趨於「統一」，形成「雙螺旋層次邏輯系統」。這種理論，可見於《周易》與《老子》[10]。在此，也只歸本於《周易》作簡要探討。

先以「秩序」而言，涉及「移位」，此乃「陰陽二元」最基本的一種互動，是在對待往來中起伏消息、迭相推盪而產生的。因為事物之發展是統一物分裂為兩相對待，而相互作用的運作過程，而此對待面的相互作用，在《周易》的《易傳》中以相互推移（剛柔相推）、相互摩擦（剛柔相摩）、與相互衝擊（八卦相盪）等各種表現形式[11]，為順向移位與逆向移位，提出了最精微的論證。就以〈乾卦〉來看，由初九的「潛龍，勿用」，移向九二的「見龍在田，利見大

9 「中觀」層面，原含「規律」、「族性」、「多元」與「比較」等內容，在此特舉「規律」以概其餘。參，見陳滿銘：〈章法學三觀論〉，高雄師大《國文學報》21期·特約稿（2015年1月），頁1-33。
10 陳滿銘：〈論章法四大律之方法論原則——以「多、二、一（0）」螺旋結構作系統探討〉，臺灣師大《中國學術年刊》33期·春季號（2011年3月），頁87-118。
11 馮友蘭：《中國哲學史新編》二（臺北市：藍燈文化公司，1991年12月初版），頁376。

人」，移向九三的「君子終日乾乾，夕惕若。厲，無咎」；再移向九四
的「或躍在淵，無咎」；然後躍升，移向九五的「飛龍在天，利見大
人」，形成一連串的順向位移。上九，則因已到達了極限、頂點，會
由吉變凶，漸次另形成逆向移位，開始向對待面轉化，造成另一種轉
位，故說是「亢龍有悔」了。而這種「移位」全離不開雙向「陰陽互
動」作用：

順向：　　陰 ─────→ 陽

逆向：　　陽 ─────→ 陰

而六爻之所以能夠用以模擬事物的運動變化，是因「六位」能體現
「道」的陰陽互動、統一之規律性。而此「六位」原則一確立，整個
自然界與人類社會的基本規律全都可加以反映，故〈說卦傳〉將其概
括為「分陰分陽」，「六位而成章」，以「六位」體現著哲學原理。「六
爻」體現著事物在一定規律支配下的變化運動過程，從時間性上可畫
分為潛在的與顯露的兩大階段，以一卦的卦象去體現，而其運動變化
即可以由此清楚地瞭解而加以掌握[12]。因此，內外卦之間可以相互往
來升降，六個爻畫之間也可以相互往來升降；通過這種往來升降的相
互作用，就使種種的轉化運動，產生了一連串的順向移位（陰→
陽）與逆向移位（陽→陰）；如：

1. 「正反」法：「正（陰）→反（陽）」（順向）、「反（陽）→
　　正（陰）」（逆向）

─────────────

12 徐志銳：《周易陰陽八卦說解》（臺北市：里仁書局，2000年3月初版四刷），頁60-73。

2.「因果」法:「因(陰)→果(陽)」(順向)、「果(陽)→
　　因(陰)」(逆向)

這種「移位」全離不開「陰陽二元」之互動作用,由此呈現「秩序
律」。

　　次以「變化」而言,涉及以「移位」為基礎的「轉位」[13]。由於
「陰陽」互動、生生而一,使《周易》哲學之發展形成開放的序列。
這一序列正體現在〈乾〉、〈坤〉兩卦的「用九」、「用六」上。而「用
九」、「用六」並不局限於〈乾〉、〈坤〉兩卦,而是為六十四卦發其通
例,然後每一卦位在九、六互變中,均可一一尋出因「移位」而造成
「轉位」的變動歷程。由〈乾〉、〈坤〉,而至〈既濟〉、〈未濟〉,〈序
卦〉不但說明了由運動變化而形成秩序的無窮盡歷程,也表示了宇宙
萬物由六十四卦的位位互移,運動變化到達極點時,即會形成「大反
轉」,反本而回復其根,形成另一個互動的循環系統。這一個「大反
轉」,就是一個「大轉位」。這種「大轉位」可用下圖來表示:

這雖是就「大轉位」而言,但「小轉位」又何嘗不是如此呢?就在這
互動的「循環系統」中,自然涵蘊著無限的陰陽之「轉位」,如下
圖:

---

13 陳滿銘:〈章法的「移位」、「轉位」結構論〉,臺灣師大《師大學報・人文與社會
　 類》49卷2期(2004年10月),頁1-22。又,黃淑貞:〈《周易》「移位」、「轉位」
　 論〉,《孔孟月刊》44卷5、6期(2006年2月),頁4-14。

這種互動之「循環系統」，由陰陽、剛柔的相摩相推，太儀而兩儀，兩儀而四象，四象而八卦，八卦而六十四卦；再由六十四卦的位位互移、反轉，運動變化到達極點，形成「大位移」、「大反轉」，反本而回復其根，使萬物生生而無窮。因此，《周易》講「生生之德」的「生生」，即不絕之意，也深具新陳代謝之意。說明了由「陰陽二元」互動而轉化，宇宙萬物就在一次又一次的大小「移位」、「轉位」中，循環反復，永無止境。其中以「轉位」來說，產生「陰→陽→陰」（順向）與「陽→陰→陽」（逆向）的變化，如：

1. 「正反」法：「正（陰）→反（陽）→正（陰）」（順向）、「反（陽）→正（陰）→反（陽）」（逆向）
2. 「因果」法：「因（陰）→果（陽）→因（陰）」（順向）、「果（陽）→因（陰）→果（陽）」（逆向）

而由此呈現「變化律」。

　　再以「聯貫」而言，這種「轉化」主要有兩種：「對比」與「調和」。以「對比」而言，也稱「異類相應的聯繫」，如上引〈雜卦〉所謂的「剛」與「柔」、「樂」與「憂」、「與」與「求」、「起」與「止」、「衰」與「盛」、「時」與「災」、「見」與「伏」、「速」與「久」、「離」與「止」、「否」與「泰」……等都是，對此，戴璉璋說：「以上各卦所標示的特性或要義：剛和柔、樂和憂、與和求、起

和止、盛和衰等等，都是異類相應的聯繫。」[14]。以「調和」而言，是由史伯、晏嬰「同」的觀念發展出來的。原來的「同」，指「同一物的加多或重複」，到了《周易》，則指同類事物的「相從」，〈雜卦〉云：「屯，見而不失其居；蒙，雜而著。……大壯，則止；遯，則退也。大有，眾也；同人，親也。……小畜，寡也；履，不處也。需，不進也；訟，不親也。……歸妹，女之終也；漸，女歸待男行也。」這是以「止」和「退」、「眾」和「親」、「寡」和「不處」、「不進」和「不親」、「女之終」和「女歸待男行」等的相類而形成「同類相從的聯繫」（調和），對此，戴璉璋說：「依〈序卦傳〉，屯與蒙都是代表事物始生、幼稚時期的情況，〈雜卦傳〉作者用『見而不失其居』、『雜而著』來描述屯、蒙兩掛的特性，也都是就始生的事物而言。此外引〈大壯〉以下各卦的『止』和『退』、『眾』和『親』、『寡』和『不處』、『不進』和『不親』、『女之終』和『女歸待男行』，都是同類相從的聯繫。」[15]。而這所謂的「對比」、「調和」，是對應於「剛柔」來說的[16]。如說得徹底一點，即一切「對比」與「調和」，都是由於陰（柔）陽（剛）相對、相交、相和的結果，如單以「章法類型」來說，「正反」法為「對比」、「因果」法為「調和」[17]。這樣結構由單一而系統、下徹而上徹，以凸顯了相反相成的互動作用，而趨於「統一」的「雙螺旋層次邏輯結構」；「聯貫律」即由此呈現。

---

14 戴璉璋：《易傳之形成及其思想》（臺北市：文津出版社，1988年11月臺灣初版），頁196。

15 戴璉璋：《易傳之形成及其思想》，頁195。

16 歐陽周、顧建華、宋凡聖編著：《美學新編》（杭州市：浙江大學出版社，2001年5月一版九刷），頁81。又，仇小屏：《古典詩詞時空設計美學》（臺北市：文津出版社，2002年11月初版一刷），頁332。

17 仇小屏：〈論辭章章法的對比與調和之美〉，《章法學論文集》上冊（福州市：海潮攝影藝術出版社，2002年12月第一版），頁78-97。

　　終以「統一」而言，主要涉及「包孕」。在《周易》六十四卦
中，除「乾」、「坤」兩卦，一為「陽之元」，一為「陰之元」外，其
他的六十二卦，全是由「陰陽二元」互動而含融、聯貫而統一的。
《周易·繫辭下》說：「陽卦多陰，陰卦多陽。其故何也？陽卦奇，
陰卦偶。」對此，清焦循注云：「陽卦之中多陰，則陰卦之中多陽。
兩相孚合拻多益寡之義也。如〈萃〉陽卦也，而有四陰，是陰多於
陽，則以〈大畜〉孚之。〈大有〉陰卦也，而有五陽，是陽多於陰，
則以〈比〉孚之。設陽卦多陽，則陰卦必多陰，以旁通之；如〈姤〉
與〈復〉、〈遯〉與〈臨〉是也。聖人之辭，每舉一隅而已。……奇偶
指五，奇在五則為陽卦，宜變通於陰；偶在五則為陰卦，宜進為
陽。」[18] 可見《周易》六十四卦，有陽卦與陰卦之分，而要分辨陽卦
與陰卦，照焦循的意思，是要看「奇在五」或「偶在五」來決定，意
即每卦以第五爻分陰陽，如是陽爻則為陽卦，如為陰爻則是陰卦 [19]。
如此卦卦都產生「陰陽包孕」之作用。這種作用，如鎖定單一結構，
擴及全面，以「陽／陰或陽」而言，則可形成下列三種不同的包孕式
結構：

其中1、2兩種，如：

18　陳居淵：《易章句導讀》（濟南市：齊魯書社，2002年12月一版一刷），頁209。
19　陽卦與陰卦之分，或以為要看每一卦之爻畫線段的總數來決定，如為奇數屬陽，如
　　是偶數則為陰。見鄧球柏：《帛書周易校釋》（長沙市：湖南人民出版社，2002年6
　　月三版一刷），頁536。

1.「正反」法:「反(陽)/反(陽)→正(陰)」、「反(陽)
 /正(陰)→反(陽)」

2.「因果」法:「果(陽)/果(陽)→因(陰)」、「果(陽)
 /因(陰)→果(陽)」

這些都可形成「移位」結構外,3又可合而形成「轉位」結構,如:

1.「正反」法:「反(陽)/反(陽)→正(陰)→反(陽)」

2.「因果」法:「果(陽)/果(陽)→因(陰)→果(陽)」

以「陰/陽或陰」而言,則可形成下列三種不同的包孕式結構:

```
        ┌─ 陽            ┌─ 陰            ┌─ 陰
1 陰 ─┤              2 陰 ─┤              3 陽 ─┤─ 陽
        └─ 陰            └─ 陽            └─ 陰
```

其中1、2兩種,如:

1.「正反」法:「正(陰)/反(陽)→正(陰)」、「正(陰)
 /正(陰)→反(陽)」

2.「因果」法:「因(陰)/果(陽)→因(陰)」、「因(陰)
 /因(陰)→果(陽)」

這些都一樣可形成「移位」結構外,3又可合而形成「轉位」結構[20],

---

20 其中有關於《易傳》的論述,詳見陳滿銘:〈章法包孕式結構論──以「多、二、
 一(0)」螺旋結構切入作考察〉,《江南大學學報‧人文社會科學版》5卷4期(2006

如：

  1.「正反」法：「反（陽）／正（陰）→反（陽）→正（陰）」

  2.「因果」法：「果（陽）／因（陰）→果（陽）→因（陰）」

  於是就在這種作用下，結構由單一而系統，以產生下徹的作用，統合了「秩序、變化、聯貫」的轉化運動，而由此呈現「統一律」。

  可見這四大「章法規律」，對「章法類型（結構）」來說，有「概括」作用，都可從《周易》（《老子》）裡尋得其哲理源泉，成為「章法學」中屬於「中觀」層面之「方法論原則」。對此，王希杰說：「陳滿銘教授……把章法變成一門科學——可以把握，有規律規則可以遵循的學問。這是一個了不起的貢獻。……但是……法則太多，可能顯得繁瑣、瑣碎，使人難以把握的。可貴的是，陳滿銘教授……力圖建立統率這些比較具體的法則的更高的原則。……創建了四大原則：（1）秩序律（2）變化律（3）聯貫律（4）統一律……這符合科學的最簡單性原則，而且也是變化無窮的。這其實就是《周易》的『方法論原則』，乾坤兩卦，生成六十四卦。所以他的章法學是一個具有生成轉化潛能的體系，或者說是具有生成性。因此是具有生命力的。」[21]

  可見這些由「章法類型（結構）」所形成之「章法規律」，能在《周易》中尋得其哲理根源，成為「章法學」中屬於「微觀」層面之「方法論」；而由此呈現「中觀」層面之「跨界章法學」。

 年8月），頁85-90。又，陳滿銘：〈論章法包孕結構之陰陽變化——以蘇辛詞為例作觀察〉，臺北大學《中文學報》15期〔特稿〕（2014年3月），頁1-24。

21 王希杰：〈陳滿銘教授和章法學〉，頁1-5。又，陳滿銘：〈論章法四大律之方法論原則——以「多、二、一（0）」螺旋結構作系統探討〉，頁87-118。

三　宏觀層面的跨界章法學

　　這主要是就「雙螺旋層次邏輯系統」而言的。從根本來看,「陰陽二元」互動乃一切「轉化」之根源,就拿八卦與由八卦重疊而成的六十四卦來說,即全由「陰陽」二爻所構成,以象徵並概括宇宙人生的各種變化,〈說卦〉說的「觀變於陰陽而立卦」,就是這個意思。《易傳》以為就在這種「陰陽」的相對、相交、相和之「互動」作用下,變而通之,通而久之,於是創造了天地萬物(含人類),達於「統一」的境地[22]。而《易傳》這種「互動」的「轉化」思想,也可推源到「和」的觀念,它始於春秋時之史伯,他從四支(肢)、五味、六律、七體(竅)、八索(體)、九紀(臟)到十數、百體、千品、萬方、億事、兆物、經入、姟極,提出「和」的觀點[23],「作為對事物的多樣性、多元性衝突融合的體認」[24],而後到了晏子,則作進一步之論述,認為「和」是指兩種相對事物之融而為一,即所謂「清濁、小大、短長、疾徐、哀樂、剛柔、遲速、高下、出入、周疏,以相濟也」[25]。如此由「多樣的和(統一)」(史伯)進展到「兩樣(對待)的和(統一)」(晏子),再進一層從對待多數的「兩樣」

---

22 陳望衡:「《周易》中的陰陽理論強調的不是相反事物的對立,而是相反事務的相交、相和。《周易》認為,陰陽相交是生命之源,新生命的產生不在於陰陽的對立,而在陰陽的交感、統一。因此陰陽的相合不是量的增加,而是新質的產生,是創造。因此,陰陽相交、相合的規律就是創造的規律。」見《中國古典美學史》,頁182。

23 《國語・鄭語》,易中天注譯、侯迺慧校閱:《新譯國語讀本》(臺北市:三民書局,1995年11月初版),頁707-708。

24 張立文:《中國哲學邏輯結構論》(北京市:中國社會科學出版社,2002年1月一版一刷),頁22。

25 《左傳・昭公二十年》,楊伯俊:《春秋左傳注》(臺北市:源流文化公司,1982年4月再版),頁1419-1420。

中提煉出源頭的「剛（陽）柔（陰）」，而成為「剛（陽）柔（陰）的統一」(《易傳》)，形成了「『多』(多樣事物、多樣對待)→『二』(剛柔、陰陽)→『一』(統一)」的順序，進程逐漸是由「委」(有象)而追溯到「源」(無象)，很合於歷史發展的軌跡。而這種結構，如對應於「三易」(《易緯・乾鑿度》)而言，則「多」說的是「變易」、「二」說的是「簡易」，而「一」說的是「不易」。因此「三易」不但可概括《周易》之內容與特色，也可藉以呈現「多 ⟷ 二 ⟷ 一」的雙螺旋層次邏輯系統 [26]。

　　以順向而言，其結構為「多→二→一」，若倒過來，由「源」而「委」地來說，就成為「一→二→多」[27] 了。在《老子》、《易傳》中就可找到這種說法，如：

　　道生一，一生二，二生三，三生萬物。萬物負陰抱陽，沖氣以為和。(《老子・四十二章》)

　　易有太極，是生兩儀，兩儀生四象，四象生八卦。(《周易・繫辭上》)

這樣，結合《周易》和《老子》來看，它們所主張的「道」，如僅著

---

[26] 《周易》六十四卦，由第一卦〈乾〉至第六十三卦〈既濟〉為一循環，而由第六十四卦〈未濟〉倒回〈乾卦〉開始為又一循環，如此不斷循環就有「螺旋」意涵在內。見陳滿銘：〈論「多」、「二」、「一（0）」的螺旋結構──以《周易》與《老子》為考察重心〉，臺灣師大《師大學報・人文與社會類》48卷1期（2003年7月），頁1-21。

[27] 就由「無」而「有」而「無」的整個循環過程而言，可以形成「(0)一、二、三(多)」(正)與「三(多)、二、一(0)」(反)的螺旋關係。此種螺旋關係，涉及哲學、文學、美學……等，見陳滿銘：〈意象「多、二、一（0）」螺旋結構論──以哲學、文學、美學作對應考察〉，《濟南大學學報・社會科學版》17卷3期（2007年5月），頁47-53。

眼於其「同」，則它們主要透過「相反相成」、「返本復初」而循環不已的螺旋作用，不但將「一→多」的順向歷程與「多→一」的逆向歷程前後銜接起來，更使它們層層推展，「循環、往復而提高」不已，而形成了螺旋式結構，以呈現宇宙創生、含容而轉化的萬物基本動態規律。

而最值得注意的是：就在這「由一而多」（順）、「多而一」（逆）的過程中，是有「二」介於中間，以產生承「一」啟「多」的作用的。而這個「二」，從「道生一，一生二，二生三，三生萬物」等句來看，該就是「一生二，二生三」的「二」。雖然對這個「二」，歷代學者有不同的說法，大致說來，以為「二」是指「陰陽二（兩）氣」[28]。而這種「陰陽二氣」的說法，其實也照樣可包含「天地」在內，因為「天」為「乾」為「陽」，而「地」則為「坤」為「陰」；所不同的，「天地」說的是偏於時空之形式，用於持載萬物[29]；而「陰陽」指的則是偏於「二氣之良能」[30]，用於創生萬物。這樣看來，老子的「一」該等同於《易傳》之「太極」、「二」該等同於《易傳》之「兩儀」（陰陽），因此所呈現的，和《周易》（含《易傳》）一樣，是「一→二→多」與「多→二→一」之原始結構。不過，值得一提的是：（一）即使這「一」、「二」、「多」之內容，和《周易》（含《易傳》）有所不同，也無損於這種結構的存在。（二）「道生一」的「道」，既是「創生宇宙萬物的一種基本動力」，而它「本身又體現了無（无）」[31]，那麼正如王弼所注「欲言無（无）耶，而物由以成；欲

<hr/>

28 以上諸家之說與引證，見黃釗：《帛書老子校注析》（臺北市：臺灣學生書局，1991年10月初版），頁231。
29 徐復觀：《中國人性論史‧先秦篇》，頁335。
30 朱熹：《四書集注》（臺北市：學海出版社，1984年9月初版），頁31。
31 林啟彥：《中國學術思想史》（臺北市：書林出版社，1999年9月一版四刷），頁34。

言有耶，而不見其形」[32]，老子的「道」可以說是「无」，卻不等於實際之「無」（實零）[33]，而是「恍惚」的「无」（虛零），以指在「一」之前的「虛理」[34]。這種「虛理」，如勉強以「數」來表示，則可以是「（0）」。這樣，順、逆向的結構，就可調整為「（0）一→二→多」（順）與「多→二→一（0）」（逆），以補《周易》（含《易傳》）之不足，這就使得宇宙萬物創生、含容的順、逆向歷程，更趨於完整而周延了[35]。而順、逆向的統合，可用「0一二多」來表示　其關係可用如下簡圖加以呈現：

（一）單層結構系統圖：

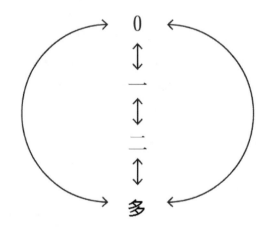

---

32 王弼：《老子王弼注》（臺北市：河洛圖書出版社，1974年10月臺景印初版），頁16。

33 馮友蘭：《馮友蘭選集》上卷（北京市：北京大學出版社，2000年7月一版一刷），頁84。

34 唐君毅：《中國哲學原論・導論篇》（香港：新亞研究所，1966年3月出版），頁350-351。

35 陳滿銘：〈論「多、二、一（0）」的螺旋結構──以《周易》與《老子》為考察重心〉，頁1-21。

（二）多層結構系統圖：

而此「層次邏輯」每一層的的內容或意象雖可以萬變、億變，但其雙螺旋結構卻不變，都以「陰陽二元」之互動為「二」，「秩序（移位）、變化（轉位），聯貫（包孕、對比與調和：下徹）為「多」，「統一」（包孕、對比、調和：上徹）為「一0」。

如此配合「章法類型（含「章法結構」）」（微觀）與「四大規律」（中觀）來看，它們的關係可表示如下簡圖：

由此可見「宏觀」層的「0一二多」雙螺旋層次邏輯系統──「方法論系統」[36]，是可統合「微觀」層的「章法類型（結構）」、「中觀」層的「四大規律」（「秩序（移位）」或「變化（轉位）」、「聯貫」（以對

---

36 陳滿銘：〈論章法結構之方法論系統──歸本於《周易》與《老子》作考察〉，臺灣師大《國文學報》46期（2009年12月），頁61-94。

比、調和為主）與「統一（以包孕為主）」，而形成其章法學「方法論」之「三觀」體系的。而這些動態的層次邏輯理則，都同樣源出於《周易》與《老子》，清晰可辨。

可見這些由「章法類型（結構）」與「章法規律」為基礎所形成之「0一二多」雙螺旋層次邏輯系統，能在《周易》、《老子》中尋得其哲理根源，成為「章法學」中屬於「宏觀」層面之「方法論」；而由此呈現「宏觀」層面之「跨界章法學」。

綜上所述，可知「跨界章法學」是可形成其「三觀」體系的。而這一體系之確立，與「章法學」相關的研究有「雙螺旋互動」之密切關係，從四十餘年前開始，個人帶動博、碩士團隊，經由「歸納（果→因）←→演繹（因→果）」的雙螺旋互動，先從各體辭章作品之解析中，歸納為「模式」，再以演繹，歸根於《周易》與《老子》，為「模式」尋出哲理依據，如此不斷地「求異←→求同」，作「互動、循環、往復而提升」之研討，才逐漸地使「章法學」研究方法形成「方法論」體系，以呈現其「三觀」的「雙螺旋層次邏輯系統」。

對此，「三一語言學」的創始人王希杰，先論「章法學體系」時說：「章法學作為一門學問，不是有關部門章法的個別的知識，而是章法知識的總和，是一種概念的系統。章法學是一門實用性很強的學問，也有極高的學術價值。它同文章學、修辭學、語用學、文藝學、美學、邏輯學等都具有密切關係。章法學已經初步形成了一門科學。陳滿銘教授初步建立了科學的章法學體系。」[37] 再論「章法的客觀性」時就說：「凡存在的事物，都有是『章』有『法』的。德國哲學家黑格爾說：凡存在的，都是合理的。這個『理』，其實就是『章』和『法』。」然後論臺灣「章法學的方法論原則」時說：「有一篇論

---

37 王希杰：〈章法學門外閑談〉，《國文天地》18卷5期（2003年6月），頁53-57。

文，題目叫做〈談詞章學的兩種基本作法：歸納與演繹〉（《中等教育》27卷3、4期，1976年6月），歸納法和演繹法其實也就是章法學的基本方法。……章法學的成功，是歸納法的成功，這近四十種章法規則是從大量的文章中歸納出來的，一律具有巨大的解釋力，覆蓋面很強。同時也是演繹法的成功的運用，例如《章法學綜論》中的『變化律』的十五種結構，很明顯是邏輯演繹出來的，當然也是得到許多文章的驗證的。……值得一提的是，……大量運用模式化手法。這本是很好的方法，但是……可能顯得繁瑣、瑣碎，使人難以把握的。可貴的是，……並不滿足於單純地『歸納（歸納 ←→ 演繹）法則』，他們力圖建立統率這些比較具體的法則的更高的原則。」[38]

　　而辭章學大家鄭頤壽，先論「臺灣辭章學研究的哲學思辨」時說：「章法學……涉及文章學、修辭學、語體學、邏輯學以及美學等諸多方面。綜合研究這諸多方面的章法現象及其理論體系的學問……臺灣學者陳滿銘教授，在研究這一方面具有突出的成就，雖非絕後，實屬空前。……新的學科建設必須站在哲學的高度，並以之作指導，才能高瞻遠矚，不斷開拓，建構科學的理論體系。中國古老的哲學多門，其中最有影響的是樸素的辯證法思想，……它具有濃厚的文化底蘊，融進了我國的許多學科、各個領域和生活，至今仍有強盛的生命力。臺灣辭章章法研究，能充分運用我國傳統（《周易》、《老子》）的辯證法。陳滿銘教授的《章法學新裁》一書，談篇章結構，就用了辯證法的觀點，……仇小屏博士的《篇章結構類型論》（上、下）也是全書用辯證法來建構體系的。」[39]又論「三觀體系」時說：「篇章辭章學的『三觀』理論建構了科學的、體系嚴密的學科理論大廈，是『篇

---

38 王希杰：〈陳滿銘教授和章法學〉，頁1-5。
39 鄭頤壽：〈臺灣辭章學研究述評〉，《國文天地》17卷10期（2001年3月），頁99-107。

章辭章學』藝術之所以能夠成『學』的最主要依據。分清這『三觀』、『大廈』的建構就有了層次性、邏輯性；抓住這『三觀』，就抓住了學科體系的『綱』和『目』。我們用『三觀』理論所作的概括、評價，應該基本上描寫了篇章辭章學的理論體系。……是從具體的『方法』到概括的『規律』，……從一個個的『章法』入手，一個、兩個、十個、三十幾個、四十幾個……『集樹成林』（微觀）之後，又由博返約，把它們分別類聚於秩序律、變化律、聯貫律、統一律之中，有總有分，形成四個章法的『族系』（中觀）。這就把章法條理化、系統化了。……（又）從分別的『章法』、『規律』到統領『全軍』的理論框架『（0）一、二、多（「多、二、一（0）」）』（宏觀）。這是認識的又一個飛躍、昇華，它加強了學科的哲學性、科學性。」[40]

又，語言風格學大家黎運漢，在論「章法學方法論體系」時說；「一門學科的建立與研究方法密切相關，學科的進步與發展有時也要依靠新的方法來解決。因此，『漢語辭章章法』要成為獨立的學科，也跟其他學科一樣，要有自己的『方法論體系』。陳滿銘教授的章法學論著中雖然沒有專章講述『方法論』，但其幾部論著中無處不散發著他在『方法論』上的自覺。……體現出其章法學具有了較為完備的『方法論體系』。」[41]

四十餘年來，臺灣章法學的研究就這樣在許多學者的支持與鼓勵下，由「章法類型（結構）」（微觀：個別）而「章法規律」（中觀：概括）而「0一二多」（宏觀：體系），形成完整的「跨界章法學」之雙螺旋層次邏輯系統，這樣由「清醒自覺」（自然）而「認知確定」

---

40 鄭頤壽：〈陳滿銘創建篇章辭章學——代序〉，見《陳滿銘與辭章章法學》（臺北市：文津出版社，2007年12月一版一刷），頁（7）-（12）。

41 黎運漢：〈陳滿銘對辭章章法學的貢獻〉，《陳滿銘與辭章章法學》，頁52-70。

（人為），一路摸索，步步辛苦爬高，而在今天危然臨下，深深嘆幾口氣的同時，卻有「卻顧所來徑，蒼蒼橫翠薇」（李白〈下終南山過斛斯山人宿置酒〉詩）的感動。所謂「辛苦必有收穫」，真希望研究團隊能繼續不畏辛苦，以此為基礎，加倍努力，靈活運用具有原始性、普遍性之「章法學三觀方法論體系」，繼續多方研討，從各個角度找出「事事物物」逐層「轉化」作「雙螺旋互動」的「層次邏輯系統」，一面加深對「辭章章法學」之研究，一面擴大推出「跨界章法學」，並儘量將成果化深為淺、轉繁為簡，作積極之推廣，以期獲得各界更多的支持與鼓勵。

四　本叢書的推出

本叢書就是在這樣的期許與努力下，決定由章法學研究團隊積極陸續推出成果。本輯所呈現者即其初步成果，含如下六冊：

（一）顏智英的《辭章章法變化律研究》：「變化律」，是宇宙運動的規律，萬事萬物由於陰陽二元的互動而發生運動變化，變化的歷程之中又形成了「移位」、「轉位」等現象，中、西方哲人都觀察到了這些自然界運動變化的規律，而有「變化哲學」的著述產生。「變化律」，也是人心共有的心理反映，人們抽繹出自然界移位及轉位的「變化之理」，透過人之「心」，可以投射到哲學、文學、藝術等的領域，應用的範圍十分廣泛。本書即為「變化律」在文學辭章章法分析的應用，先從中、西方的哲學典籍探討變化律的哲學義涵，再落實至文學作品（以古典詩詞為考察文本）材料間關係的實際分析，歸納梳理出章法變化律會形成「移位」及「轉位」等兩大類型的章法結構，而且可以涵蓋章法所有的結構現象，

最後，尋繹章法變化律的心理基礎與美學特色，完整地呈現章法變化律的理論體系，也有效凸顯出「變化律」在章法規律系統中的重要地位。

（二）黃淑貞的《辭章章法四大律》：所有形式的存有，顯示了動態性、聯繫性、整體性等三種基調。在「動」的歷程中，它會產生不斷的變化；而其歷程，必然形成秩序，也必然經由局部和局部的聯貫，逐步趨於整體的統一。章法四大律，根植於這些邏輯規律。本書以《周易》《老子》為核心文獻，探討秩序與變化的移位轉位，探討陰陽二元對待與對比、調和，掌握宇宙萬物由「多」而「二」而「統一」的運行規律。在章法層面，卯榫理論和實踐，探究四大律的原則、範圍和內容。至此，哲學的意味和章法的內涵，終有了動態的整體的聯繫。

（三）陳滿銘的《唐宋詞章法學》：早在二○○七年就有學者認為本書作者「在當代詞學史上首要的貢獻是開創了『詞學章法學』這一新的研究領域。」又說他：「以章法學方法來剖析唐宋詞人創作的實踐來看。『章法學』的確能解此急。」且說：「在完成『章法學』全部體系建構的同時，也就開創了『詞學章法學』這一研究領域。」（曹辛華〈論陳滿銘先生的詞學貢獻〉）過了將近十年之後，終於推出本書，而縮小範圍，僅聚焦於「唐宋詞」，安排如下十章來探討：依序是：章法學「三觀」系統、時空虛實、包孕邏輯、多層解析、辭章評賞、篇章思維、篇章意象、創新潛能、潛顯互動、章法風格。這十章，除第一章為總論，藉理論體系以統合其他九章外，其餘九章都從不同層面或角度切入，用章法對「唐宋詞」作兼顧「求異 ←→ 求同」、「直覺表現 ←→ 模

式探索」雙螺旋互動之探討，以見「唐宋詞章法學」之重要
內涵，供研究者參考。

（四）蒲基維的《辭章風格教學新論》：「風格教學」是語文教學中
重要的一環，也是訓練學生培育鑑賞能力、提升美感素養所
必備的學習範疇。歷來對於辭章風格的分析，多偏於印象
式、直覺式的批評，對於學生而言，仍舊是霧裡看花，終隔
一層。本書從辭章學的意象、修辭、章法、主題等領域切
入，探討風格形成的內在規律，建構具體的的理論。並以中
學一綱多本的詩歌教材為分析對象，不僅理論與實務兼備，
更提供教師具體可尋的風格鑑賞原則，有助於引導學生領略
辭章的風格之美。

（五）陳滿銘的《陰陽雙螺旋互動論——以「0一二多」層次邏輯
系統作通貫觀察》：「陰←→陽」雙螺旋互動，主要以「0一
二多」雙螺旋層次邏輯系統、大自然「轉化」四律（秩序：
移位、變化：轉位、聯貫：對比與調和、統一：包孕）與方
法論等三大內涵形成其系統。而就由此系統貫通「歸納
（陽）←→演繹（陰）」、「異（陽）←→同（陰）」、「包孕
（合：陰）←→包孕（分：陽）」、「意（陰）←→象
（陽）」、「意（陰）←→象（陽）」、「有法（陽）←→無法
（陰）」、完形「形（陽）←→質（陰）」、《老子》「二（陰陽
分）←→三（陰陽轉化）」、《中庸》「誠（陰）←→明
（陽）」等內容，以見「陰←→陽」雙螺旋互動於一斑。

（六）陳滿銘的《中庸天人雙螺旋互動思想研究》：本書作者早在
民國六十九（1980）年三月就寫成《中庸思想研究》一書，
由文津出版社出版。當時雖以「天人」互動為「鍵軸」來通
貫全書脈絡，卻不僅未用「雙螺旋」一詞強調其「往復、提

升」之互動作用，也還沒建構成「0一二多」雙螺旋層次邏輯的完整體系來作一統合，更何況又已絕版多年。因此希望本書能在《中庸思想研究》一書之基礎上，藉近年所開創的「陰陽雙螺旋互動」與「0一二多層次邏輯系統」進行梳理、融貫，以新面貌和讀者見面。全書共八章：前七章所論，或「分」或「合」，對《中庸》「天 ←→ 人」雙螺旋互動思想須作全面性之統整，並作相關探討；而第八章則為「綜（結）論」，針對全書主要內容，先著眼於「思想體系」，以「中和」為核心融通相關的論點，如「仁性 ←→ 知（智）性」、「誠 ←→ 明」、「成己 ←→ 成物」、「三知 ←→ 三行」與「誠 ←→ 至誠」等，以見其完整之思想體系；其次著眼於「義理邏輯」，舉最基本之「歸納（實證性科學）←→演繹（假設性哲學）」與「偏（曲）←→ 全（化）」的層次螺輯類型作說明，並以西方心理學派之「完形論」：「部分相加」≠（＜）「整體」的主要論點加以統合；然後用「0一二多」將思想體系與義理邏輯予以融通，繪製簡圖加以表示，以收一目了然的效果。希望千慮一得，能稍稍有助於《中庸》天人雙螺旋互動思想之研究與發揚，以供學者參考。

以上六冊，就「三觀系統」來說，前三冊比較偏於「中觀」，卻下徹於「微觀」，也上徹於「宏觀」；而後三冊則比較偏於「宏觀」，卻下徹於「中觀」與「微觀」。因為「三觀系統」本身形成的就是「雙螺旋互動」的關係，是無法斷然拆開的。殷切地希望繼本套叢書之後，能一輯一輯地陸續推出，以增進大眾對「跨界章法學」的了解，從而參與研究之行列。

還有，必須一提的是：本套叢書是「章法學研究系列叢書」中的

第二套，與二○一四年出版的第一套《辭章章法學體系建構叢書》有著「雙螺旋互動」的關係。因此，閱讀時能兼顧這兩套叢書，是最為理想的。

　　值此出版前夕，念及這本叢書之所以能在極短時間內順利出版，完全要歸功於萬卷樓圖書公司總經理梁錦興先生、副總經理兼副總編輯張晏瑞先生的辛勤設計，與主編吳家嘉小姐、校對林秋芬小姐的編排與校對；為此，誠摯地向他（她）們致上萬分的謝意！

陳滿銘

序於國文天地雜誌社

2016年10月9日

目次

陳序

　　人類的一切知行活動都離不開「思維」，而「思維」又始終以「意象」為內容。它初由「觀察」與「記憶」的兩大支柱豐富「意象」，再由「聯想」與「想像」的兩大翅膀拓展「意象」（多），接著由「形象」與「邏輯」的兩大思維（二）運作「意象」，然後由「綜合思維」統合「意象」（一（0）），以發揮最大的「創造力」。如此周而復始，便形成「多」、「二」、「一（0）」的螺旋結構，以反映「意象系統」。而這種結構或系統，如果對應到「創造」主體的「才」、「學」、「識」三者而言，則顯然其中的「才」與「學」是對應於「觀察」與「記憶」來說的，屬於知識層，為「思維」之基礎；而「識」則屬於智慧層，藉以提升「意象」，乃對應於一切「思維」（含聯想與想像）之開展而言的。這些不但可在哲學層面尋得它的依據、文學層面考察它的表現，也相應地可在美學層面找到它的歸宿。

　　這所謂的「思維」、「觀察」、「記憶」、「聯想」、「想像」與「創造」，如果扣到人類的「能力」來看，則隸屬於「一般能力」的層面，通貫於各類學科，是形成下一層面「特殊能力」之基礎。而「特殊能力」，則專用於某類學科。就以「辭章」而言，是結合「形象思維」、「邏輯思維」與「綜合思維」而形成的。這三種思維，各有所主。如果是將一篇辭章所要表達之「意」，訴諸各種偏於主觀之聯想、想像，和所選取之「象」連結在一起，或者是專就個別之「意」、「象」等本身設計其表現技巧的，皆屬「形象思維」；這涉及了、「取材」與「措詞」等問題，而主要以此為研究對象的，就是意

象學、詞彙學與修辭學等。如果是專就各種「象」，對應於自然規律，結合「意」，訴諸偏於客觀之聯想、想像，按秩序、變化、聯貫與統一之原則，前後加以安排、佈置，以成條理的，皆屬「邏輯思維」；這涉及了「運材」、「佈局」與「構詞」等問題，而主要以此為研究對象的，就語句言，即文（語）法學；就篇章言，就是章法學。至於合「形象思維」與「邏輯思維」而為一，探討其整個體性的，則為「綜合思維」，這涉及了「立意」、「確立體性」等問題，而主要以此為研究對象的，為主題學、文體學、風格學等。而以此整體或個別為對象加以研究的，則統稱為辭章學或文章學。

這些內涵如對應於「多」、「二」、「（0）一」的螺旋結構，則其中「意象」（個別）、「詞彙」、「修辭」、「文（語）法」、「章法」是「多」，「形象思維」與「邏輯思維」為「二」，「主題」、「文體」、「風格」為「一（0）」。如此，由「（0）一」而「二」而「多」，凸顯的是創作（寫）的順向過程；而由「多」而「二」而「（0）一」，凸顯的則是鑑賞（讀）的逆向過程。

就在這種過程裡，「風格」無疑地居於關鍵性之地位。而這所謂的「風格」，是指「作風、風貌、格調，是各種特點的綜合表現」，而這種表現是多方面的，有建築風格，雕塑風格、音樂風格、服裝設計風格、藝術風格，文學風格等。即以其中的文學風格而言，又有文體、作家、流派、時代、地域、民族和作品等風格之異。如再就其中之一篇作品來說，則又有內容與形式（藝術）風格的不同，而形式（藝術），更有文法、修辭和章法等風格之別。單從文學風格來看，在我國，自曹丕〈典論論文〉與劉勰《文心雕龍》開始，對風格概念，就加以探討，這可由傳統有關的許多論著中得知，而所探討的，大體而言，不外是作家風格、作品風格或文章風格。而對其中之作品風格，大都僅就整體來作綜合探討，卻較少分為內容與形式加以析

論，也十分自然地，從「詞彙」、「文（語）法」、「修辭」、「章法」或「主題」等角度來推求其風格的，便更少見，甚至完全看不到。這是由於一直未注意到它們是一律建立在「陰陽二元對待」之基礎上的緣故。

如此直接由「陰陽二元對待」所形成之母性風格，是「剛」與「柔」。而我國涉及此「剛」與「柔」的特性來談風格的，雖然很早，如南朝梁鍾嶸的《詩品》、唐司空圖的《二十四詩品》、宋嚴羽的《滄浪詩話》等，它們所談的風格，就有與「剛」、「柔」相接近或類似的，卻還沒直接提到「剛」與「柔」；就是明末清初的黃宗羲在〈縮齋文集序〉裡，固然以陰陽之氣論文，與「剛柔」有關，也一樣未直接提到「剛柔」。真正說來，明明白白地提到「剛」與「柔」，而又強調用它們來概括各種風格的，首推清姚鼐的〈復魯絜非書〉。周振甫以為姚鼐在此「把各種不同風格的稱謂，作了高度的概括，概括為陽剛、陰柔兩大類。像雄渾、勁健、豪放、壯麗等都歸入陽剛類，含蓄、委曲、淡雅、高遠、飄逸等都可歸入陰柔類。就這兩類看，認為『為文者之性情形狀舉以殊焉』，性情指作者之性格，跟陽剛、陰柔有關；形狀指作品的文辭，跟陽剛、陰柔有關。又指出這兩者『糅而氣有多寡進絀』，即陽剛陰柔可以混雜，在混雜中，陰陽之氣可以有的多有的少，有的消有的長，這就造成風格的各種變化。他雖然把風格概括為兩大類，但又指出陰陽之交錯所造成的各種不同風格是變化無窮的，這又承認風格的多樣化。」這樣對後世辭章「風格」之研究，如曾國藩「四象說」與其他諸家說法，影響是極大的。

蒲君基維讀博士班時即有志於此，於是在指導下，以姚鼐與曾國藩等前賢時哲之說法與當前章法學之研究成果為基礎，於去年六月以〈章法風格析論〉一文獲得博士學位。而現在又嘗試作進一步之努力，由章法擴大到整個辭章，並將理論運用於語文教學之上，撰成

《辭章風格教學新論——以中學詩歌教材為研究對象》一書，相信對辭章「風格教學」之這一新園地，繼顏瑞芳教授與溫光華助理教授之大作《風格縱橫談》之後，能加強其影響力，以提升教學品質。

　　忝為其碩博士論文指導教師，值此出版前夕，特地略述辭章風格之來龍去脈，與作者在這一方面所作之努力，聊以表示肯定與慶賀的意思。

陳滿銘

序於臺灣師大國文系835研究室

2005年11月10日

第一章
緒論

　　本章論述研究動機及研究方法，並確定論文研究的範圍如下。

第一節　研究動機

　　「風格」是一整體審美風貌的展現，就辭章學的範疇來說，辭章風格代表著辭章本身的整體美感，所以探討辭章風格是瞭解辭章整體藝術特色的憑藉，也是追溯辭章創作源頭的手段。這是辭章風格教學值得研究的原因之一。

　　儘管如此，傳統辭章風格的分析仍偏重於直覺式、印象式的述評，這種述評方式透過辭章鑑賞家豐富的學養與敏銳的直覺，確實累積了豐碩的成果。然而初步接觸辭章風格的莘莘學子，面對這些風格鑑賞的文獻，猶如霧裡看花，終隔一層。因此，亟需梳理辭章風格鑑賞的步驟，是辭章風格教學值得研究的原因之二。

　　教學是學術研究的驗證程序，透過教學的實施，可以印證研究成果的價值，或作為理論修正之參考。以辭章風格研究而言，建構辭章風格教學的理論是風格學研究的延伸，我們把風格鑑賞的原則落實到辭章教學之上，可以解決學子探究風格時所產生的疑惑與困境，同時又可提升其閱讀和鑑賞的能力，並印證風格鑑賞理論的價值。這是辭章風格教學值得研究的原因之三。

　　根據「民國九十二年國民中小學九年一貫課程綱要」，對於本國語文的「閱讀能力」，曾經明列「能欣賞作品的寫作風格、特色及修

辭技巧」一項，其「寫作能力」也明列「發揮思考及創造的能力，使作品具有獨特的風格」一項。而「高級中學國文課程標準」中，在實施方法部分也提到課文讀講時必須注意「文學作品之流派、風格及其價值」。由此可知，風格教學是完整國文教學中不可或缺的一環。近年教材版本的開放，各版編寫國文教材在課文、註釋之外，多有增列「賞析」一欄，期能提供深刻而完整地辭章鑑賞，其中對於風格特色的論述著墨尤多，可見風格鑑賞頗受重視。然而教師面對這些賞析文字或一語帶過，或人云亦云，仍無法為學子提供辭章風格鑑賞的途徑。因此，建構辭章風格的鑑賞原則，引導學子體會風格之美，是辭章風格教學值得研究的原因之四。

　　目前海峽兩岸研究風格的論著頗多，但針對辭章風格而論的研究則少見，鎖定風格教學而論的研究更是少之又少。在大陸方面，黎運漢的《漢語風格探索》、《漢語風格學》是目前兩岸風格論著中較為完整的研究論文，可作為我們探索辭章風格的基礎；至於臺灣方面，有顏瑞芳、溫光華合著的《風格縱橫談》，首見以國文教學的角度來論述風格的概念、歷代文學風貌及高中國文的風格教學，是我們研究辭章風格、作家風格與風格教學的重要參考。這些著作是風格學研究的重要文獻，在此基礎之上，期望深入探索辭章風格的內在規律，以建立其分析鑑賞的原則，這是辭章風格教學值得研究的原因之五。

　　基於這些理由，忝以不佞之才，欲深入探究辭章風格的形成規律，期望建構辭章風格教學的理論，為教師提供具體可行的教學方法，並訓練而提升學子鑑賞辭章的能力。

第二節　研究方法與研究範圍

　　為提升本論文的學術品質，並方便建立辭章風格教學研究的指導原則，茲提出重要的研究方法如下。

一　追本溯源，貫串脈絡

　　文學理論的建構，必須構築在哲學與美學的基礎之上，以其能符合宇宙自然的規律，推溯其美學、哲學的淵源，進而建構完整的體系，使理論立於不朽、不敗的地位。就辭章風格的教學來說，它涉及了風格學及教學心理學等兩大學術範疇，我們必須探索「風格」述評的源流及演變，並追溯「風格」的哲學淵源，進而建立辭章風格的鑑賞原則。另一方面，必須從「創作」與「鑑賞」兩個角度，來探索辭章風格教學的心理基礎。所以本論文特設第二章「辭章風格教學的理論基礎」，期望能追溯本源，貫串文學、哲學、美學與心理學的脈絡，作為我們實際分析及教學的依據。

二　體用兼備，確立系統

　　任何理論的建構，仍須藉由實際應用的過程，以驗證其完整性與正確性。我們在建構辭章風格教學的理論之後，可以進一步應用於辭章的分析與教學。所以在第四章「辭章風格的實際教學」中，我們根據理論基礎的建構來確立檢視風格的原則，並進行中學詩歌教材的分析與鑑賞，最後確定風格教學的步驟，使理論與應用緊密扣合，確立一個「體用兼備」的完整系統。

三　詳考眾說，條分類析

　　我們在建構理論、分析辭章之時，並非墨守成規，閉門造車，而是參酌古今中外重要的文學理論、哲學概念、美學與心理學的學說，才能確立辭章風格教學理論的周延性。此外，進行作家風格的述評與

辭章風格的鑑賞，也參考海峽兩岸對於作家及辭章的重要評價，使我
們的研究成果有跡可尋。另一方面，分析歷代作家風格乃依時代排
序，可以見出各家風格的繼承與新變；而鑑賞辭章風格則條分為「剛
中寓柔」、「柔中寓剛」、「剛柔相濟」等三種風格類型，使紛繁的詩歌
作品得以分門別類，見出其風格趨向之梗概。

四　建立原則，落實教學

　　理論的建構是抽象的，原則的建立才是具體的。尤其在教學理論
上更須注重具體明確的原則，一方面提供教師具體的引導模式，另一
方面也給予學生明確的方向。所以本論文在建構辭章風格教學理論，
進行辭章實例分析，進而提出具體可行的風格教學步驟。這些教學步
驟仍須透過適當的教學活動設計，才能真正落實。所以，本論文第五
章「辭章風格的教學活動設計」分別從鑑賞教學、寫作教學及教學評
量三方面來設計活動，期望提供具體可行的教案，落實辭章風格的
教學。

　　基於上述研究方法，我們可以確定研究範圍，並具體說明論文之
綱目如下：

　　第一章為「緒論」。說明研究動機、研究方法與範圍。

　　第二章為「辭章風格教學的理論基礎」。從論述風格的源流與轉
變，進而追溯風格的哲學根源，最後建構辭章風格教學的理論。

　　第三章為「辭章風格與作家風格」。探討作家風格形成的內外因
素，進而釐清辭章風格與作家風格的關係，使兩者在教學時能緊密結
合，完整呈現辭章的藝術特色。

　　第四章為「辭章風格的實際教學」。根據其理論基礎建立辭章風
格的檢視原則，並以中學詩歌教材為例進行風格賞析，最後完成風格

教學的具體步驟，並提供進階審美教學之原則，作為教師實際教學的重要參考。

　　第五章為「辭章風格的教學活動設計」。根據風格教學的具體步驟，進一步設計教學活動，針對「鑑賞」、「寫作」及「評量」等三大範疇設計實施方案，以印證理論之完整。

　　第六章為「結論」。總成研究成果的論述。

　　本論文以中學詩歌教材為研究對象，共收錄國民中學及高級中學一綱多本教材所錄之詩歌，含古典的詩、詞、曲及現代詩共二十九首，高級中學詩歌教材以出現在兩種版本以上為選錄標準，國民中學所選錄的詩歌則不在此限。茲表列其篇目、版本及冊次如下：

一　國中課文

（一）古典詩（含樂府、古詩、近體詩）

篇目	作者	版本暨冊次
迢迢牽牛星	佚　名	南一 3、翰林 3
歸園田居	陶淵明	翰林 3
木蘭詩	佚　名	南一 4、康軒 4、翰林 4
登鸛雀樓	王之渙	南一 1、翰林 1
黃鶴樓送孟浩然之廣陵	李　白	南一 1、翰林 1
過故人莊	孟浩然	南一 2、翰林 2
聞官軍收河南河北	杜　甫	康軒 2、翰林 2

（二）詞曲

篇目	作者	版本暨冊次
西江月	辛棄疾	南一
天淨沙秋思	馬致遠	南一、康軒、翰林

（三）現代詩

篇目	作者	版本暨冊次
夏夜	楊　喚	南一、康軒、翰林

二　高中課文

（一）古典詩（含詩經、樂府、古詩、近體詩）

篇目	作者	版本暨冊次
蒹葭	佚　名	南一、翰林、龍騰
蓼莪	佚　名	三民、康熹
飲馬長城窟行	佚　名	康熹、翰林、龍騰
陌上桑	佚　名	三民、南一
長干行	李　白	三民、南一、康熹、翰林
琵琶行	白居易	三民、南一、康熹、翰林、龍騰
飲酒詩之五	陶　潛	三民、南一、康熹、龍騰
石壕吏	杜　甫	三民、翰林
正氣歌	文天祥	三民、南一、翰林

篇目	作者	版本暨冊次
黃鶴樓	崔　顥	南一、康熹、翰林
寄黃幾復	黃庭堅	三民、康熹、龍騰
觀書有感	朱　熹	南一、康熹、翰林
書憤	陸　游	三民、南一、翰林

（二）詞曲

篇目	作者	版本暨冊次
浪淘沙	李　煜	翰林、三民
念奴嬌赤壁懷古	蘇　軾	翰林、龍騰、南一
大德歌—秋	關漢卿	翰林、龍騰、三民、南一
沉醉東風漁父詞	白　樸	翰林、龍騰、三民、南一、康熹

（三）現代詩

篇目	作者	版本暨冊次
再別康橋	徐志摩	翰林、龍騰
錯誤	鄭愁予	翰林、龍騰、三民、南一
負荷	吳　晟	康軒

第二章
辭章風格教學的理論基礎

　　本章首先說明歷代對於風格論述的源流與轉變，其次探討風格的哲學基礎，最後建構風格教學的理論。

第一節　風格論述的源流與轉變

　　歷代對於「風格」一詞的定義眾說紛紜，有關風格品類的論述亦龐雜繁多，本節將針對風格定義的界說及風格品類的論述，探討其源流與轉變，以釐清風格的基本概念，作為建構風格教學理論的基礎。

一　關於風格定義的界說

　　研究中國傳統文論的學者，對於「風格」的詮釋，多認為風格的起源與品鑑人物有關。如：

> 風格，……最初指人的風度和品格，用來論文時就指文章的風範和格局。[1]
> 魏晉之人物品鑑，以超實用之藝術心靈，觀照出人體形相之美，久之，乃擴及於文學，故是時對文學作品之品評，輒喜以

1　見詹鍈：《文心雕龍的風格學》（臺北市：正中書局，1994年4月臺初版），頁4。

人體為喻。[2]

　　風格一詞，本來是指人的風采格調。……後來即把詩、文等文
　　學作品，能充分表現作者的才性，也稱為風格。[3]

可見風格的義涵，本來具有「人的風度和品格」、「人體形相之美」、
「人品的格調」等義意，故欲推究中國藝術風格的本源，必須從人物
品鑑談起。

　　古代品鑑人物的盛行，乃源於漢代以來「察舉」與「徵辟」制度
的需求。所謂「察舉」，是由地方郡守按每二十萬人選舉孝廉一人，
並保舉若干人才供朝廷選用；而「徵辟」則是規定三公等官府可特聘
人才作為本府屬官。[4] 這兩種制度依據「鄉閭清議」以拔擢人才，於
是人才的鑑識與人物的批評成為漢代的重要活動。公卿、郡守與諸侯
為了準確推舉賢良，逐漸發展出一套銓品人物的方法，班固的〈古今
人表〉即反映了此一時代品鑑人物的重要標準。他以「德行」為標
準，概論上古三代至秦末近兩千人的賢愚，並一一安排定位在九個等
級當中。其中一等為聖人，二等為仁人，三等為智人，九等為愚人，
四、五、六、七、八等無名目。在此標準之下，三皇、五帝、堯、
舜、禹、湯、文、武、周公、孔子皆列為一等，而先秦諸子中老子、
墨子列為四等，莊子、惠施、公孫龍列為六等。班固以一己的判準，
為古今人物確定等第，雖然在方法及品第上頗有爭議，亦引起後世學
者的諸多批判，但是他已經具體呈現了漢人崇尚德行的人品觀。

2　見黃美鈴：《唐代詩評中風格論之研究》（臺北市：文史哲出版社，1982年2月初版），
　　頁3。
3　見朱榮智：《文氣論研究》（臺北市：臺灣學生書局，1986年3月初版），頁280。
4　參見蔡崇明校注：《新編人物志・導論》（臺北市：臺灣古籍出版社，2000年11月初
　　版），頁6。

　　及至三國，魏文帝頒佈了「九品官人法」之後，使漢代的「察舉」與「徵辟」走向制度化。其作法乃以州、郡、縣當地之名望人士擔任「中正官」，品評本州郡縣士人的等第，依士人的品行、狀貌與家世等三方面加以公論，分為上上、上中、上下、中上、中中、中下、下上、下中、下下等九個品第，核實以呈報中央選用。這種制度的推行，更激起品鑑人物的熱潮，也確實拔擢了很多人才，但由於「中正官」多掌握在權貴世族之手，再以品評人物難有客觀標準，遂產生了「上品無寒門，下品無世族」的怪象。至此，拔擢人才的美意被扭曲，貴族也壟斷了仕宦之途。有識之士洞悉這些弊端，既無力扭轉這股政治潮流，只能針對選拔人才的問題進行研究，劉劭的《人物志》就是此一政治背景下的產物。相較於班固的〈古今人表〉，《人物志》展現了更客觀的品鑑方法，也確立了更完整的鑒識系統。其自序云：

> 聖賢之所美，莫美乎聰明；聰明之所貴，莫貴乎知人。知人誠智，則眾材得其序，而庶幾之業興矣。[5]

此說明論人性的目的在於能夠客觀地知人，俾能任使眾材，以成庶績。可見「如何知人」乃《人物志》一書的要旨，而劉劭為使「知人」能裨益眾材的選拔，遂以「才性」作為論人的重要課題。他以「情性」為本，開展出論人的形上架構。〈九徵〉篇所載：

> 蓋人物之本，出乎情性，情性之理，甚微而玄；非聖人之察其孰能究之哉？凡有血氣者，莫不含元一以為質，稟陰陽以立

5　見劉劭：《人物志》（劉昞注，四部叢刊本），卷一。

性，體五行而著形。苟有形質，猶可即而求之。

所謂「含元一以為質，稟陰陽以立性」即說明人以元一之氣作為基本
質素，而氣有陰陽，人物受陰陽二氣而形成不同的氣性。劉昺注云：
「性資於陰陽，故剛柔之意別矣」，強調「元一」雖為普遍的質素，
落於人之質性本無不同，但由於「陰陽」賦受的多寡薄厚，遂產生各
自殊異的氣質，落到「五行」的各種組合結聚，便可以形著為世間形
形色色、多采多姿的人物性格。劉邵以「陰陽」賦受的多寡薄厚來解
釋人物情性的殊異，在漢儒「陰陽五行」及「氣化宇宙論」的基礎
上，開創了人物品鑑的新路，也大大影響了中國文學鑑賞的方向。

　　與《人物志》同時期的《典論・論文》曾經提到：「文以氣為
主，氣之清濁有體，不可力強而致」，其所謂「清濁」的觀念與《人
物志》的「稟陰陽以立性」可以相互闡發，而曹丕顯然已經把人物氣
性的清濁用來詮釋辭章風格的差異。

　　至兩晉南北朝，中國文學理論漸趨成熟，文論家以人物才性談論
辭章創作的風氣更為盛行。劉勰的《文心雕龍》即是著例。其〈體
性〉篇所言：

　　　情動而言形，理發而文見，蓋沿隱以至顯，因內而符外者也。

此即說明文學創作源於內在隱約情理的抒發，也強調人的「才性」是
文學創作的重要因素。其言：

　　　才有庸儁，氣有剛柔，學有淺深，習有雅鄭，並情性所鑠，陶
　　　染所凝，是以筆區雲譎，文苑波詭者矣。

劉勰不僅繼承了《人物志》所謂「稟陰陽以立性」的才性觀，更以曹丕「氣之清濁有體，不可力強而致」為基礎進一步發展，以為作家才性是由先天的「才、氣」與後天的「學、習」雜糅而成，其中「庸」、「儁」、「剛」、「柔」、「淺」、「深」、「雅」、「鄭」等質素雖有先天、後天之分，卻可互相交錯涵融，體現各種不同作家的才性，而由不同作家所創作的作品，自然形成了「筆區雲譎，文苑波詭」的多樣風貌。從「才性論」到「創作論」，劉勰做了最佳的融會與轉化，不僅貫通了人物風格與藝術風格的本質，也提出了文學風格以「陽剛」、「陰柔」為原性的芻議。

西方對於「風格」的解釋，最早出現於希臘文，後來又進入拉丁文。希臘文的 stylos 和拉丁文的 stylus，原義是「一把用以刻字或作圖的刀子」，後來的字義漸漸發展為「寫字的方法」，而希臘的哲學家又轉為修辭學、文學及其他藝術上的一個術語，引申其義為「以辭達義的方法」、「寫作的風度」、「作品的特殊格調」、「藝術作品的氣勢」，進而成為一個國際科學的術語，英語稱為「style」，德語稱為「stiel」，法語稱為「style」，皆表示藝術作品所展現的特殊格調。[6]

中國藝術風格的理論始於魏晉的人物品鑑是可以被確定的。所以，用來品評人物的「才氣」、「體貌」、「格調」、「品第」、「神韻」等術語也普遍出現在中國的藝術風格論中，成為我們論述風格義涵時不可忽略的要素。[7] 而西方對於「風格」的詮釋偏重於修辭藝術所展現的特殊格調，也是我們定義「風格」所必須考慮的因素。

因此，闡述風格的定義可以從創作和鑑賞兩個方面來說：以創作

6　參見黎運漢：《漢語風格學》（廣州市：廣東教育出版社，2000年2月第1版），頁1。

7　鄭頤壽教授論述「格素」時提到，「內蘊情志格素」是文學風格的決定性要素，其中「主觀格素」就明顯提到作家個性對於作品風格的影響。參見《辭章學新論》（臺北市：萬卷樓圖書公司，2004年5月初版），頁338。

而言，風格應是作家藉由形式技巧表現其思想情感所呈現之契合自身
才情的風姿；以鑑賞而言，則是欣賞者主觀體悟到的作品之整體風貌
與格調。

二　關於風格品類的論述

　　所謂「風格品類」，是指辭章之抽象力量的各種形態。從上述
《人物志》「稟陰陽以立性」的情性觀，到後來曹丕所提「氣之清濁
有體」的文氣觀，以及劉勰「風趣剛柔」的風格論，可以看出中國文
學風格理論對於各種風格形態的分類研究，是以「陽剛」、「陰柔」為
基礎而發展起來的，此與中國「陰陽二元對待」的哲學有密切關聯。

　　在中國歷代風格理論中，對於風格品類的論述相當繁多，檢視歷
代文論與詩話，風格品類的發展歷經了一個漫長的分化與合流，而近
世與西方理論結合，又呈現某些程度的轉變。依其發展，可大略分為
四個時期：

（一）草創時期的定品

　　風格品類的界說，最早出現在曹丕《典論・論文》中，其對辭章
「四科八體」的具體要求提到：

　　　　奏議宜雅，書論宜理，銘誄尚實，詩賦欲麗。

曹丕的文體分類是在「清」、「濁」之文氣論的基礎上論述的，其所謂
「典雅」、「明理」、「樸實」、「華麗」者，就是各種文體所應展現的風
格標準，實已具有風格分類的雛形。其後劉勰的《文心雕龍》更明白
提出辭章的八種旨趣，其言：

> 若總歸其塗，則數窮八體：一曰典雅，二曰遠奧，三曰精約，
> 四曰顯附，五曰繁縟，六曰壯麗，七曰新奇，八曰輕靡。[8]

劉勰不僅確立了八種辭章之風格類型，更進一步指出「雅與奇反，奧與顯殊，繁與約舛，壯與輕乖」的對應關係，形成了八體四類的完整體系。這是他在「風趣剛柔」的基礎觀念中所確立的風格論。

此外，鍾嶸的《詩品》以「國風」、「小雅」、「楚辭」為五言詩的三大源頭，根據淮南王劉安所言：

> 〈國風〉好色而不淫，〈小雅〉怨誹而不亂，若〈離騷〉者，
> 可謂兼之。[9]

可知〈國風〉、〈小雅〉、〈楚辭〉各有其特色。大體而言，〈國風〉為十五國之民間歌謠，內容多為情詩，具有樂府詩「遒勁」的基調，也具備了民歌質樸、通俗的風格；〈小雅〉多為文人創作，內容以譏刺為多，且詩人個性溫婉，故詩風易趨於含蓄典雅；〈離騷〉為抒發個人情志之作，既為貴族文學，又鎔鑄楚地文化，故風格幽渺而浪漫，有直抒胸臆的樸素美，也有文人特有的溫雅特色。鍾嶸歷述漢魏至齊梁一百二十三位詩人，並歸源於〈國風〉、〈小雅〉、〈楚辭〉，實已歸納出「遒勁」、「溫婉」兩種詩風。

綜觀曹丕、劉勰及鍾嶸的論述，三者在其風格論中雖已具體呈現分體、分品的現象，但仍是在「陰陽二元對待」的基礎上表述各種風格的形態。

8　見《文心雕龍・體性》篇。
9　見劉安〈離騷傳〉，收錄於班固《漢書》，亦見劉勰《文心雕龍・辨騷》篇。

（二）發展時期的分化

　　自劉勰提出風格「八體」的理論之後，學者論述風格品類即愈分愈繁，陳思在〈中國古典風格理論的演進〉一文中認為，風格品類的演進愈衍愈繁，代表著「文學實踐豐富後文學風格的多樣化，也標誌著對風格的認識越來越具體。」[10]唐代繼承了魏晉南北朝文學創作與文學理論的基礎，在中國古典詩歌發展上創立了另一高峰，在豐碩的文學成果中，不少文人試圖從繁多的作家、作品，尋找唐詩的風格與境界，造就了唐代詩學的鼎盛，卻也脫離了以「陽剛、陰柔」為基礎的風格系統，使文壇關於風格品類的論述呈現紛繁的現象。茲揀擇唐代數家論述風格品類的文獻如下：

1 初唐・崔融《唐朝新定詩格》有詩格十體[11]

　　崔融與李嶠、蘇味道、杜審言俱為初唐文章四友，其《唐朝新定詩格》所說的「十體」，大部分與詩體的風格相關，而其中也涉及修辭手法。其言：

> 　　形似體者，謂貌其形而得其似可以妙求，難以粗測者是。詩曰：「風花無定影，露竹有餘清」。又云：「映浦樹疑浮，入雲峰似滅。」如此即形似之體也。
> 　　飛動體者，謂詞若飛騰而動是。詩曰：「流波將月去，潮水帶星來」。又云：「月光隨浪動，山影逐波流。」此即是飛動之體。
> 　　直置體者，謂直書其事置之於句者是。詩曰：「馬銜苜蓿葉，

---

10 見陳思〈中國古典風格理論的演進〉，《求索》1993年第3期，頁91。
11 崔融《唐朝新定詩格》之十體乃《文鏡秘府論》所引，亦見於《中國修辭學通史・隋唐五代宋金元卷》（長春市：吉林教育出版社，2001年2月第1版二刷），頁153-159。

劍瑩鷺鵜膏。」又云：「隱隱山分地，滄滄海接天」。此即是直
置之體。

雕藻體者，謂以凡事理而雕藻之，成於妍麗，如絲彩之錯綜，
金鐵之砥鏈是。詩曰：「岸綠開河柳，池紅照海榴」。又云：
「華志怯馳年，韶顏慘驚節。」此即是雕藻之體。

質氣體者，謂有質胄而作志氣者是。詩曰：「霧烽黯無色，霜
旗凍不翻。雪覆白登道，冰塞黃河源」。此是質氣之體。

情理體者，謂抒情以入理者是。詩曰：「遊禽知暮返，行人獨未
歸」。又云：「四鄰不相識，自然成掩扉。」此即情理之體也。

清切體者，謂詞清而切者是。詩曰：「空葭凝露色，落葉動秋
聲」。又曰：「猿聲出峽斷，月彩落江寒」。此即是清切之體也。

映帶體者，謂以事意相愜，復而用之者是，詩曰：「露花疑濯
錦，泉月似沉珠。」又曰：「侵雲蹀征騎，帶月倚雕弓。」又
曰：「舒桃臨遠騎，垂柳映連營。」

菁華體者，謂得其精而忘其粗者是。詩曰：「青田未矯翰，丹
穴欲乘風。」鶴生青田，鳳出丹穴；今只言青田，即可知鶴，
指言丹穴，即可知鳳，此即是文典之菁華。又曰：「曲沼疏秋
盡，長林卷夏帷。」又曰：「積翠徹深潭，舒丹明淺瀨。」此
即是文典之菁華。

婉轉體者，謂屈曲其詞，婉轉成句是。詩曰：「歌前日照梁，
舞處塵生襪。」又曰：「泛色松煙舉，凝花菊露滋。」此即婉
轉之體。

所謂「形似」，就是要求描寫事物，形象逼真。《文心雕龍·物
色》篇所言「巧言切狀，如印之印泥，不加雕削，而曲寫毫芥，故能
瞻言而見貌，即字而知時」，就是在強調描繪客觀景物的逼真所呈現

的靜態美。至於「飛動」，則偏重於描繪客觀景物的動態之美，故在詞語中特別要求動詞的靈活運用，故上述詩例中所用的「流」、「將」、「去」、「帶」、「來」、「隨」、「動」、「逐」等動詞，用來描寫「波」、「潮水」、「山影」、「月光」的流動之態，確實呈現了動態的美感。這兩種體式，基本上是根據「意象」所營造出來的風格類型。

　　所謂「直置」，就是運用樸實無華的語言，不假雕琢，直接描述事物的一種體式。這種體式容易營造「通透自然、質樸無華」的美感。相對於「雕藻」，則較注重辭章的雕琢，其運用華麗的辭藻來描寫客觀事物，以形成一種具備「妍麗」之美的體式。「直置」與「雕藻」是魏晉南北朝以來論述風格的兩個對等之重要概念，從風格的形成來看，材料所形成的意象及修辭的表現，都是影響辭章偏於「直置」、或偏於「雕藻」的重要因素。

　　至於「質氣」是在強調辭章必須有質骨以表現志氣。「骨健氣實」一向是魏晉南北朝的文論家所推崇的風格，如劉勰《文心雕龍·風骨》篇所言「辭之待骨，如體之樹骸」、「練於骨者，析辭必精」，即在要求辭章必須語言精鍊、剛健有力；而沈約的《宋書·謝靈運傳》亦云「子建、仲宣，以氣質為體」，以及鍾嶸評曹子建詩為「骨氣奇高，辭采華茂」，都是在強調建安風骨所呈現的「質樸剛勁」的風格。可見「質氣」體所強調的是一種偏於質樸、勁健、有力的語言風格。此外，「情理」體在強調詩歌必須注重情與理的結合，這是一種剛柔並濟的風格要求；而「清切」體則要求詩歌的詞語必須清秀穩切、聲調必須清澈瀏亮，乃就語言的用字及聲律方面來論述風格。

　　上述七體確實扣緊風格而論，而崔融所提的「映帶」、「菁華」、「婉轉」三體，無涉辭章風格，卻與修辭手法相關。以現代修辭學的理論觀之，「映帶」體強調事與意相合，採映襯之法，使兩兩相襯，相得益彰，此應為雙關修辭；「菁華」體著重辭章表現其精華而棄其

粗莠者，應為借代、借喻修辭；而「婉轉」體說明「屈曲其詞，婉轉成句」，是指有意顛倒詞語在語法上的組合順序，實為倒裝修辭。

　　崔融繼承前人而發展其詩體風格的理論，其分類較細，反映了詩體風格的發展，然而論述過於簡略，分類亦無系統，且雜糅了部分的修辭概念，降低其論述體系的完整性。但是他所提出的「直置」、「雕藻」、「質氣」、「情理」、「清切」等風格品類，仍有重要的參考價值。

2 盛唐・王昌齡《詩格》提出「五趣向」[12]

　　王昌齡的《詩格》是中國古代修辭學理論的重要著作，也是盛唐詩歌從「創作」走向「理論」的具體成果。其內容包括修辭、文法、章法的理論，也涵蓋了詩體風格的論述。文中所謂「五趣向」，就相當於詩的五種風格：

> 一曰高格，曹子建詩「從軍過函谷，馳馬過西京」。
> 二曰古雅，應休連詩「遠行蒙霜雪，毛羽自摧頹」。
> 三曰閒逸，陶淵明詩「眾鳥欣有託，吾亦愛吾廬」。
> 四曰幽深，謝靈運詩「昏旦變氣候，山水含清輝」。
> 五曰神仙，郭景純詩「放情凌霄外，嚼蕊挹飛泉」。

　　這裡所提出的「高格」、「古雅」、「閒逸」、「幽深」、「神仙」等五種風格品類，雖有具體詩例，卻僅是唐代前期詩歌風格類型的歸納，並無具體的理論詮釋。而影響所及，如中唐釋皎然《詩式》提出「高」、「逸」、「閒」、「達」等十九字的說法，齊己《風騷旨格》所謂「高古」、「清奇」的體式，以及晚唐司空圖《詩品》關於「高古」、

---

12 王昌齡《詩格》乃根據《文鏡祕府論》所引，亦收錄於謝无量主編：《詩學指南》
　　（臺北市：中華書局，1958年臺一版），頁80。

「沖淡」、「超詣」、「飄逸」、「清奇」等風格品類的論述，其研究更為深入具體，不能不說是受到王昌齡《詩格》「五趣向」的影響。

3 中唐‧釋皎然《詩式》提出辨體十九字[13]

釋皎然是中唐著名的高僧，俗姓謝，乃謝靈運之十世孫，因其家學淵源，對於詩歌語言文字的運用藝術特別重視。《詩式》是他晚年詩歌研究的結晶，受到鍾嶸《詩品》及王昌齡《詩格》的影響，《詩式》展現了崇尚自然之美的觀點。關於詩體風格的探討，他提出了「辨體一十九字」，其云：

> 高，風韻切暢曰高。逸，體格閒放曰逸。貞，放詞正直曰貞。忠，臨危不變曰忠。節，持節不改曰節。志，立志不改曰志。氣，風情耿耿曰氣。情，緣情不盡曰情。思，氣多含蓄曰思。德，詞溫而正曰德。誠，檢束防閑曰戒。閒，性情疏野曰閒。達，心跡曠誕曰達。悲，傷甚曰悲。怨，詞理悽切曰怨。意，立言曰意。力，體裁勁健曰力。靜，非如松風不動，林狖未鳴，乃謂意中之靜。遠，非謂淼淼望水，杳杳看山，乃謂意中之遠。

釋皎然《詩式》所談論的風格，實際上包括了辭章的形式與內容，即所謂外彰的「風律」與內蘊的「體德」。其「辨體一十九字」中側重於語言形式的論述，如「貞」的風格要求遣詞要雅正直切，「德」的風格要求詞氣須溫厚貞正，「怨」的風格要求語言形式須悽涼悲切，「意」的風格要求語言必須氣勢恢弘、旨意廣大，此皆與修辭表現相關；其餘「高」、「逸」、「忠」、「節」、「志」、「氣」、「情」、

---

13 見釋皎然《詩式》卷一，收錄於《古漢語修辭學資料彙編》（臺北市：明文書局，1984年9月初版），頁152-153。

「思」、「戒」、「閒」、「達」、「悲」則偏重於內容的論述，主要呈現的是「意象風格」；至於「力」、「靜」、「遠」三字的風格要求則兼具形式與內容，已提升至辭章整體「境界」的探討。

　　釋皎然《詩式》對於風格品類的論述有承有變，他雖以一字概括詩歌的主要風格，卻認為一首詩所展現的並非一種單純的風格，而是幾種風格特點的融集。其文中仍強調：

> 篇目風貌，不妨一字之下，風律外彰，體德內蘊，如車之有
> 轂，眾輻歸焉。

他以車輪之「有轂」、「眾輻」來比喻風格品類的錯雜與融集，其見解是相當正確的。

4 晚唐・齊己《風騷旨格》以詩有十體[14]

　　釋皎然以一代高僧跨足詩學領域的研究，影響所及，晚唐五代以至宋初的許多僧侶也投入了類於《詩格》的撰寫，其中以晚唐高僧齊己所寫的《風騷旨格》較為重要。本書對於風格品類的論述，就是書中所提到的「詩有十體」：

> 一曰高古，詩曰「千般貴在無過達，一片心閒不奈高」。
> 二曰清奇，詩曰「未曾將一字，容易謁諸侯」。
> 三曰遠近，詩曰「已知前古事，更結後人看」。
> 四曰雙分，詩曰「船中江上景，晚泊早行時」。
> 五曰背非，詩曰「山河終決勝，楚漢且橫行」。
> 六曰虛無，詩曰「山寺鐘樓月，江城鼓角風」。

---

14 見齊己《風騷旨格》，收錄於《古漢語修辭學資料彙編》，頁147-148。

　　七曰是非，詩曰「須知項籍劍，不及魯陽戈」。

　　八曰清潔，詩曰「大雪路亦宿，深山水也齋」。

　　九曰覆妝，詩曰「疊巘供秋望，無雲到夕陽」。

　　十曰闔門，詩曰「卷簾黃葉落，鎖印子規啼」。

　　從詩格名稱及其所舉的詩例來看，這十體所論述的非僅風格品類的範圍，其中可視為風格品類的僅有「高古」、「清奇」兩種，其餘如「遠近」、「是非」則似於體裁的分類，而「雙分」、「虛無」、「覆妝」、「闔門」主要是偏重於修辭手法所表現的風格類型，至於「背非」、「清潔」二體則與材料意象有關。可見《風騷旨格》所闡述的十體內容失於駁雜，並非全是風格品類的論述。

5 晚唐・司空圖《二十四詩品》提出唐詩二十四種境界[15]

　　司空圖，字表聖。其《詩品》乃論詩風格之專著，他總結了二十四種詩歌的風格品類，其內容包括「雄渾」、「沖淡」、「纖穠」、「沉著」、「高古」、「典雅」、「洗鍊」、「勁健」、「綺麗」、「自然」、「含蓄」、「豪放」、「精神」、「縝密」、「疏野」、「清奇」、「委曲」、「實境」、「悲慨」、「形容」、「超詣」、「飄逸」、「曠達」、「流動」等二十四品，可說是唐詩各種風格和流派的總整理，同時也反映了唐詩風格多采多姿、百花爭豔的繁榮景象。其分品較前人更為細緻，並大量運用了形象性的語言來描述詩歌意境的類型，更容易觸發讀者美感的聯想。賈沛若在〈摹神取象、無美不臻──談「二十四詩品」風格論的形象描述〉一文中提到：

---

15 見《古漢語修辭學資料彙編》，頁142-146。

形象是感性的、直觀的、具體的，它傳神地把風格描繪出來，讀者就憑著自己的審美經驗去感知、去領悟、去補充。借助想像和美感聯想，再創造出一種更具體的美的意境。所以形象描述的方法，不僅可以捕捉風格的神韻，而且也給讀者留下想像的廣闊空間，比之用一個明確的、範圍嚴格的界說的論述，其容量就大得多了。[16]

司空圖肯定唐代詩風的多樣性，其「諸體必備，不主一格」[17] 的客觀論述，相較於鍾嶸《詩品》的分品分等，更為通達；而他以具體的形象論述，來傳達抽象的風格意境，更優於唐代以來「詩格」論著的界說模式。其形象描述的文字，例如：

論「雄渾」，曰「具備萬物，橫絕太空。荒荒油雲，寥寥長風。」蓋「雄渾」之風格，有如大自然遊雲之蒼茫廣闊，亦如長風奔騰於虛空之域，此皆為「具備萬物，橫絕太空」的具體情狀，而其最高境界就是能「超以象外，得其環中」，展現渾化自然、無窮無盡的氣勢。

論「沖淡」，曰「飲之太和，獨鶴與飛。猶之惠風，荏苒在衣。」蓋「沖淡」的風格，有如飲用「太和」元氣，與鶴齊飛，展現恬靜、澹逸的順境；亦如春日和暖之風侵入衣襟，給人清朗和暢之感。此境界是可遇而不可求，故曰「遇之匪深，即之愈希，脫有形似，握手已違」，道盡「沖淡」風格的妙處。

論「綺麗」，曰「神存富貴，始輕黃金」，說明詩人只要內蘊富貴之氣象，即可摒棄黃金之綺麗。故「綺麗」風格並非以濃豔為美，而

---

16 見賈沛若：〈摹神取象、無美不臻——談「二十四詩品」風格論的形象描述〉，《文史雜誌》1995年4期，頁20-22。

17 此為《四庫全書總目提要》對司空圖《詩品》的評價。

是以清淡為佳,所以說「濃盡必枯,淺者屢深」,強調只有淡者才能深入。其餘用「月明華屋,畫橋碧陰」表現綺麗之景象;以「金尊酒滿,伴客彈琴」表達綺麗之情境,皆是「綺麗」風格的具體形象。

論「含蓄」,曰「不著一字,盡得風流」,乃含蓄之最高境界。故讀者讀詩,詩中「語不涉己」而讀者「若不堪憂」。其用「如滿綠酒」描寫釀酒時酒汁滲漉而下、從容流注的含蓄之狀;用「花時反秋」描寫花開時節,遇到秋寒之氣而含苞未開的含蓄之態,可說是道盡「含蓄」風格的具體形象。

司空圖《詩品》以形象性的描述語言,具體呈現了各種風格的狀貌。以今日學術觀之,可說是融合「意象學」與「風格學」的標準論述,也是研究「意象風格」的最佳範例。除此之外,部分風格品類亦涉及了語言表述方式影響風格的論述,如「洗鍊」品,其語言精約簡潔,是洗鍊風格的必要條件;「綺麗」品,強調遣辭必須華美,造句亦須鋪排,才足以達綺麗之要求;「含蓄」品,要求用語須含蓄不露,委婉深邃;「縝密」品,要求整體結構佈局必須綿密細緻,做有機融合而不露鑿痕;「實境」品,要求「取語甚直,計思匪深」;此皆強調語法、修辭及章法對風格形成的影響。

大體而言,《二十四詩品》可概分為兩大類:「雄渾」、「勁健」、「豪放」、「悲慨」、「流動」為壯美之風格;偏於華麗之「纖穠」、「綺麗」、「精神」、「縝密」、「委曲」、「形容」,以及偏於疏淡之「沖淡」、「沉著」、「高古」、「典雅」、「洗鍊」、「自然」、「含蓄」、「疏野」、「清奇」、「實境」、「超詣」、「飄逸」、「曠達」等,皆屬柔美之風格。可知《二十四詩品》雖然分品細密繁複,仍有其系統可循,相較於前期詩格之分類,司空圖不僅在品類上達到風格多樣性的極致,其分類方式也回歸於「陽剛」、「陰柔」的風格系統。除此之外,司空圖強調風格的多樣性,同時也強調各風格品類可以相互融通。明・費經虞評曰:

　　　唐司空表聖以一家有一家風骨，乃立二十四品以總攝之。蓋正
　　變俱采，大小兼收，可謂善矣。然有孤行者，有通用者，猶當
　　議焉。其曰雄渾、沖淡、纖穠、高古、典雅、綺麗、自然、豪
　　放、疏野、飄逸，各立一門，如洗鍊、含蓄、精神、實境、超
　　詣、流動、形容、悲慨之類，則未可專立也。雄渾有雄渾之洗
　　鍊，沖淡有沖淡之洗鍊；纖穠有纖穠之含蓄，高古有高古之含
　　蓄；典雅有典雅之精神，綺麗有綺麗之精神也。又勁健、沉著
　　不外雄渾，縝密不外典雅，委曲不外含蓄，清奇、曠達不外豪
　　放。……間嘗論之，譬之花然，紅黃紫白，其色無所不有；疏
　　密長短，其狀無所不備，清穠遠淡，其香無所不佳；並寫春
　　華，各成清妙。[18]

所謂「並寫春華，各成清妙」，不僅凸顯司空圖《詩品》的兼容多
樣，更強調各種風格品類可以孤行，亦可以通用的現象。

　　司空圖《二十四詩品》可說是中國風格品類發展的巔峰，後世文
論關於風格品類的研究，承其說者仍多。如元・范梈《木天禁語・家
數》提出正偏之風格十八種[19]，舉自《詩三百》至晚唐詩人共九家之
詩風，以明辨風格的偏正得失；明・費經虞概括了古奧、典雅、雄
渾、淡遠等十六種風格[20]，並做了進一步論述，乃以《二十四詩品》

---

18 見費經虞：《雅倫》（臺南市：莊嚴文化事業公司影印四庫全書存目叢書，1997年6
　　月初版），卷二十。

19 其言：「三百篇思無邪，學者不察，失於意見；〈離騷〉激烈憤怨，學者不察，失於
　　哀傷；選詩婉曲委順，學者不察，失於柔弱；太白雄豪空曠，學者不察，失於狂
　　誕；韓杜沉雄厚壯，學者不察，失於粗硬；陶韋含蓄優游，學者不察，失於迂闊；
　　孟郊奇險斬截，學者不察，失於怪短；王維典麗靚深，學者不察，失於容冶；李商
　　隱微密閒艷，學者不察，失於細碎。」見清・何文煥主編：《歷代詩話》（北京市：
　　中華書局，1981年4月第1版），頁752。

20 見費經虞《雅倫》，卷二十。

為其基礎；明・高棅（《唐詩品匯・總敘》）以《詩品》為基礎，評論初唐至晚唐共三十二家詩的風格[21]，則為《二十四詩品》的具體發揮。他們皆根據司空圖的分類而多所增刪，此不再贅述。

（三）成熟時期的合流

　　唐代風格學的研究，使風格品類的發展達於極致，後世學者乃另闢蹊徑，展開對風格類型統合的研究，如宋・嚴羽在《滄浪詩話》中提出九種風格，並歸納為兩大類，其言：

> 詩之品有九：曰高、曰古、曰深、曰遠、曰長、曰雄渾、曰飄逸、曰悲壯、曰悽婉，……其大概有二：曰優游不迫，曰沉著痛快。[22]

元・楊載《詩家法數》亦云：

> 詩之體有六：曰雄渾，曰悲壯，曰平淡，曰蒼古，曰沉著痛快，曰優遊不迫。[23]

---

21 高棅論風格乃統合作家於時代之中，他指出：初唐有王、楊、盧、駱之「美麗」，上官儀之「婉媚」；盛唐有李白之「飄逸」，杜甫之「沉鬱」，孟浩然之「清雅」，王維之「精致」，儲光羲之「真率」，王昌齡之「聲俊」，岑參之「悲壯」，李頎、常建之「超凡」；中唐有韋應物之「雅澹」，劉長卿之「閒曠」，錢起、郎士元之「清澹」，皇甫冉之「沖彥」，柳宗元之「超然復古」，韓愈之「博大其詞」，張王樂府之「得其故實」，元白之「序事務在分明」；晚唐有李賀、盧仝之「鬼怪」，孟郊、賈島之「飢寒」，杜牧之「豪縱」，溫庭筠之「綺靡」，李商隱之「隱僻」，許渾之「偶對」。

22 見《滄浪詩話・詩辯》，卷一。收錄於《古漢語修辭學資料彙編》，頁280。

23 見清・何文煥主編：《歷代詩話》，頁726。

兩者所謂「優游不迫」與「沉著痛快」，已點出風格品類的兩大範疇，這與明‧屠隆把不同的風格概括成「寥廓清曠，風日熙朗」的婉雅，及「播弄姿肆，鼓舞六合」的奇偉[24] 等兩大類，皆可隱約看出「優美」與「壯美」的分類系統。直至清代，關於這兩大風格範疇的研究，有了更明確的論述。

　　「優美」（Grace）與「壯美」（Sublime）本是美學上的兩種形相。我們平時所說的美，一般指的是優美，它在形式上所表現的特徵是柔媚、和諧、安靜與秀美；而壯美（又稱崇高）則存在著一種壓倒一切、不可阻遏的強大力量，其在形式上往往表現出粗獷、激盪、剛健、雄偉的特徵。歐陽周、顧建華、宋凡聖在其《美學新編》一書中，曾針對「優美」與「崇高」（壯美）提出解釋，其言：

> 優美，也稱秀美，包括典雅、綺麗、柔媚、精巧、清秀、飄逸、淡雅、幽靜……一類的美，是美的最一般的形態，最早被人們認識和把握。狹義的美，指的就是優美。這是一種優雅的美，柔性的美。崇高，也稱壯美，包括宏偉、雄渾、壯闊豪放、勁健、熱烈、濃郁、奇特……一類的美。這是一種雄壯的美，剛性的美。[25]

可見優美具「柔婉」的特徵，壯美則具備「剛健」的質性，實與風格之「陰柔」與「陽剛」的概念等同。這兩大風格範疇在清代尤其受到桐城派的重視。姚鼐把多種多樣的風格歸併成「陽剛」、「陰柔」兩

---

24 見屠隆〈論詩文〉，收錄於《鴻苞集》（臺南市：莊嚴文化事業公司影印明萬曆三十八年毛元儀刻本，1995年9月初版），卷十七。

25 見歐陽周、顧建華、宋凡聖：《美學新編》（杭州市：浙江大學出版社，1993年3月第1版），頁121。

體。其〈復魯絜非書〉中明白寫到：

> 鼐聞天地之道，陰陽剛柔而已。文者天地之精英，而陰陽剛柔
> 之發也。惟聖人之言，統二氣之會而弗偏，然而《易》、
> 《詩》、《書》、《論語》所載，亦間有可以剛柔分矣。值其時其
> 人，告語之體各有宜也。自諸子而降，其為文無弗有偏者。其
> 得於陽與剛之美者，則其文如霆、如電、如長風之出谷、如崇
> 山峻崖、如決大川、如奔騏驥；其如光也，如杲日、如火、如
> 金鏐鐵；其於人也，如憑高視遠、如君而朝萬眾、如鼓萬勇士
> 而戰之。其得於陰與柔之美者，則其文如升初日、如清風、如
> 雲、如霞、如煙、如幽林曲澗、如淪、如漾、如珠玉之輝、如
> 鴻鵠之鳴而入寥廓；其於人也，漻乎其如嘆，邈乎其如有思，
> 煖乎其如喜，愀乎其如悲。觀其文，諷其音，則為文者之性情
> 形狀，舉以殊焉。²⁶

所謂「如霆、如電、如長風之出谷、如崇山峻崖、如決大川、如奔騏
驥；其如光也，如杲日、如火、如金鏐鐵；其於人也，如憑高視遠、
如君而朝萬眾、如鼓萬勇士而戰之」，所展現的是豪邁、奔放、雄渾
的氣勢，屬陽剛風格；而「如升初日、如清風、如雲、如霞、如煙、
如幽林曲澗、如淪、如漾、如珠玉之輝、如鴻鵠之鳴而入寥廓；其於
人也，漻乎其如嘆，邈乎其如有思，煖乎其如喜，愀乎其如悲」，則
展現了飄逸、含蓄、淡雅的情致，屬陰柔風格。姚鼐如此歸併風格的
類型，可說進一步闡發了宋、明詩話風格的理論。
　　時至近代，傳統風格品類的研究仍在持續，楊成鑒《中國詩詞風

---

26 見《惜抱軒文集》，卷六。收錄於《四部叢刊》影原刊本。

格研究》論及風格品類的對應關係[27]，是最為明顯的代表作品。

　　文學作品的藝術風格，有其形成的主客觀因素，而直接或間接作用於辭章的感情、氣勢、內容、色彩、聲律、語言態度、結構及表現手法，皆有可能影響辭章的總體表現。楊成鑒《中國詩詞風格研究》對於藝術風格品類的探討，強調不同因素的側重，會形成不同的風格品類。以「豪婉類」風格而言，乃側重於辭章氣勢的強弱，故分出「豪放」與「婉約」、「雄渾」與「沉著」、「勁健」與「委婉」等六品；「狀鬱類」風格，則側重於辭章的情感節奏，可分出「壯麗」與「沉鬱」、「悲壯」與「悲涼」、「憤慨」與「悽惋」等六品。從他對風格的分類中，仍可看出明顯的二元對應關係。至於其他如「奇雅類」風格側重於內容的承傳與創新、「細潔類」風格較側重於辭章的描寫提煉、「麗淡類」風格較側重於辭章的色彩修飾、「明隱類」風格側重於語言的表現手法、「諧刺類」風格側重於語言的態度、「疏密類」風格側重於辭章的線索結構等，皆可分出相對應的風格品類，其對應的關係表列如下：

　　　一、豪類：　　婉類：　　　二、壯類：　　鬱類：
　　　　　豪放品──婉約品　　　　　壯麗品──沉鬱品
　　　　　雄渾品──沉著品　　　　　悲壯品──悲涼品
　　　　　勁健品──委婉品　　　　　憤慨品──悽惋品
　　　三、奇類：　　雅類：　　　四、細類：　　潔類：
　　　　　新奇品──典雅品　　　　　細膩品──洗鍊品

---

27 見楊成鑒：《中國詩詞風格研究》（臺北市：洪葉文化事業公司，1995年12月初版），頁234-235。

五、麗類： 淡類：
　　絢麗品——沖淡品

六、明類： 隱類：
　　明秀品——含蓄品
　　自然品——朦朧品

七、諧類： 刺類：
　　幽默品——辛辣品

八、疏類： 密類：
　　疏放品——縝密品

上表第三類側重於內容的承傳與創新，其分出的「新奇品」與「典雅品」，只是風格的歷史定位；而第七類側重於作家的寫作態度，其分出的「幽默品」與「辛辣品」，與辭章的形式內容並不直接相關；在論述形象思維與邏輯思維對風格的影響時，這兩類可以不列入討論。至於其他六類皆從辭章的情感及表現手法入手，其所分出的風格品類，較為符合現代風格學所提出的「表現風格」的概念。值得注意的是，其「疏密類」側重於辭章整體的線索結構，探索了辭章的內在規律對於風格的影響，關注到邏輯思維的脈絡所形成的抽象力量，實已接近「章法風格」的範疇。

從唐代風格品類的紛繁到清代、近代以「剛」、「柔」概括的簡扼，說明了學者「對多樣風格的區分越來越深入，更善於發現相近風格的共同性」[28]，而風格品類歷經了漫長的分化與合流，更印證了「陽剛」、「陰柔」確實為風格品類的兩大根源。

（四）轉變時期的融通

近代中國文學理論受到西方思想的激盪，產生了空前的轉變。西方修辭學與風格學的傳入，使中國學者開始融合其修辭、文法及風格的概念，來研究傳統文論，並試圖建立一套屬於中國本土的辭章學。

---

28 見陳思：〈中國古典風格理論的演進〉，《求索》1993年第3期，頁91。

在辭章表現風格的分類研究上，也有許多融會中西、通貫古今的論述。茲簡述重要文論如下。

1 陳望道《修辭學發凡》分風格為八體

陳望道的《修辭學發凡》是我國「第一部有系統的兼顧古話文、今話文的修辭學書」[29]，他運用了西方語言學、邏輯學、哲學與美學等多門學科的觀點及方法，並結合中國古代文論，融古今中外的研究方法於一爐。其書中談到了風格之八體：

> 由內容和形式的比例，分為簡約和豐繁；
> 由氣象的剛強和柔和，分為剛健和柔婉；
> 由於話裡辭藻的多少，分為平淡和絢爛；
> 由於檢點工夫的多少，分為嚴謹和疏放。

這裡從辭章的內容與形式等方面來區分風格的品類，並分成四組八類文體，符合「二元對待」的基本原則，在分類上涉及了文體與辭體的問題，並未能真正釐清風格的品類，卻頗有參考之價值。

2 蔣伯潛《體裁與風格》的風格簡表[30]

本書乃藉由小說的形式及淺近的筆調，介紹中國文章體裁，並從「文辭」、「筆法」、「境界」、「章句」、「格律」、「色味」、「意境」、「態度」、「氣象」、「聲調」等方面，來辨析辭章的風格品類。茲摘錄其風格簡表如下：

29　見《修辭學發凡》（臺北市：文史哲出版社，1989年1月再版）劉大白序文。
30　見蔣伯潛：《體裁與風格》（臺北市：世界書局，1971年9月三版），頁200-203。

蔣氏以具體的文辭、筆法、境界、章句、格律，及抽象的色味、
意境、態度、氣象、聲調來辨析風格，實具備科學分類的精神。從上

表可以看出，無論是文辭上的「繁縟」與「簡約」、筆法上的「婉曲」與「直截」、境界上的「動盪」與「恬靜」，乃至於氣象上的「陽剛」與「陰柔」、「正大」與「精巧」，聲調上的「漫聲」與「促節」、「高亢」與「微弱」、「輕清」與「重濁」、「宏麗」與「纖細」，皆可歸納出二元對待的關係，可見其分類仍是以風格之「陽剛」與「陰柔」的概念為基礎而發展出來。

　　值得注意的是，其中文辭的「繁縟」與「簡約」、筆法的「婉曲」與「直截」、章句的「整齊」與「錯綜」、格律的「謹密」與「疏放」、聲調上的「漫聲」與「促節」、「高亢」與「微弱」、「輕清」與「重濁」、「宏麗」與「纖細」，皆與字句的法式相關，即藉由語勢及文法等方面來辨析風格，此應屬於「文法風格」的範疇。而文境的「動盪」與「恬靜」、色味的「濃厚」與「淡薄」，皆涉及辭章材料所呈現的意象，即藉由意象來辨析風格，此為「意象風格」的範疇。至於態度的「輕鬆」與「嚴肅」，直與作家的才氣相關，可歸入「作家風格」的範疇。所以上表就辭章整體風格而論者，僅有意境的「超逸」與「切實」、氣象的「陽剛」與「陰柔」、「正大」與「精巧」。

3 黎運漢《漢語風格學》的表現風格類型

　　黎運漢的《漢語風格學》是在其《漢語風格探索》的基礎上所建立的一套完整風格體系的專著。他特別針對漢語的表現風格，探討其含義、類型與形成的規律。他說：

> 語言的表現風格有人稱為修辭風格，他是綜合運用各種風格表達手段所產生的修辭效果方面來說的，是對一切語言交際的產物——話語的氣氛和格調從多角度多側面的抽象概括。例如，著眼於話語氣勢的剛柔的，有豪放與柔婉；著眼於話語表達的

內容所用的語言數量多少的，有簡約與豐繁；著眼於話語傳遞
信息所用的語言曲直的，有蘊藉與明快；著眼於話語辭采的濃
淡的，有藻麗與樸實；著眼於話語趣味的強弱的，有幽默與莊
重；著眼於話語語辭的雅俗的，有文雅和通俗；著眼於話語結
構的鬆緊的，有疏放與縝密。它們既有區別，又有關係，各組
之間是「相生」、「互補」的關係，每組的兩種風格之間是「相
剋」、「對立」的關係。[31]

既以表現風格為「話語的氣氛和格調從多角度多側面的抽象概括」，
可見它不僅包括修辭風格，實應涵蓋文法風格與章法風格的範疇。從
上述六組、十二種風格品類來看，其「相生」、「互補」、「相剋」、「對
立」分類方式仍是在風格的「剛」、「柔」基礎上發展出來的。其中
「豪放」與「柔婉」，不僅針對話語的氣勢而言，更可以擴充至篇章
結構所蘊含的節奏之剛柔；而「疏放」與「縝密」也不僅限於語言結
構的鬆緊，其篇章結構的鬆緊，對於辭章整體疏放或縝密的風格有更
多的影響。

　　黎氏強調，「語言風格」是一切「文學風格」的基礎，故從語言
的角度來分析風格的品類是可以理解的。然而，他並未瞭解語言的內
在邏輯對於風格的影響，所以在分析各種表現風格的形成規律時，只
能針對語言意象而論，此乃其不足之處。然而，他建立的一套完備的
風格學體系，對於風格學的研究，仍是一大貢獻。

---

31 見黎運漢《漢語風格學》，頁211。

第二節　風格形成的哲學思辨

　　古今風格品類理論的發展，經歷了由簡而繁、再由繁而簡的過程，我們見到繁雜多樣的風格品類必須仰仗「陽剛」、「陰柔」的統攝，才能展現其完整的結構體系，姚鼐對於這一體系的建立功不可沒。而他的理論並非憑空而致，其實在古典文論當中已見其端倪。如曹丕《典論‧論文》所說「氣之清濁有體，不可力強而致」，劉勰《文心雕龍‧體性》篇所言「氣有剛柔」、「風趣剛柔，寧或改其氣」，其中「清濁」、「剛柔」正是姚鼐風格理論的根源。及至晚近曾國藩針對姚鼐的剛柔說有所闡發，其言：

> 吾嘗取姚姬傳先生之說，文章之道分陽剛之美、陰柔之美。大抵陽剛者，氣勢浩瀚；陰柔者，韻味深美。浩瀚者，噴薄而出之；深美者，吞吐而出之。[32]

根據他所集錄的《古文四象》，把「陽剛」和「陰柔」二類分做「太陽」、「太陰」、「少陽」、「少陰」四種。以「氣勢」屬太陽，又分「噴薄之勢」、「跌蕩之勢」二類；以「識度」屬太陰，又分「閎括之度」、「含蓄之度」二類；以「趣味」屬少陽，又分「詼詭之趣」、「閒適之趣」二類；以「情韻」屬少陰，又分「沉雄之韻」、「悽惻之韻」二類。[33] 古文家簡直把文章「陽剛」之氣和「陰柔」之氣看成太極之

---

32 見《曾文正公日記‧庚申三月》，收錄於《曾文正公集》（世界書局仿古文版）第七冊。

33 參見曾國藩《評注古文四象‧目次》（上海有正書局排印版，1917年）。又摘錄於蔣伯潛：《體裁與風格》下冊，頁102。

兩儀，所以由兩儀生四象，四象生八卦。根據這種說法，風格的八種
類型可如下圖所示：

這種分類方式雖然有許多商榷之處，卻指出風格的「陽剛」、「陰柔」
與《周易》八卦的關聯。我們據此上溯至哲學層面，發現《周易》
（含《易傳》）的「陰陽八卦」確實與風格的剛柔體系有密切的關
係。《易‧說卦》云：

> 昔者聖人之作《易》也，將以順性命之理。是以立天之道曰陰
> 與陽，立地之道曰剛與柔，立人之道曰仁與義。兼三才而兩
> 之，故《易》六畫而成卦，分陰分陽，迭用柔剛，故《易》六
> 位而成章。

聖人作《易》，乃依循萬物之質性與自然命運之變化，所以能參透天
道之「陰陽」相通於地道之「剛柔」，下貫於人事則體現於「仁義」
之德[34]。這說明了聖人作《易》，創卦立爻，是在體現陰陽變化的規

---

34 仁是「愛惠之仁」，即「慈厚泛愛」之德，主於柔；義是「斷割之義」，即「正大堅
　毅」之德，主於剛。見《周易正義》（十三經注疏本，臺北市：藝文出版社）。

律，並概括了「天地人」之道，而用陰陽兩義組成各種卦象。《周易》六十四卦的每一個卦體，均須具備六畫而成形，並以排列次序分陰陽，以所居之爻分剛柔，如此更迭交錯，以蔚然成章。故《周易》八卦既是剛柔對立，也是剛柔互濟。因此《易‧說卦傳》又云：

> 天地定位，山澤通氣，雷風相薄，水火不相射；八卦相錯。數往者順，知來者逆，是故《易》逆數也。

乾為天，坤為地，「天地定位」是指天地設定了上下配合的位置；艮為山，兌為澤，「山澤通氣」形成高低的交流溝通；震為雷，巽為風，「雷風相薄」乃各自興動而交相應和；坎為水，離為火，兩者性異而不相厭棄。八卦就是如此互相錯雜，既是對立又形成統一，而參透這種對立統一的規律，就能逆推來事。宋代學者根據《易‧說卦傳》所闡述的規律畫成「先天八卦圖」，即所謂「伏羲八卦圖」。宋儒邵雍明確地說：

> 乾南坤北，離東坎西，震東北，巽西南，兌東南，艮西北。自震至乾為順，自巽至坤為逆。[35]

由此可知，從一至四，反時針方向，順序為乾、兌、離、震四卦，乾象徵天，在最上方，即南方；從五至八，順時針方向，依序為巽、坎、艮、坤四卦，坤象徵地，在最下方，即北方。而宇宙之演進乃周而復始，循環不已，是以八卦畫成圓形，如下圖：

---

35 見邵雍：《皇極經世書‧觀物內篇》（臺北市：廣文書局，1988年7月初版）。

據此「先天八卦圖」，再配合「無極而太極」[36] 與「易有太極，是生兩儀，兩儀生四象，四象生八卦」[37] 的說法，則可以架構八種卦象與陰陽、太極之關係，如下圖：

36　見周敦頤《太極圖說》，收錄於《周子全書》（臺北市：武陵出版社，1990年2月初版）。

37　見《周易・繫辭上》。

由結構圖得知，從「太極」推向「八卦」，與前述「（0）一、二、多」之順向結構吻合；而由「八卦」上溯至「太極」，則相合於「多、二、一（0）」之逆向結構。[38]至於八種卦象之次序，更反映了每一卦偏剛或偏柔的強度。也就是說，「乾」卦之剛性最強，其後「兌」、「離」、「震」、「巽」、「坎」、「艮」之剛柔互相消長，至「坤」卦達於最柔。姚鼐〈復魯絜非書〉中論及風格之剛柔說到：

> 且夫陰、陽、剛、柔，其本二端，造物者糅而氣有多寡，進絀則品次億萬，以至於不可窮，萬物生焉。故曰：一陰一陽之謂道，夫文之多變，亦若是已。糅而偏勝可也，偏勝之極，一有一絕無，與夫剛不足為剛，柔不足為柔者，皆不可以言文。[39]

所謂「造物者糅而氣有多寡，進絀則品次億萬，以至於不可窮，萬物生焉」，正吻合「太極→陰陽→四象→八卦」的演序；而「糅而偏勝可也，偏勝之極，一有一絕無」，也說明了《周易》八卦之剛柔消長，可以用來詮釋風格之偏剛或偏柔的程度。配合八卦所象徵的八種基本物象及其產生之作用，更可以推演出風格類型之統攝與分辨的結構雛形。《易‧說卦》明白指出：

> 雷以動之，風以散之，雨以潤之，日以烜之，艮以止之，兌以說之，乾以君之，坤以藏之。（第四章）

---

38 關於「多、二、一（0）」結構的論述，可參照陳滿銘：〈論「多」、「二」、「一（0）」的螺旋結構——以《周易》、《老子》為考察對象〉，收入《章法學綜論》（臺北市：萬卷樓圖書公司，2003年6月初版），頁459-506。
39 見《惜抱軒文集》，卷六。收錄於《四部叢刊》影原刊本。

乾，健也；坤，順也；震，動也；巽，入也；坎，陷也；離；
麗也；艮，止也；兌，說也。（第七章）

「震」為「陽氣在下，陰氣在上」之勢，象徵雷，用以鼓動萬物；
「巽」為「陰氣進入強大陽氣下方」之勢，象徵風，用以散佈流通萬
物，也具備「謙遜」之德，表「潛入」之勢；「坎」是「外陰內陽」
之勢，象徵水、雨，用以滋潤萬物，同時亦具備「險陷」之象；
「離」為「外陽內陰」之勢，象徵日，用以照耀萬物使之乾燥，也內
涵「附麗」之象；「艮」為「陽氣阻擋陰氣」之勢，象徵山，用以阻
止萬物行動，故有「停止」之象；「兌」為「旺盛陽氣受陰氣軟化」
之勢，象徵說（悅），能使萬物和悅，亦具有「喜悅」之德；「乾」為
「純陽」之勢，象徵天，為萬物之主宰，也具備「剛健」之象；坤為
「純陰」之勢，象徵地，用以包藏萬物，也蘊含「順從」之德。根據
八卦的屬性與作用，再參酌《易‧說卦》闡述八卦所象徵的各種物
象，我們可以作下圖之推演：

圖中之虛線，代表卦義之相反相對之關係。根據此圖之推演，可以將
八卦分為四組互為對待的卦象，並從中看出其所反映的幾個現象：

一　「乾」、「坤」二卦的象徵與風格的關係

「乾」卦所象徵的「剛健」之義，及「坤」卦所象徵的「柔順」之義，在《易傳》中已有明確的規範。如：「觀變於陰陽而立卦，發揮於剛柔而生爻」[40]、「陰陽合德而剛柔有體」[41]、「剛健篤實輝光，日新其德」[42]、「內文明而外柔順」[43] 等。可見「乾」卦陽剛之特性可以概括宇宙間剛健強勁之事物，而「坤」卦陰柔之特質則代表一切柔順纖弱之概念。這兩種概念落到藝術領域來說，就是「陽剛之美」與「陰柔之美」。[44] 故凡「雄渾」、「豪壯」、「宏闊」、「遒勁」之風格，皆屬於陽剛之美；偏於「纖巧」、「婉約」、「飄逸」、「柔媚」之境界，則屬於陰柔之美。而「乾」、「坤」二卦則各為剛柔的極致。

二　「兌」、「艮」二卦的象徵與風格的關係

「兌」卦所象徵的水澤，具「浮動」之義，而浮動的水澤多具有輕快之特性，就事務之質性來說則歸於「清」，而藝術風格中的「悅動」、「明快」皆屬此類；相對於「艮」卦所象徵的山岳，具「靜止」之象，而靜止之事物多偏於凝重之特性，故可用「濁」的概念統之，而「沉鬱」、「凝滯」之風皆屬此類。「清」與「濁」是風格類型中極為重要的概念，曹丕《典論·論文》中所謂「氣之清濁有體」可為印

---

40 見《周易·說卦傳》，第一章。

41 見《周易·繫辭傳下》。

42 見《易大畜·象傳》。

43 見《易明夷·象傳》。

44 陳望衡：「剛柔在藝術領域中最重要的意義在於它成為兩大美學風格的代名詞。這就是陽剛之美與陰柔之美。用現代美學的概念來說即優美與壯美。」見陳望衡：《中國古典美學史》（長沙市：湖南教育出版社，1998年8月一版一刷），頁184。

證。而儒家提到「仁者樂山，智者樂水」更可以說明仁（柔）與智
（剛）、山（柔）與水（剛）的對照。

三　「離」、「坎」二卦的象徵與風格的關係

「離」卦象徵火，「坎」卦象徵水。《周易‧正義》說：「坎象
水，水處險陷，故為陷也；離象火，火必著於物，故為麗也」[45]。可
見離卦有「附麗」之義，再配合卦象中「外陽（剛）內陰（柔）」之
勢，可看出「明燥」、「顯附」的特性；而坎卦的「險陷」之義，配合
其「外陰（柔）內陽（剛）」之勢，及《周易‧說卦傳》所說的「坎
為水，為溝瀆，為隱伏」，則可推演出「陰寒」、「隱晦」的特性。這
兩卦可以說明風格類型中的「顯明」與「含蓄」之美。

四　「震」、「巽」二卦的象徵與風格的關係

從卦象的排序來看，「震」卦與「巽」卦已介於陰陽交替之界。
「震」卦象徵春雷鼓動，其「一陽入二陰」之勢，正說明「初起」之
義，《易‧說卦傳》：「震為雷……為蒼筤竹，為萑葦……於其稼也為反
生，其究為健，為蕃鮮。」蒼筤竹即為初生之幼竹，而稼之反生指頂
著種子的外殼破土萌生，此皆有幼芽潛萌、草木繁盛之義。故以「震」
卦說明「初生」之德，是極為合理的。「巽」卦象徵風、木，風無所不
入，木縈根於地，其卦又呈現「一陰入二陽」之勢，故有「初伏」、
「漸入」之象。《易‧說卦傳》所云「巽為木，為風……為進退，為
不果」即是此義。「震」是由陽轉陰，「巽」是由陰轉陽，兩卦介於陰

---

45 見《周易正義》（十三經注疏本，臺北市：藝文出版社）。

陽盛衰之際，運用在藝術風格的界定，可以解釋剛柔相濟的現象。

五　八卦的陰陽趨向與風格的剛柔強度

　　既以八種卦象之次序，反映了每一卦偏剛或偏柔的強度，那麼其所代表的風格也具有這種特性。就剛性風格而言，「雄渾」、「豪壯」、「遒勁」之風，具有最剛的質性；其次「悅動」、「明快」之風，剛性漸減；而「顯附」之風的剛性又減；最後「震」卦所象徵的剛性最少，而漸趨於柔。就柔性風格而言，「纖巧」、「婉約」、「飄逸」之風，具有最柔的特性；而「沉鬱」、「凝滯」等風格的柔性居次；其後「隱晦」之風的柔性又減；最後「巽」卦所象徵的柔性最弱，而漸趨於剛。先天八卦圖的排序，印證了風格類型以「剛柔」為根源的理論。而每一卦象所推演來的質性，雖不能涵蓋所有的風格品類，卻解釋了風格品類偏剛或偏柔的強度，對於辭章風格的判定，提供了初步的原則與規律，也提供風格品類最佳的哲學基礎。

　　綜觀一般風格品類的分化與合流，儘管有如司空圖「二十四詩品」之繁複，其最終仍走向合流的論述，而統歸於「陽剛」與「陰柔」兩大類型。我們透過《周易》的闡述印證，建立風格品類的哲學基礎，更進一步確定了「陽剛」風格與「陰柔」風格的母性。可見姚鼐的「剛柔說」對於風格品類的統合，有其指導地位。周振甫曾針對姚鼐的「剛柔說」提出闡釋，他說：

　　　　在這裡，姚鼐把各種不同風格的稱謂，做了高度的概括，概括為陽剛、陰柔兩大類。向雄渾、勁健、豪放、壯麗等都歸入陽剛類，含蓄、委曲、淡雅、高遠、飄逸等都可歸入陰柔類。就這兩類看，認為「為文者性情形狀舉以殊焉」，性情指作者之

性格，跟陽剛、陰柔有關；形狀指作品的文辭，跟陽剛、陰柔有關。又指出這兩者「糅而氣有多寡進絀」，即陽剛陰柔可以混雜，在混雜中，陰陽之氣可以有的多有的少，有的消有的長，這就造成風格的各種變化。他雖然把風格概括為兩大類，但又指出陰陽之交錯所造成的各種不同風格是變化無窮的，這又承認風格的多樣化。[46]

　　由此可知，風格品類在「陽剛」與「陰柔」的統攝之下，依其剛柔成分的消、長、進、絀，呈現其多樣品貌。所以，辭章表現絕無「純陽剛」或「純陰柔」的風格，依其剛柔的成分比例，可能出現「剛中寓柔」、「柔中寓剛」或「剛柔相濟」的型態。而章法風格本以章法的「陰陽二元」作為分析理論的基礎，則確定這三種風格型態，可視為章法風格的基本類型。如果再進一步細分，「剛中寓柔」的風格類型，又可分為陽剛成分較多的「偏剛」風格與陽剛成分較少的「剛中」風格；「柔中寓剛」的風格類型，同樣可分出陰柔成分較多的「偏柔」風格與陰柔成分較少的「柔中」風格，根據這樣的細分，在結合前述風格品類的分化、合流及其哲學論述，章法風格的三種基本類型可與一般風格品類相互參照。其對照表如下：

章法風格		一般風格
剛中寓柔	偏剛	雄渾、勁健、豪壯
	剛中	悅動、明快、輕清
柔中寓剛	偏柔	沉著、纖巧、婉約
	柔中	沉鬱、含蓄、重濁
剛柔相濟		

46 見周振甫：《文學風格例話》（上海市：上海教育出版社，1989年7月第1版），頁13。

當然，此一對照表並無法涵蓋所有的風格品類，卻提供了一般風格品類的剛柔成分，也同時為章法風格作了初步的定品。

第三節　辭章風格教學的理論建構

既已釐清歷代風格論述的源流與轉變，又瞭解了風格形成的哲學根源，我們就可以進一步建構辭章風格教學的理論。本節首先檢視辭章風格的內在條理，並確定章法風格在辭章風格中的主導地位，最後探討風格教學的心理基礎，期能為實際的風格教學建構厚實的理論基礎。

一　辭章風格的內在條理

所謂「辭章風格」是指辭章整體審美風貌的展現[47]。從上節「歷代風格論述」中可以瞭解，古人對於風格的評斷多偏於印象式的論述，這些論述對於藝術感受力較高的讀者來說，仍是掌握辭章審美風貌的重要階梯；但是就一般讀者而言，面對辭章風格的抽象論述，就不免有「霧裡看花」、「隔靴搔癢」之嘆，更遑論是處於啟蒙階段的中學學生，如果沒有具體的條理可循，根本無法理解所謂「骨氣奇高，詞采華茂」[48]的境界，或是「高古」、「雄渾」[49]的風格品類。因此，分析辭章的深層邏輯，探討影響辭章風格的重要因素，以瞭解辭章風

---

47 顧祖釗：「風格的成因並不是作品中的個別因素，而是從作品中的內容與形式的有機整體的統一性中所顯示的一種總體的審美風貌。」見《文學原理新釋》（北京市：人民文學出版社，2001年5月一版二刷），頁184。

48 見鍾嶸《詩品》評曹植詩言（《詩品集注》（上海市：上海古籍出版社，1994年10第1版），頁97。

49 見司空圖〈二十四詩品〉中所列的兩種風格。

格的內在條理，進而確立檢視辭章風格的原則，是引導中學學生體認辭章美感的具體路徑，也是辭章風格教學的基礎。

（一）影響辭章風格的因素

探討影響辭章風格的因素，首先必須瞭解「風格」在整個辭章學中的定位。

屬於辭章學的重要領域，包括意象學、詞彙學、修辭學、文法學、章法學、主題學及風格學等。這些研究領域雖各自獨立，彼此之間仍有其密切的關聯，因為一個完整的文學作品必須包含所有重要領域，才能呈現其生命與美感。所以，辭章既是一個充滿活躍生命的有機體，辭章學所包含的重要學門也應該自成其完整的體系。很可惜自古而今，中外文學理論並未真正探討各個學門的關聯，更遑論建構完整的辭章學體系。近年陳滿銘教授潛心於章法學的研究，並已逐漸擴充到整體辭章學的範疇，他首先提出辭章「整體意象」的概念，並運用「多、二、一（0）」的螺旋結構，試圖建構辭章學的系統。在其〈意象與辭章〉一文中，將辭章的內涵分為「形象思維」、「邏輯思維」與「綜合思維」三大領域，其言：

就形象思維而言，如果是將一篇辭章所要表達之「情」或「理」，也就是「意」，主要訴諸各種偏於主觀的聯想、想像，和所選取的「景（物）」或「事」，也就是「象」，連結在一起，或者是專就個別之「情」、「理」、「景（物）」、「事」等材料本身設計其表現技巧的，皆屬於「形象思維」；這涉及了「取材」與「措詞」等問題，而主要以此為探討對象的，就是意象學（狹義）、詞彙學和修辭學。……就邏輯思維而言，如果整個就「景（物）」或「事」（象）等各種材料，對應於自然

規律，結合「情」與「理」（意），主要訴諸偏於客觀的聯想、想像，按秩序、變化、聯貫與統一之原則，前後加以安排、布置，以成條理的，皆屬「邏輯思維」；這涉及了「布局」（含運材）與「構詞」等問題，而主要以此為研究對象的，就字句言，即文（語）法學；就篇章言，即章法學。……就綜合思維而言，是合形象思維與邏輯思維而為一的。一篇辭章用以統合「形象思維」（偏於主觀）與「邏輯思維」（偏於客觀）而為一的，乃是主旨與風格（韻律）等，這就涉及了主題學與風格學等。而以此整體或個別為對象加以研究的，則統稱為辭章學或文章學。[50]

由此可知，辭章的內涵，對應於學科的領域，就包含了意象學（狹義）、詞彙學、修辭學、文法學、章法學、主題學和風格學……等。陳滿銘並以「多、二、一（0）」的螺旋概念，架構了各個學科領域的關係，如下表：

---

50 見《修辭論叢》第六輯（臺北市：洪葉文化事業公司，2004年11月初版），頁351-375。

從上表推知，辭章學的體系，是以「形象思維」和「邏輯思維」作為
二元對待關係此為「二」。形象思維是指意象的形成表現，包括意象
（狹義）、詞彙與修辭；邏輯思維是指意象的排列組合，包括文法和
章法；此為「多」。至於綜合思維是指意象的統合，包括了整體意象
和主旨，此為「一」，而風格則為「（0）」。從創作的角度而言，風格
應是作家藉由形式技巧表現其思想情感所呈現之契合自身才情的風
姿，這符合了「（0）一→二→多」的順向結構；從鑑賞的角度而
言，風格則是欣賞者主觀體悟到的作品之整體風貌與格調，這符合了
「多→二→一（0）」的逆向結構。[51]

---

51 參見拙作《章法風格析論──以蘇軾詞、姜夔詞為考察對象》（新北市：花木蘭文化
　　出版社，2007年3月），頁122-123。

　　可見鑑賞辭章可以從「意象」、「修辭」、「文法」、「章法」等方面來個別分析，進而整合辭章的「主題」，以透視辭章的整體風格與氣象。而不同的主題會展現不同的風格，如描寫「閨怨」的主題，較容易呈現陰柔的風格，而描寫「戰爭」的主題，則容易呈現陽剛的氣象；同理可知，辭章的「意象」、「修辭」、「文法」、「章法」也透露著個別的風格：以「意象」而言，如花草的輕柔、河海的壯闊，均展現不同的「意象風格」；以「修辭」而言，如排比句常給人雄偉的感受，而婉曲修辭則常有含蓄之氣，兩者所呈現的是截然不同的「修辭風格」；以「文法」而言，如疑問句通常比直述句來得更引人注意，語言氣勢大不相同，其所呈現的「文法風格」也大異其趣；以「章法」而言，如立破法的對比質性，賓主法的調和質性，亦蘊含不同的「章法風格」。同一篇辭章中所蘊含的「主題風格」、「意象風格」、「修辭風格」、「文法風格」、「章法風格」雖各有所偏，卻與辭章的整體風格密切相關。換句話說，分析辭章之「主題」、「意象」、「修辭」、「文法」、「章法」所內含的氣蘊，對於透視辭章整體的風格有莫大的幫助。可見辭章中個別的意象、詞彙、修辭、文法、章法等，以及整體之意象與主題，都是影響辭章風格的重要因素。[52]

　　更進一步言，意象（含詞彙）風格、修辭風格及文法風格仍局限在辭章局部的律動；至於章法風格已涉及一篇辭章的韻律，而主題風格也關涉到整體辭章的動勢，可見這幾種局部風格對於整體辭章風格的影響有大小輕重之分。換言之，章法風格與主題風格對於整體辭章風格的影響，具有主導的地位，尤其是章法風格又運用「陰陽二元對待」的觀念來檢視辭章內部的陰（柔）、陽（剛）律動，更能確切掌握辭章風格的內在條理。因此，我們有必要進一步說明章法風格對於整體辭章風格的主導性。

---

52 拙作《章法風格析論——以蘇軾詞、姜夔詞為考察對象》，頁124。

（二）主導辭章風格的因素

　　章法的對比與調和，相應於風格的陽剛與陰柔，有其共通的哲學與美學根源；再以章法是屬於辭章的邏輯思維，其涉及材料的運用與主旨的安置，也關涉了形象思維的範疇，故藉由章法所抽繹出來的風格，實涵括辭章的形象思維與邏輯思維，與整體的風格更為接近。所以，我們可以從下列幾方面來說明「章法風格」對辭章風格的主導地位：

1 章法與風格的哲學根源相近

　　章法所探討的是篇章的邏輯，即由句連成節、由節連成段、由段連成篇的條理。這些條理是深植人心的一種邏輯規律，可相應於宇宙自然的生成與變化，所以，它與探討宇宙人生的哲學與科學的關係也相當的密切。[53]

　　從章法的類型來說，章法是在「陰陽二元對待」的基礎上建立起來的，這種二元對待的關係，在每一種章法可自成陰陽的情況下，形成了「同類相從」的調和性章法，及「異類相應」的對比性章法，或有些是對比兼調和的中性章法。

　　從章法的規律來說，章法四大律中的「秩序」與「變化」，符合了宇宙中由變化形成秩序，再由秩序形成循環的規律；而「聯貫」律吻合了宇宙中局部與局部的聯貫現象，「統一」律則呼應於宇宙生成中會趨於整體統一的規律。[54]「秩序」與「變化」是宇宙中的「多

---

53 參見陳師滿銘：〈論章法的哲學基礎〉，收入臺灣師大《國文學報》第三十二期（2002年12月），頁87-88。

54 陳滿銘說：「宇宙是離不開『動』的，而有了『動』，在過程中便一定會造成『變化』、形成『秩序』。就在造成『變化』、形成『秩序』的過程中，也一定會不斷地由局部與局部之『聯貫』（對比或調和），而逐步趨於整體之『統一』。」見〈論章法的哲學基礎〉，收入臺灣師大《國文學報》第三十二期（2002年12月），頁116。

樣」，而「聯貫」是「二」（二元對待），「統一」是「一」，章法四大
律恰與「多、二、一」的邏輯結構相吻合，也呼應了哲學或美學中所
謂「多樣的統一」、「對立的統一」等學說。

　　作品風格是辭章所展現之整體的風韻格調，即辭章藉由內容情理
與形式技巧所產生的一種抽象力量。從上述風格品類的演進發展，及
風格的哲學論述，可以印證多樣的風格品類最終必歸於「陽剛」與
「陰柔」兩大類型，以這兩大類型落實於辭章的風格中，則可能形成
「剛中寓柔」（偏剛）、「柔中寓剛」（偏柔）、「剛柔相濟」等風格類
型。由此可知，多樣的風格品類可視為「多」，「陽剛」與「陰柔」可
視為「二」，而展現在辭章當中的「偏剛」、「偏柔」或「剛柔相濟」
等風格形式，則為「一」，這又與宇宙的「多、二、一」結構吻合。
此外，辭章的材料意象、修辭表現、語言邏輯及章法結構，分別包含
了辭章的「形象思維」與「邏輯思維」，而主旨呈現兼二者有之，風
格則在主旨的基礎上展現出來。因此，在整個辭章學的領域當中，
「意象」、「修辭」、「文法」、「章法」等範疇可視為「多」，「形象思
維」與「邏輯思維」可視為「二」，主旨為「一」，風格則是在「一」
之上的「0」。所以在辭章學的「多、二、一（0）」結構中，風格佔了
極為重要的地位。

　　既以章法的「對比」與「調和」，可以相應於風格的「陽剛」與
「陰柔」，兩者的哲學基礎乃殊途而同歸；而宇宙中所呈現的「多、
二、一（0）」結構又同樣可以解釋章法與風格的種種現象，可知章法
與風格具有相近的哲學根源。

2 章法風格涉及辭章的邏輯思維與形象思維

　　如前所述，探討篇章的整體風格，必須兼顧辭章所蘊含的形象思
維與邏輯思維，才可以客觀而完整地檢視此一辭章的抽象力量。換言

之，藉由「意象」、「修辭」等形象思維所演繹出來的風格，著眼於意象的形成與表現，仍是根據形象本身所外顯出來的感染力；而藉由「文法」、「章法」等邏輯思維所演繹出來的風格，乃著眼於材料意象之排列組合的規律，重點在其內在深層邏輯的分析，以探討風格形成的脈絡。因此，推擴至篇章主旨，乃至於探討整體辭章的風格，必須融合「意象」、「修辭」、「文法」、「章法」所呈現的個別風格，才足以體現辭章風格的全貌。值得注意的是，以形象思維角度切入所呈現的風格，是傳統「印象式」批評的模式，所憑藉的是辭章學家深厚的學養；而以邏輯思維角度切入所呈現的風格，是藉由客觀邏輯所形成的節奏韻律來探求風格形成之深層脈絡，其中「文法風格」是著眼於字句的節奏韻律，而以「章法」邏輯切入所呈現的「章法風格」，則著眼於探討篇章的節奏韻律，更相近於辭章整體的抽象力量，再加上章法本身除了具備邏輯思維之外，也涉及了材料運用與主旨安置，這些都是形象思維的範疇，可見章法是兼具邏輯與形象思維的，而它所形成的章法風格，當然也兼具這兩種思維，故能貼近辭章的深層脈絡與核心情理，對於探討篇章的整體風格助益極大。

3 章法風格從整體結構切入，最為接近辭章風格

可見「章法風格」從辭章的整體結構切入，它在每一種章法可自成陰陽的基礎上，藉由每一結構所構成的「移位」與「轉位」的作用，探討其偏於陽剛或偏於陰柔的動勢，並由核心結構帶出辭章整體偏剛、偏柔或剛柔相濟的韻律，不僅深入探討辭章的內在邏輯，更照顧到辭章意象與主旨所展現的感染力量。因此，我們可以斷定，章法風格是由辭章整體結構所推演出來的抽象力量，與辭章的整體風格最為接近。

綜上三點所述，章法風格雖然只是整體辭章風格的一部分，但是

它可以掌握辭章風格主要節奏韻律的條理，可以提供我們一個具體可循、客觀而不偏頗的風格分析原則。

二　以「章法」、「主旨」為主導的檢視規律

章法風格在整體辭章風格分析中既是重要關鍵，我們就可以運用章法風格的規律來確定辭章「剛中寓柔」、「柔中寓剛」或「剛柔相濟」的風格趨向；再結合局部的意象風格、修辭風格、文法風格等因素，以檢視辭章局部的風格特質；最後，結合主題風格以確定辭章整體的風貌與格調。所以，瞭解章法風格的理論，並藉由個別意象、修辭、文法等局部內涵統合出整體意象，最後以核心內容（即主旨）結合整體意象，就能透視辭章之風格。在這過程中，「章法」與「主題（主旨）」實佔有主導的地位，是分析辭章風格所應偏重的部分。

（一）章法風格的理論基礎

「章法風格」提供了形象分析之外的另一條路，它同章法一樣，都具有高度的邏輯性，理應合乎宇宙自然的規律。所以，欲建立「章法風格」的理論，首先必須瞭解「陽剛」與「陰柔」為風格最基本的兩大範疇；其次要確定各種章法的「陰陽」，以作為判定順、逆的依據；再者，探討章法之「移位」、「轉位」的現象，是為抽象的辭章風格尋得條理的重要步驟；最後，運用「多、二、一（0）」的結構，以整體、宏觀的角度確立風格（0）在此邏輯結構中的定位，從而根據「多樣（多）→對立（二）→統一（一）」的規律，以逆推辭章的風格趨向。

1 「陽剛」、「陰柔」為母性風格

　　如上節所述，我國以「剛」、「柔」之特性來談風格的觀念，出現得很晚，它經歷了一個漫長的由簡而繁、再由繁而簡的歷程。

　　風格類型的界說，最早出現在曹丕《典論・論文》中，其對辭章「四科八體」的具體要求，就是各種文體所應展現的風格標準，已具有風格分類的雛形。其後劉勰的《文心雕龍》更明白提出辭章的八種旨趣，他不僅確立了八種風格類型，更進一步指出「雅與奇反，奧與顯殊，繁與約舛，壯與輕乖」的對應關係，形成了八體四類的完整體系。[55]從此風格類型的理論愈分愈繁，至唐代達於巔峰。如李嶠《評詩格》、釋皎然《詩式》及司空圖《二十四詩品》以形象描述來界定詩風，可說是風格類型多樣發展的極致。

　　風格品類的分析演進愈衍愈繁，而「詩品二十四則」已廣泛概括了辭章風格的類型，故後世學者另闢蹊徑，展開對風格品類統合的研究，如宋・嚴羽在《滄浪詩話》中提出九種風格，並歸納為兩大類，即「優游不迫」與「沉著痛快」[56]。又如明・屠隆把不同的風格概括成兩大類：一是「寥廓清曠，風日熙朗」的婉雅，二是「播弄姿肆，鼓舞六合」的奇偉[57]。這兩家已隱約分出風格的「優美」與「壯美」。更值得我們注意的，是清代姚鼐把多種風格歸併成「陽剛」、「陰柔」兩大類別。他以為多樣的風格是由「剛」、「柔」的「多寡進絀」而形成的，這與風格形成的哲學思辨相互吻合，我們也據此找到了風格概括為「陽剛」、「陰柔」兩大類的理論基礎。

---

55 見《文心雕龍・體性》篇。

56 見《滄浪詩話・詩辯》，卷一，收入《古漢語修辭學資料彙編》，頁280。

57 見《鴻苞集》，收入《古漢語修辭學資料彙編》，頁380。

2 從章法的「陰陽」、「順逆」談風格的形成規律

　　章法有自成陰陽的對應關係（如「凡目」結構中，凡為「陰」、目為「陽」；「賓主」結構中，賓為「陽」、主為「陰」等），對於形成辭章風格的「陽剛」、「陰柔」有一定的作用。陳滿銘在〈論辭章的章法風格〉一文論及：

> 　章法與章法結構，既然是建立在「陰陽二元對待」，亦即「剛」與「柔」互動的基礎上，當然與「剛柔」風格就有直接關係。而由章法與章法結構來解釋「剛柔」風格之形成，也自然最便利。因此要談章法風格之形成，就必須從章法本身與章法結構之陰陽、剛柔來探討。[58]

　　可見章法的「陰陽二元對待」，與風格的「陽剛」、「陰柔」有密切的關係。而想要確定「陰→陽」為順，「陽→陰」為逆，則必須進一步確立「陰」的根源質性，才能闡明「陰」為本、「陽」為末的觀點。在《老子》的守柔哲學中，所謂「負陰而抱陽」[59]，不僅說明了萬物「背陰向陽」的特性，更點出了萬物始生是由陰向陽的順行發展。而《周易》所言，宇宙萬物乃以陰（柔）陽（剛）為基礎衍化而成，實可結合《老子》的概念來看。陳望衡說：

> 　《周易》中的剛柔也不只是具有性的意義，它也用來象徵或概括天地、日月、晝夜、君臣、父子這些相對立的事物。而且剛柔也與許多成組相對立的事物性質相連屬，如動靜、進退、貴

---

58 見陳滿銘：《章法學綜論》，頁302。
59 見余培林：《老子讀本・四十二章》（臺北市：三民書局，1990年11月九版），頁76。

賤、高低，剛為動、為進、為貴、為高；柔為靜、為退、為
賤、為低。[60]

即已為「動靜」、「進退」、「貴賤」、「高低」等相對的概念確定了陰陽
（剛柔）。因此我們可以確知，凡事物具有「沉重」、「晦暗」、「卑
下」、「虛無」等特質者，多可歸入「陰柔」的範疇；而具有「浮
動」、「光明」、「高遠」、「實有」等特質的事物，則多歸入「陽剛」的
範疇。因此，根據這種陰陽定位的原則，可以推衍出各種章法本身的
陰陽或剛柔，並進一步確定其順逆關係。茲舉常用的章法為例，表列
如下：

章法	陰（柔）	陽（剛）	順	逆
虛實法	虛	實	由虛而實	由實而虛
今昔法	今	昔	由今而昔	由昔而今
正反法	正	反	由正而反	由反而正
圖底法	底	圖	由底而圖	由圖而底
因果法	因	果	由因而果	由果而因
凡目法	凡	目	由凡而目	由目而凡
賓主法	主	賓	由主而賓	由賓而主
抑揚法	抑	揚	由抑而揚	由揚而抑
點染法	點	染	由點而染	由染而點
眾寡法	寡	眾	由寡而眾	由眾而寡
高低法	低	高	由低而高	由高而低

60 見陳望衡：《中國古典美學史》，頁184。

我們確知每一種章法的陰陽或剛柔之後，就可以落實到辭章結構之中，判定其順向（陰→陽）或逆向（陽→陰）的移位，以及「陰→陽→陰」或「陽→陰→陽」的轉位。而順向的「陰→陽」所呈現的是趨於陽剛的節奏，逆向的「陽→陰」所呈現的是趨於陰柔的節奏，而且逆向移位的節奏較為強烈；至於「陰→陽→陰」的轉位更強化了陰柔的力量，而「陽→陰→陽」的轉位所強化的是陽剛的力量。由此可知，在分析辭章整體風格的過程中，章法的「移位」與「轉位」固然是形成風格的重要因素，而先前對於每一種章法的陰陽、順逆，更必須準確地判定，才能作為順、逆向移位與轉位的重要依據。

3 從章法的「移位」、「轉位」談風格的形成規律

　　章法的「移位」、「轉位」現象是根據章法的四大律而發現的。仇小屏在〈論辭章章法的移位、轉位及其美感〉一文中，就以四大律來說明章法「移位」與「轉位」的現象。她說：

> 任何一種文學作品，為了表達不同的情意，其展現的「力」也有所不同。就章法結構而言，合乎秩序律所產生的「力」的改變，稱為「移位」，其章法結構中的二元呈現「本末」的關係；合乎變化律所產生的「力」的改變，稱為「轉位」，其章法結構呈現了「往復」的現象。這兩種力的變化仍有程度上的不同：「移位」的變化程度較為緩和，而「轉位」的變化程度較為激烈。[61]

---

61 見仇小屏：〈論章法的移位、轉位及其美感〉，《辭章學論文集》上冊（福州市：海潮攝影藝術出版社，2002年12月一版一刷），頁98-122。

根據上述「移位」與「轉位」的概念，在結合章法陰陽、順逆來看，則可以確定每一種章法的順、逆向移位及轉位的形式，茲舉幾種章法表列如下：

	移位		轉位
結構單元	正→反（順）	反→正（逆）	破→立→破
	凡→目（順）	目→凡（逆）	點→染→點
	點→染（順）	染→點（逆）	圖→底→圖
章法單元	先正後反→先凡後目（順）	先目後凡→先反後正（逆）	「正→反」與「反→正」
	先本後末→先虛後實（順）	先實後虛→先末後本（逆）	「點→染」與「染→點」
	先因後果→先論後敘（順）	先敘後論→先果後因（逆）	「圖→底」與「底→圖」

章法的移位與轉位所產生的力量並不相同，順向移位與逆向移位的力量亦有所差別。也就是說，順向移位所產生的力度較為穩定流暢，逆向移位的力度則因為逆勢而變得較為激盪騷動，至於轉位乃結合順、逆兩種力量，在往復變化中所形成的力度比前二者更為強大。這三種力量本身雖有陰陽之分，卻不足以確定章法結構的「陰」、「陽」，而是要看章法結構或單元內部的運動方向而定，如果結構或單元是向「陰」移動，則加強的是陰柔的力度；而結構或單元是向「陽」的方向移動，則加強了陽剛的力度。[62] 因此，在每一個文學作品所呈現的「多、二、一（0）」結構當中，可以先確定核心結構（二）是向陰或向陽的移位或轉位，其次徹下結合其他輔助結構（多）所呈現的向陰

---

62 參見陳滿銘：《章法學綜論》，頁305。

或向陽的力度，最後徹上結合辭章主旨（一），那麼幾乎可以確定辭章整體向陰力度與向陽力度的多寡強弱。而辭章風格（0）本是一種抽象力量的表現，其主要型態可歸結為「陽剛」與「陰柔」兩類。我們運用移位、轉位的觀念所推測出來的向陰或向陽的力度，應與這種抽象力量相當地接近。

4 從章法的「多、二、一（0）」結構談風格的形成規律

「風格」是指具體事物所展現出的抽象力量或格調。就文學的層次而言，指的是辭章之思想內容與藝術形式的總體表現。既是辭章的總體表現，則必然可以從景（物）事、情理、意象、修辭等形象思維，及語法、章法等邏輯思維當中尋出辭章的整體風格。從創作的角度而言，作家以自身的才性為本，首先確立一個中心思想（主旨），再以形象思維與邏輯思維融合運作，發為辭章，以完成涵蓋多方要素的文學作品，這是一個由「統一」而「多樣」的順向過程；從鑑賞的角度而言，我們透過對辭章材料的理解，從外圍的「景（物）事」以探索核心的「情理」，進而梳理出辭章的中心思想（主旨），並透過各種形象分析與邏輯推理，以確定辭章的風格取向，這是一個由「多樣」而「統一」的逆向過程。

一般而言，我們談論風格多從鑑賞的角度入手。在這種逆向過程中，透過形象思維以確定風格者，是屬於直覺的分析，一個具備深厚學養的鑑賞者，雖能準確地判定辭章的風格，卻往往訴諸直覺而缺乏條理性；而邏輯系統的簡明扼要，適足以釐清這一過程的條理，如語法邏輯有助於字句條理的釐清，而章法邏輯則涵蓋了辭章的整體表現，對於風格的形成更具有影響性。因此，想要探求辭章風格的生成規律，應從邏輯結構入手，才得以尋其本源。

任何文學作品在美學或哲學的範疇中，對於審美原則或變化規

律，有所謂「多樣的統一」、「對立的統一」等概念，這幾種概念再加
以融合、分析，則可以尋出「多、二、一（0）」的邏輯結構。關於這
種邏輯結構，陳滿銘曾分析說：

> 我們的祖先，生活在廣大「時空」之中，整天面對紛紜萬狀之
> 現象界，為了探其源頭，確認其原動力，以尋得其種種變化的
> 規律，孜孜不倦，日積月累，先後留下了不少寶貴的智慧結
> 晶。大致說來，他們先由「有象」（現象界）以探知「無象」
> （本體界），再由「無象」（本體界）以解釋「有象」（現象
> 界），就這樣一順一逆，往復探求、驗證，久而久之，終於形
> 成了他們的宇宙觀。而這種宇宙人生觀，各家雖各有所見，但
> 若只求其同而不求其異，則總括起來說，都可以從「（0）一、
> 二、多」（順）與「多、二、一（0）」（逆）的互動、循環而提
> 升的螺旋關係上加以統合。[63]

這種順向與逆向的互動、循環，確實呈現了宇宙層層推展、循環不息
的原始規律。而探求風格的形成，可單就「多、二、一（0）」的逆向
結構而論。

　　中國哲學的「多、二、一（0）」結構，可以解釋許多藝術生成的
規律。落於辭章風格來說，作家透過邏輯思維，將「景（物）」、
「事」等各種材料，對應於自然規律，結合「情」、「理」，訴諸於客

---

[63] 陳滿銘從《國語・鄭語》中的史伯之論與《左傳》中的晏子之言，見其雛形；進而
考察《周易》（含〈易傳〉）與《老子》的哲學，提煉出「（0）一」、「二」、「多」之
順向與「多」、「二」、「一（0）」之逆向互相循環、往復而提升的螺旋結構，足以作
為文學與美學研究的重要理論基礎。參見〈論「多」、「二」、「一（0）」的螺旋結
構──以《周易》與《老子》為考察重心〉，收入《章法學綜論》，頁459-506。

觀的聯想，並依秩序、變化、聯貫與統一的原則，來加以安排、布
置，形成各種相應的條理，進而呈現在辭章的結構之中。[64] 所有核心
結構以外的結構都屬於「多」；而核心結構所形成的「二元對待」，自
成陰陽而「相反相成」，以徹上徹下，形成結構的「調和性」或「對
比性」，是為「二」；至於辭章的「主旨」或由「統一」所形成的風
格、韻味、氣象、境界等，則屬於「一（0）」。[65] 由此而知，風格
（0）必須依附在主旨（一）之上才能呈現出來；而有象的「主旨」，
是辭章的核心情理，也是形成無象之「風格」的主要力量；至於核心
結構中以二元對待所產生的調和性或對比性，又相應於「陰柔」與
「陽剛」的質性[66]，並可檢視、結合其他輔助結構來說明辭章風格的
取向。如此從有象的「一」進渡到無象的「0」，章法結構貫串起一條
邏輯的理路，對於辭章風格的形成規律提供了客觀的思考，也確立了
「章法風格」存在的價值。

（二）整體辭章風格的形成規律

　　根據辭章學的體系，檢視風格的形成規律除了分析其章法風格之
外，理解辭章的「整體意象」和「主題（主旨）」的內涵也極為重
要。陳滿銘曾說：

　　　　影響一篇風格形成之主要因素，就辭章之內涵而言，有意象、

---

64 參見陳滿銘：〈論章法的哲學基礎〉，見〈論章法的哲學基礎〉，收入臺灣師大《國文
　學報》第三十二期（2002年12月），頁116。

65 參見陳滿銘：《章法學綜論》，頁249。

66 仇小屏：「『對比』會形成極大的反差，因此有強健、闊達、華美之感，所以趨於
　『陽剛』；而『調和』則因質性之相近，產生優美、融洽、鎮靜、深沉等情緒，因
　此自然趨向於『陰柔』。」見《古典詩詞時空設計之研究》（臺北市：臺灣師範大學
　國文研究所博士論文，2001年2月），頁329。

> 修辭、文法、章法與主旨、文體等；而章法由於可透過其
> 「多、二、一（0）」結構，由「章」（節、段）而「篇」地，
> 藉「多」來整合意象群、藉「一」來凸顯一篇主旨，所以由此
> 所呈現之章法風格，是和一篇風格最為接近的。

這裡提到了風格形成的重要因素，也強調「章法風格」對於整體辭章
風格的影響。接著他又說：

> 所謂內容決定形式，而主旨又是內容的核心，因此主旨對風格
> 之影響極大。[67]

這裡又強調「主旨」對於辭章風格的主導地位，而「主旨」的呈現也
包含了「整體意象」[68]。

　　綜上所言，我們可以確立鑑賞辭章風格的原則。首先，要瞭解個
別的材料意象，從內容上體會材料意象的感染力量，從藝術形式透視
其修辭的美感效果。其次，透過章法結構，分析其陰陽動勢，進而確
定辭章風格的剛柔形態。最後結合主旨，統合出整體風格之美。這種
風格的鑑賞程序，可以涵蓋辭章的局部風格與整體風格，又能兼顧辭
章的形象思維與邏輯思維，不僅契合傳統印象式的風格述評，更能具
體理解風格形成的內在規律。

---

67 見〈論東坡清峻詞的章法風格〉，收入《宋代文學研究叢刊》第九期（高雄市：麗文
　文化公司，2003年12月），頁336-337。
68 「整體意象」包括了屬形象思維之個別意象的形成（以材料意象為主）與表現（以
　詞彙、修辭為主），以及屬邏輯思維之意象的組織（以字句邏輯之文法、篇章邏輯之
　章法為主）。所以，我們只要探討辭章意象的形成表現，以及意象與意象之間的排列
　組合，就能統合辭章的整體意象。參考陳滿銘《章法學綜論・自序》。

三　辭章風格教學的心理基礎

　　既已建構辭章風格的檢視原則，我們必須進一步落實於教學之中，透過教學之心理基礎的探討，才能建構完整的風格教學理論。從「多、二、一（0）」的螺旋結構來看，辭章的創作屬於「（0）一→二→多」的順向結構，而辭章鑑賞則屬於「多→二→一（0）」的逆向結構。試以辭章的創作與鑑賞兩方面，分析風格教學的心理基礎如下。

（一）從辭章創作的角度來說

　　以「多、二、一（0）」的螺旋結構為依據，辭章創作是一種順向的思維活動。它是「（0）一→二→多」的順向結構。所以在創作構思初期，作家就已經確定核心情理（一）與風格趨向（0）。劉雨闡述這種構思心理提到：

> 在創作構思中，作家對情節的編織和改造，在很大的程度上體現著他的表現意圖和審美要求。[69]

這裡所謂「表現意圖」和「審美要求」可以視為展現於辭章的主旨和風格。有了確定的主旨與風格，作家基於自身的才學和見識，選取適當材料以形成意象，並透過意象的表現與組織，傳達合乎主旨的情理，使之契合初始風格的頻率。蘇珊・朗格在論述藝術家經驗內化的過程時，曾說明「現實物」與「想像物」之間的關係，她說：

69　見《寫作心理學》（高雄市：麗文文化公司，1995年3月初版），頁287。

> 藝術家的眼睛，就是能將看到的事物同化為內在形象的眼睛，
> 也就是將表現性和情感意味移入到外部世界之中的能力。藝術
> 家從現實中所取得的一個圖案、一束鮮花、一片風景、一樁歷
> 史事件或一樁回憶，生活中的任意一種花樣或課題，都被轉化
> 成一件浸透著藝術活力的想像物，這樣一來，就使每一件普通
> 的現實物都染上了一種創造物所應具有的意味。這就是自然的
> 主觀化，才使得現實本身被轉變成了生命和情感的符號。[70]

以辭章來說，作家將「現實物」轉化為「浸透著藝術活力的想像
物」，是他獨特的眼力與當下的情感灌注於外在現實物所致。由「現
實物」轉化為「想像物」，我們看到了「自然物象」轉為「辭章意
象」的過程。個別的「辭章意象」（意象群）是透過作家獨特的眼力
擇取而成，它們蘊含作家當下的情感思理，也同時浸染了整體風格的
成素。所以，藉由辭章之特殊能力如構詞、修辭、謀篇、立意等，進
行意象的表現與意象的組織，其所形成的個別風格，都與辭章的整體
風格相關。由此可知，風格在辭章創作的過程中，雖是隱性的存在，
實佔有主導的地位。

　　在進行風格教學時，瞭解作家的創作心理非常重要。認知風格的
主導地位更是重要。這讓我們瞭解到辭章風格的分析，必須兼顧寫作
背景的探索與作家風格的述評，才能確實掌握辭章風格的全貌，進而
建立正確的教學步驟，裨益於學生對於辭章風格的理解。

（二）從辭章鑑賞的角度來說

　　「鑑賞」是一種審美心理的活動。瞭解審美心理的過程，有助於

---

70 見蘇珊‧朗格著，滕守堯、朱疆源譯：《藝術問題》（北京市：中國社會科學出版社，
　　1983年2月第1版），頁67-68。

釐清鑑賞活動的內在規律，進而提供鑑賞者具體可行的原則。至於審美心理過程則包括了認識過程、情感過程和意志過程。就認識過程而言，它是以「審美直覺」[71]為開端，經過聯想、想像、分析、綜合等活動，進而對事物進行審美的判斷，以達到審美的理解。

就情感過程而言，從審美直覺到審美想像、判斷，再到創造美的意志，都存在著審美的情感、情緒。所謂「異質同構」，就是以審美情感為中心所聯繫的心物作用，最後形成一種超越認知階段的審美意象。[72]

就意志過程而言，人在審美中開始認識活動與情感活動時，需要有一種內在的力量來控制、調節，這種力量就是審美的意志。換言之，審美意志是人在審美過程中的自覺控制，以克服主觀、感性的障礙，進而實現預定目的的心理活動。[73]

綜而言之，審美意志與審美認識、審美情感之間是一種雙向推動、相互滲透、相互包容的心理態勢。這種態勢如圖所示：

審美心理就在認識、情感、意志三種過程的互動、互容中，完成其審美、創造美的實踐。

---

71 所謂「審美直覺」是指審美心理過程中的感性直覺、理性直覺及其具體形式：感覺、知覺、統覺、錯覺、幻覺、表象等。參見邱明正：《審美心理學》（上海市：復旦大學出版社，1993年4月第1版），頁145。

72 參見邱明正：《審美心理學》，頁267。

73 參見邱明正：《審美心理學》，頁370。

　　落到辭章鑑賞來說，我們運用觀察、記憶的能力，深刻感知辭章
意象的存在，進而激發自身與材料意象之間的情感交流，並運用辭章
之修辭、章法等專門知識，建構其自覺意志，以調整、控制審美之心
理，完成符合客觀規律的鑑賞活動。因此，培養對意象的主觀感知能
力，是辭章鑑賞的基礎；建構對意象的客觀掌控能力，是辭章鑑賞的
完成。基於這種審美心理的認知，我們在教學上引導學生從事鑑賞活
動，就必須偏重於感知能力與意志能力的培養，方能建立學生兼顧
主、客觀的鑑賞能力。

結語

　　綜觀歷代風格論述的源流與轉變，我們見到風格品類由簡而繁、
再由繁而簡的漫長過程，也對於風格的界定有清楚的理解。而風格之
哲學思辨的釐清，可以確定「陽剛」與「陰柔」在風格分類上的二元
對待關係。這些與風格相關之歷史流變與哲學觀點，均有助於風格鑑
賞理論的建構。

　　另一方面，藉由辭章之意象、修辭來探討風格的形象質素，再以
文法、章法分析風格的邏輯條理，最後統合成整體意象，上貫於主
旨，歸納出兼具形象思維與邏輯思維的辭章風格。這是辭章風格鑑賞
的原理，在此原理之上，我們更運用心理學以探索風格教學的心理基
礎，如此建構的教學理論，將是辭章風格之實際教學的重要依據。

第三章
辭章風格與作家風格

　　辭章是作家用來表達思想、抒發情感的媒介。所謂「情動而言形，理發而文見」[1]，就是說明從隱藏於作家內在的情理，到表現於外在的辭章，兩者有密不可分的關係。而辭章風格是辭章整體風貌的展現，當然與作家風格直接相關。本章探討作家風格，首先分析影響作家風格的內外因素，進而針對中學詩歌教材之相關作家，進行風格述評，以瞭解辭章風格與作家風格的關係，作為我們進行風格教學的重要參考。

第一節　影響作家風格的內外因素

　　作家風格的形成，除了先天的情性之外，其所處外在環境的陶染，也是重要因素。劉勰在《文心雕龍·體性》篇提到：

> 　　才有庸儁，氣有剛柔，學有淺深，習有雅鄭；並情性所鑠，陶
> 　　染所凝，是以筆區雲譎，文苑波詭者矣。

　　這裡強調先天的「才質」、「氣性」與後天的「學養」、「習染」是形成作家風格的主要因素。本節從內、外兩方面探討影響作家風格的因素，以瞭解其風格形成的軌跡。

1　見劉勰《文心雕龍·體性》篇。

一　內在的先天因素

所謂內在因素是指作家的情性而言。作家的情性來自先天的才質與氣性。曹丕《典論・論文》所云：

> 文以氣為主，氣之清濁有體，不可力強而致，譬諸音樂，曲度雖均，節奏同檢，至於引氣不齊，巧拙有素，雖在父兄，不能以移子弟。

其說明文章受到作家「氣之清濁」的影響，而形成各種不同的風格，而作家的才氣不能「力強而致」，即使如血緣相通的父子兄弟也是如此。這種概念雖為首見。卻仍有偏頗。因為才氣屬於人性中的個性，並非普遍的性情。宋儒對於這種區別曾有深刻的體會，如張載所云：

> 人之剛柔、緩急、有才與不才，氣之偏也。天本參合不偏，養其氣，反之本而不偏，則盡性而天矣。[2]

張載曾將性情區分為兩種：一為「天地之性」，是人類普同的善性；一為「氣質之性」，是偏於個人的個性。對於「氣質」之說，他亦解釋：

> 氣質，猶人言性氣，氣有剛柔、緩速、清濁之氣也。質，才也，氣質是一物，若草木之生，亦可言氣質，惟其能克己，則為能變化卻習俗之氣。[3]

2　見張載：《正蒙・誠明》篇。
3　見《經學理窟・學大原》上篇，卷六。

氣質之性具有剛柔、緩急、清濁的分殊，它也是一種才能，有大小、
強弱之分。氣質因具有分殊性而有所偏，或偏於剛，或偏於柔，這與
曹丕所謂「氣之清濁有體」都同樣指人的個性而言。而張載認為，透
過「復性」、「養氣」的功夫，使有偏的氣質之性回歸於天地本然之善
性，所以，「氣質之性」與「天地之性」是二而一的概念，兩者的分
殊與統一，點出了「變化氣質」的可能性。梁・劉勰曾結合辭章與作
家的才氣說到：

　　　辭理庸儁，莫能翻其才；風趣剛柔，寧或改其氣[4]。

他說明文辭情理的平庸或儁美，風格旨趣的陽剛或陰柔，大部分來自
於作家天生的才氣。這裡強調作家之才氣對於文辭情理與風格旨趣的
影響力量，如果結合其「學」、「習」的概念來說，則透露著「才」、
「氣」仍有轉移改變的可能。

二　外在的後天因素

　　　所謂外在因素，是指時代潮流、地域風俗或家世背景對作家產生
薰染，影響其整體人格特質的發展。劉勰在《文心雕龍・體性》篇，
說明辭章與學養的關係提到：

　　　事義淺深，未聞乖其學；體式雅鄭，鮮有反其習。

強調創作辭章時用事引義的深淺，與作家的「學力」相關；而體制法

4　見《文心雕龍・體性》篇。

式的雅俗，也很少違反作家之「習業」的。這裡所謂「學力」與「習業」是後天環境陶染所聚，也是改變先天才氣的主導力量。先天的才氣融合後天的學習，形成作家整體人格特質的展現，並完成「知識結構」的體系。劉雨針對「知識結構」的定義及來源曾解釋說：

> 寫作主體的知識結構，是主體在生活歷程中，通過親身觀察體驗和讀書學習所形成的相對穩定的自身知識體系。……一定的知識結構，除了生理上所表現的一部分先天因素之外，主要是在社會生活環境、文化教育、家庭教育、民族風俗、倫理道德、生活經歷、文化遺產、傳統與諸因素的影響下產生的。[5]

這裡說明知識結構的形成，除了先天的部分因素之外，他更強調後天的外在環境所造成的陶染作用。所謂「社會生活環境、文化教育、家庭教育、民族風俗、倫理道德、生活經歷、文化遺產、傳統與諸因素」，就是作家學養與習染的主要來源。

知識結構的形成，代表著作家才、氣、學、習的融合。而知識要落實在辭章創作當中，仍需要「能力」的實踐。

三　內外因素的融合

內在先天的才氣與外在後天的學習，融合成完整的知識結構。辭章創作不僅要具備合理的知識結構，更重要的是要具有完成創作目的之相應能力。這種能力從感知、思維、表現的等方面展現出來，西方

5　見劉雨《寫作心理學》（高雄市：麗文文化公司，1995年3月初版），頁48-55。

的心理學稱之為「智力（intelligence）」[6]，佛家稱之為「智慧」，而傳統史學家則稱為「識」。清代史家章學誠解釋「才學識」的觀點提到：

> 才、學、識，三者得一不易，而兼三尤難，千古多文人而少良史，職是故也。……非識無以斷其義，非才無以善其文，非學無以練其事，三者固各有所近也，其中固有似之而非者也。記誦以為學也，辭采以為才也，擊斷以為識也。非良史之才學識也。[7]

章氏乃根據史學的角度而發。有了史才，可以善其文，而只知在辭采求表現仍非良史；有了史學，可以練其事，但也不是光憑記誦之學就能勝任。史才與史學要能有機融合，才成呈現辨識史學義例、決斷史學方法的史識。其論述的觀點雖是針對史學而發，卻提供了「才＋學→識」的具體脈絡。

　　不同的職業和實踐活動，人為地造成人們在「識」上的差異。如畫家的繪畫活動需要觀察能力、色彩鑑別能力、形象記憶能力和視覺想像能力的綜合。作曲家的音樂活動需要聽覺記憶能力、曲調感知能力和節奏感知能力等的綜合。就辭章創作活動而言，每個人因「識」的不同，會擇取不同的主題、不同的材料、不同的表現技巧、不同的邏輯推理，當然就形成不同的風格。由此可以概略認知作家之「識」與辭章風格的關係。

6　劉雨：「智力是指人各種能力的總和。人在從事某活動時，必須具備相應能力，這種能力就是能順利完成這種活動的心理特性。……人在從事一定活動所具有的各種能力的綜合，叫做才能，智力結構就是才能結構。」見《寫作心理學》，頁65。

7　見章學誠：《文史通義校注·史德》篇（臺北市：頂淵文化公司，2002年9月初版），卷三。

第二節　歷代作家風格述評

　　本節擇取中學詩歌教材之相關作家，概述其生平際遇，並分析作家一生的性格轉變，同時參考後人之評價，以見其生平風格之概。茲以作家年代先後為序，述評如下：

一　陶淵明

　　陶淵明，一名潛，字元亮。二十九歲之前是他居家讀書時期，此時因儒家思想的薰陶，頗有兼善天下之大志。二十九歲之後幾度出仕，但出身寒門，只能擔任地方小官，四十歲以前，陶淵明一直過著時隱時官的生活，此時期他都在現實與理想中浮沉，思想上亦充滿出仕與歸隱的矛盾。四十一歲，任彭澤縣令，因不願向自己所輕視的督郵屈膝奉承，率而辭官，從此過著隱居不仕的生活，二十餘年躬耕田園，賦詩飲酒，以終其生。

　　在陶淵明的生命歷程中，二十九歲以前居家讀書，展現典型儒家溫厚而積極的性格。二十九歲至四十一歲開始感受到世俗環境的現實與庸擾，和他積極純真的心靈相互衝突，這時期的性格充滿憤世嫉俗的矛盾。四十一歲以後歸隱田園，性情轉趨平淡，遂薰染了道家曠達自適的襟懷。這三個時期的性情雖有不同，但其一貫「自然率真」的性格始終不變。鍾嶸《詩品》評曰：

> 文體省靜，殆無長語。篤意真古，辭興婉愜。每觀其文，想其人德。世歎其質直。[8]

8　見《詩品集注》（上海市：上海古籍出版社，1994年10月第1版），頁260。

其謂「質直」，大部分來自天生率真的氣性，投射在他的文學作品
中，則是質樸自然的風格。

二　王之渙

　　王之渙，字季凌，唐并州（今山西太原市）人。生於西元六八八
年，卒於西元七四二年。其活動於文壇的時間，大約是在武后末期至
玄宗開元年間。因不屑科舉功名，甚少政治活動，史傳記載闕如，故
生平事蹟無稽可考。根據近年所發現的墓誌銘，稱王之渙的性格：

　　　　慷慨有大略，倜儻有異才。

並稱讚他的邊塞詩：

　　　　傳乎樂章，布在人口。[9]

由此評價可以概略知道王之渙性格豪放，風流倜儻，其留於後世的詩
作雖然只有六首，卻普遍為人傳唱。而《唐詩三百首》亦選錄了兩首
膾炙人口、傳唱千古的名作，即〈登鸛雀樓〉與〈涼州詞〉。流傳於
民間「旗亭畫壁」[10]的故事，雖無法證實真偽，但與墓誌銘中所謂
「傳乎樂章，布在人口」的評價卻相吻合。

　　從這些零星的記載顯示，王之渙「豪放不羈」的性格應是可以確

9　見靳能〈唐故文安郡文安縣太原王府君墓誌銘并序〉。

10　故事記載見於唐、薛用弱的《集異記》。大略記載詩人王昌齡、高適與王之渙三人
　　共詣旗亭，賭歌妓唱誰的歌詞為多，則是文才最優，結果三人之詩皆為歌妓所唱
　　誦，遂傳為佳話。

定的,再結合他所流傳下來的詩作,確實可以印證他的性格基調。在
盛唐詩壇中,王之渙是佔有一席之地的。而詩作傳於民間,也能看出
王之渙在唐代民歌中的地位。

三　李白

　　李白,字太白,號青蓮居士。出生於碎葉(今中亞巴爾喀什湖附
近),幼年又隨父遷居綿州昌隆縣青蓮鄉(今四川江油)。年二十五,
離開四川,隨道士吳筠入長安。因賀知章的賞識而薦之玄宗,遂召為
翰林供奉。後因得罪楊貴妃,又被權貴所謗,不久即離開長安,浪跡
四方。天寶十四載,安史之亂爆發,李白依永王李璘起義,後李璘兵
敗受累,流放夜郎,中途因郭子儀相救而遇赦北還。晚年漂泊窮困,
依當塗令李陽冰,六十二歲病死於當塗(今安徽當塗縣)。

　　李白早年學劍,又接觸方士之術,造就他豪邁不羈,輕財任俠的
性格。再加上出身胡漢邊境,及受道家思想與楚文化的薰染,其性格
充滿浪漫的色彩。根據日籍學者松浦友久研究李白「謫仙人」的形象
及觀念,認為「謫仙人」的屬性有三:一、才能超群(超俗性);
二、社會關係的客體化(客寓性);三、言行放縱(非拘束性)。[11] 若
持這三點以檢驗李白的作品,就可推溯其超卓的文才與飄逸奔放的風
格的源頭。

四　崔顥

　　崔顥,唐汴州(今河南開封)人。早年沉迷於聲色之中,性情輕

11　參見松浦友久:〈有關謫仙人稱呼的幾個問題〉,轉引自南一版《高中國文》第二冊
　　教師手冊。

薄，詩作亦以豔體為主。及至壯年，奮發上進，於玄宗開元十一年
（西元723年）中進士第。後經過宮廷、邊塞與江湖行游的歷練，氣
度轉為恢闊，詩作亦呈現多樣風貌。其生平事蹟不詳，我們僅能根據
所做作詩歌分辨其風格的轉折。如早年的〈王家少婦〉描寫閨閣生
活，風格浮豔輕薄；晚期的〈送單于裴都護〉，氣勢磅礴而愛國情
切；至於〈七夕〉詩在描寫宮女孤居的寂寞，感情細膩而含蓄；〈長
干曲〉則是民間歌謠的仿作，充滿純樸自然之致；而著名的〈黃鶴
樓〉則以今昔之感與思鄉情愁，表現了開闊幽渺的感染力。殷璠曾經
評斷崔顥詩風云：

> 年少為詩，屬意浮豔，名陷輕薄。晚節忽變常體，風骨凜然，
> 一窺塞垣，說盡戎旅。[12]

這裡將崔顥的詩風分為兩期，可略見其早年至晚年，因際遇轉變所產
生的迥異性格，也概括呈現崔顥詩作的整體風格。

五　孟浩然

　　孟浩然，唐襄州襄陽（今湖北襄陽）人。早年隱居在家鄉的鹿門
山，直到四十歲才至長安求仕，其詩頗享盛名，但因忤逆唐玄宗而失
去進爵的機會，從此宦途失意，行遊於吳越、江淮各地。玄宗開元二
十五年（西元737年），因張九齡貶為荊州刺史，遂入其幕府擔任僚
屬，後因疾病辭官歸鄉，又轉為「背疽」之惡疾，於開元二十八年
（西元740年）病逝，享年五十二歲。

12　見殷璠：《河嶽英靈集》（1929年上海商務印書館四部叢刊影印明刊本），卷中。

　　孟浩然與王維並為唐代重要的田園詩人，然其生命遭遇與王維迥
異，風格亦有所不同。孫燕文評其詩風云：

> 孟浩然的詩歌以山水田園、漫遊隱逸為基本內容。其山水詩，
> 偶有壯闊山川的描繪，氣勢磅礴，格調雄渾。但他更長於描寫
> 山林隱逸者的幽居情景。語出自然，不事雕琢，風格清新而曠
> 遠，創造出一種清幽淡雅的境界。[13]

其言「清幽淡雅」，可視為孟浩然詩歌風格的基調，而其一生懷才不
遇、困頓落拓的際遇，使得他在清幽淡雅的性格之中，少了王維「閒
淡曠遠」的格調，卻多了「憤懣抑鬱」的愁緒，可見孟浩然的人生際
遇成為其個性與風格的重要成素。

六　杜甫

　　杜甫，字子美，祖籍京兆杜陵（今陝西長安縣南），後遷至湖北
襄陽，出生於河南鞏縣。為晉杜預十三世孫，子孫世業相傳，均以尊
奉儒學為宗，因此「奉儒守官，未墜素業」[14]、「詩是吾家事」[15]成為
杜甫家世的最大特點。
　　杜甫一生正處於唐朝由盛轉衰的關鍵，他既經歷了安史之亂前繁
榮富強的唐朝盛世，也親眼目睹安史之亂的民生離亂的過程，並且看
到亂後的唐朝一蹶不振、江河日下的衰敗景象。他的生活與創作，幾
乎與那個紛擾動盪的時代息息相關。三十五歲以前，是他讀書漫遊的

---

13 見孫燕文主編：《孟浩然詩欣賞》（臺南市：文國書局，2004年2月第一版），頁1。
14 杜甫：〈進雕賦表〉。
15 杜甫：〈宗武生日〉。

生涯，處於開元時期的盛世，早年苦讀詩書，壯年更漫遊於吳越、齊趙、梁宋之間，成就了淵博奮進的儒者風範。三十五歲至四十四歲，是杜甫困守長安的時期，原本以「至君堯舜上，再使風俗淳」[16]的政治抱負，想要在官場上施展長才，卻受到奸臣弄權，不僅科舉受挫，幾度自薦卻僅得「河西尉」、「右衛率府胄曹參軍」的小官，杜甫這時期的心境是困苦落拓的。年四十五歲，時值天寶十四載，安祿山在范陽叛變，杜甫隨百姓流亡，期間親見叛軍所據之處國破家亡的悽慘景象，後肅宗即位鳳翔，任左拾遺，旋因救房琯而忤肅宗，貶為華州司功參軍。將近四年時間，杜甫四處奔波跋涉，經歷戰亂生活的磨練，寫下許多烽火離亂、慷慨悲憤的詩篇。四十八歲，杜甫因關輔饑荒而辭官離開長安，舉家遷往四川，開始他飄泊西南的歲月。直至五十九歲病故，他曾在成都、夔州（四川奉節）等地，有過短暫安定的生活；也曾流轉於四川、湖北各地，度過飄泊老病的歲月。而夔州定居的兩年期間，有大量的登高、壯遊、遣懷等詩作，多沉鬱悲涼之氣。關於杜甫因才氣與學養所形成的特殊風格，祝賞的評析頗為詳盡中肯，其云：

> 在寫作方法和風格上，杜詩將傳統的現實主義和浪漫主義結合的風格發揚到極致。杜甫熟悉古詩傳統創作方法、形式和技巧，同時把自己的人格、氣質、審美觀以及一生艱困遭遇形成的悲涼沉鬱的情懷都融合在一起，然後再回到客觀現實的那些干戈離亂、炎涼世態中去進行認識和表現。加之語言的剛勁華美、音律的抑揚頓挫、結構的曲折自然、手法的含蓄蘊藉，便

---

16 見杜甫：〈奉贈韋左丞丈二十二韻〉。

　　　　形成老杜特有的詩風，即：沉鬱蒼涼，雄健高華。[17]

所謂「沉鬱蒼涼，雄健高華」的整體評價，乃融合了先天才氣與後天
學習的種種因素而成，可視為杜甫獨特的風格。

七　白居易

　　白居易，字樂天，自號香山居士。德宗貞元十六年（西元800
年）進士。早年仕宦頗關心時政，正直敢言。憲宗元和十年（西元
815年），山東藩鎮李師道派刺客刺死主張對藩鎮用兵的武元衡，白居
易眼見朝廷姑息，遂越職上書請求緝凶，因此得罪當道，被冠上越權
諫言之罪，貶為江州司馬。後累官至刑部尚書，於武宗會昌二年（西
元842年）致仕。

　　綜觀白居易生平可分為三個階段：從出生到四十四歲貶江州司馬
前，是他一生中積極奮進、關心國是、正直敢言的時期，此時創作以
諷諭詩、「新樂府」為主，內容因反映人生，諷諭時事，詩風多清新
平易。自四十四歲至五十六歲，經歷了官場貶謫及朝廷的政治惡鬥，
他抱定獨善其身的宗旨，不與惡勢力妥協，其性情由感傷而漸趨閒
靜。從五十六歲到去世隱居洛陽，篤信佛教，性情再轉為平淡，詩作
亦以吟風弄月、怡情適性為主調。梁鑒江談到白居易的詩風提到：

　　　　概而言之，白居易之詩遠源於樂府、陶淵明，近師杜子美，追
　　　　求直質、真切、平易、流暢的風格。講究言甘思苦，意深詞

---

17 見祝箋：《獨立蒼茫自詠詩──詩聖杜甫》（臺北市：萬卷樓圖書公司，2000年1月初
　　版），頁209。

淺，語近情深，以俗求雅。[18]

白居易直質、真切、平易、流暢的詩風，也代表著他性格上的特質，這種性格特質源於家境的薰染，也受到陶淵明、杜甫的深切影響。

八　李煜

李煜，初名從嘉，字重光，為南唐中主李璟之第六子，世稱李後主。宋太祖建隆二年（西元961年），中主病逝，即帝位於金陵，始更名為煜，時年二十五歲。後主酷愛文學，性好聲色，在位期間雖稱臣於宋，仍過著宴樂宮廷、沉迷聲色的生活。太祖開寶八年（西元975年），曹彬攻陷金陵，後主肉袒出降，被遣送汴京，開始他痛苦悲傷的軟禁生涯，時年四十歲。太宗太平興國二年（西元978年）七月七日，後主與家人在賜第作樂慶生，後主感慨而作〈虞美人〉詞，命歌妓歌之，聲聞於外，太宗聞之大怒，遂命人以「機牽」之毒賜死，享年四十二歲。

後主性愛文學，專意經籍，展現其先天資質敏慧、溫柔敦厚的特質。而自小深受宮廷華麗奢靡的風氣所染，不免千金之子的貴氣。直至亡國後為階下之虜，性情轉為抑鬱，只能運用歌詞抒發其精神上的極度痛苦。後主天生優柔的性格，註定他是個失敗的帝王，而細膩多情的藝術天分，卻造就了他在詞壇的盟主地位。王國維評李後主詞云：

詞至後主而眼界始大，感慨遂深，遂變伶工之詞而為士大夫之詞。[19]

18 見梁鑒江：《白居易詩選》（臺北市：遠流出版社，1988年7月初版），頁8。
19 見《人間詞話》，卷一。

蓋伶工之詞，以豔體媚嫵為主調；士大夫之詞，以寄情抒懷為用心。王國維乃針對後主晚期的亡國之詞而發，這也是他從柔媚之詞格轉為悲壯之詞風的最佳註腳。

九　蘇軾

　　蘇軾，字子瞻，號東坡居士。宋眉州眉山（今四川眉山縣）人。自幼生長在書香世家，深受父親蘇洵放曠達觀的身教薰染，及母親程氏明體識意的教誨，再以其天生聰穎超群的資質，造就了蘇軾出類拔萃的才學與豪邁恢闊的性情。仁宗嘉祐二年（1057），蘇軾與其弟蘇轍同登進士第，在政治與文學上逐漸嶄露頭角。然因反對王安石之新法，再以其豪放不羈的性格而得罪群小，其一生在政壇上屢遭貶謫，神宗元豐二年（1079），因「烏臺詩案」貶為黃州團練副使安置；後得平反回京，累官至翰林學士、禮部尚書；至哲宗親政（紹聖元年，1094），又因新黨得勢，先後遭貶惠州、儋州，直到哲宗駕崩，才遇赦北還。徽宗建中元年（1101），蘇軾以疾病告老辭官，最後卒於常州，享年六十六歲。

　　蘇軾以超凡絕俗的才華、豪邁不羈的性格，面對人生驟起驟落的際遇，養成他特有超曠豁達的人生觀，也造就其清俊豪邁的人格特質。他對於文學的自信，曾自云：

> 吾文如萬斛泉湧，不擇地皆可出。在平地滔滔汩汩，雖一日千里無難及其與山石曲折，隨物賦形不可知也。所可知者，常行於所當行，常止於所不可不止，如是而已矣。其他雖吾亦不能知也。[20]

---

20 見《文說・東坡題跋》，卷一。

清人沈德潛在稱讚蘇軾也提到：

> 蘇子瞻胸有洪爐，金、銀、鉛、錫，皆歸鎔鑄。其筆之超曠，
> 等於天馬脫羈，飛仙遊戲，窮極變幻，而適如意中所欲出。[21]

我們檢視蘇軾的出身、教養及一生不平凡的際遇，他有「行雲流水」般的寫作風格，有「鎔鑄洪爐」的胸襟學養，更有「筆力超曠」、「窮極變幻」的藝術風範，都是因於先天資質與後天薰染所成就的特殊風格。

十　黃庭堅

　　黃庭堅，字魯直，號涪翁，又號山谷道人。洪州分寧（今江西修水）人。父親黃庶為仁宗時進士，行事剛正不阿，兼擅詩文，實為江西宗派的先驅。黃庭堅自幼聰穎強記，學識廣博，就是受到父親家學的薰染。英宗治平四年（1067），赴禮部應試而登進士榜，先後歷任國子監教授、起居舍人等官職。哲宗紹聖年間，新黨得勢，旋即彈劾黃庭堅修《神宗實錄》扭曲史實，被貶為涪州（今四川涪陵）別駕。至徽宗親政，蔡京當權，又出為太平州知州，不久被免職，飄泊流寓於荊州、鄂州一帶，後以所作〈承天院塔記〉受摘句而羅織罪名，被誣幸災謗國，除名羈管於宜州（今廣西宜山），不久病逝，享年六十一歲。

　　由於政治上的殘酷打擊，黃庭堅只能遠離黨爭，專心於詩句的琢磨，遂開創了講求創新、追求奇險的「江西詩派」。馮海榮說明黃庭

---

21 見《說詩晬語》（臺北市：新文豐出版公司，1989年臺一版），頁329-357。

堅詩的特色提到：

> 他作詩一方面取法杜甫，另一方面博采韓愈、孟郊、白居易等
> 人的技巧，在此基礎上，又刻意創新，自闢門戶，強調要「以
> 故為新」、「以腐朽為神奇」，做到「無一字無來處」，「點鐵成
> 金」，「奪胎換骨」，從而突破了西崑體的桎梏，形成瘦硬老
> 辣，新奇峭拔的藝術風格，在宋詩浩瀚的詩海中標新立異，別
> 具一格。[22]

「瘦硬老辣，新奇峭拔」成為江西詩派特有的藝術風格，這源自於黃
庭堅注重讀書，強調仿古的觀念，他堅持從古代詩文中體會藝術的形
式、經驗與文章的關鍵，無形中助長了形式主義的創作風格。當然，
黃庭堅並非完全忽視辭章的思想內容，其詩作仍有許多體恤民情、紓
解遭遇的主題，在「新奇峭拔」的詩風之外，部分作品仍具有「質
樸」、「憂鬱」的特色。

十一　辛棄疾

辛棄疾，字幼安，號稼軒居士。高宗紹興十年（1140）出生於濟
南歷城（今山東省濟南市），此時宋室南渡已逾十五年。幼年受祖父
辛贊教養，薰染其強烈的愛國意識與民族情操，又親眼看見異族統治
的氣焰，更激發他報國復國的志氣。紹興三十一年（1161），辛棄疾
年僅二十二歲，參加了耿京義軍的抗金行動，翌年，又率義軍歸附南
宋。其後擔任南宋地方官職多年，又屢向朝廷陳述復國大計，可惜常

---

22 見《古典文學三百題》（臺北市：建宏出版社，1994年6月初版），頁390。

被主和派打壓，屢次遭受黜退，曾隱居帶湖（今江西上饒）、鉛山瓢泉（今江西省鉛山縣西南）等地。終其一生，未能實現他滅金復宋的心願。

　　辛棄疾的詞呈現多樣的風貌，顧偉列針對他多樣的風格指出：

> 辛詞向以豪放著名，不僅題材廣泛，內容豐富，而且大多寫得悲壯激昂、豪邁奔放。……辛詞以豪放為主導，但又兼有清麗、飄逸、甚至纏綿嫵媚的風格。如〈唐河傳〉之穠纖似「花間體」，〈玉樓春〉之淺俗似「白樂天體」，〈醜奴兒〉之清新似「李清照」，〈念奴嬌〉之清暢似朱敦儒，這些自標學習他人風格的詞作，都於豪放之外另創風格，使辛詞呈現出多采多姿、不拘一格的風貌。[23]

綜觀辛棄疾的一生，他有豐富的戰鬥經歷與堅定的報國宏願，再以其過人的才識、膽略與豪氣，表現在詞中往往是壯闊的場面或飛動的形象，如此便容易營造出雄壯的氛圍；而其一生懷才不遇，壯志未酬，詞中往往是忿恨不平的情緒，則容易形成悲壯的風格；在他廢退山林期間，有機會接觸山林魚鳥，落實到詞作，則有清新閒淡之氣。辛詞多樣的風格來自於大時代的瞬息萬變以及他人生的起落頻繁，再加上他允文允武的才學，遂造就出多樣而不凡的氣格。

十二　陸游

　　陸游，字務觀，號放翁。南宋越州山陰（今浙江紹興縣）人。欽

23　見《古典文學三百題》，頁608-609。

宗靖康二年（1127），陸游以三歲之齡遭逢靖康之變，隨父親流亡江
淮，直到九歲才回到山陰故鄉。父親陸宰亦為愛國文士，常與同道談
論家國淪喪之痛，陸游從小耳濡目染，二十歲就已立下「上馬狂擊
胡，下馬草軍書」[24] 的雄心壯志。高宗紹興二十三年（1153），陸游
參加省試及禮部試，皆名列第一，然而暢言抗金復國，又得罪秦檜，
竟遭黜落。至孝宗即位，因起用抗戰派，才有機會參與朝政，任樞密
院編修，旋因力主北伐，遭投降派誣陷而免職。孝宗乾道六年
（1170），陸游入夔州（今四川奉節）任通判，後來因四川宣撫使王
炎的賞識，轉任宣撫司檢法官，得襄贊軍務。這是他唯一可以親臨抗
金前線的機會，曾滿懷壯志而積極用事，後以王炎調離川陝而希望落
空。此後輾轉任職於朝廷和地方，雖屢遭貶黜，終不改其恢復中原的
壯志。光宗紹熙元年（1190），陸游退居家鄉山陰，其後二十餘年未
再出仕，至寧宗嘉定二年（1209）辭世，享年八十六歲。

　　關於陸游詩風的評價，陸應南根據其出身、學養評論曰：

> 陸游早年學詩於曾幾，最初從江西派入手，但摒棄了它的奇險
> 雕琢。他熟讀古代名家的作品，特別推崇屈原、李白、杜甫、
> 岑參這幾位詩人。他能吸收前人的優點而又有新的創造，繼承
> 發展了中國古典詩歌的優良傳統。他的詩雄渾奔放，明快流
> 暢，卓然大家，對後世產生了深遠的影響。……在藝術風格和
> 藝術技巧方面，無論是煉字煉句，用典對仗，都能做到自然精
> 切。[25]

---

24 見陸游〈觀大散關圖有感〉詩。
25 見陸應南：《陸游詩選》（臺北市：遠流出版社，1988年7月初版），頁9-10。

陸游一生堅持著「王師北定中原」[26]的理想，卻與南宋現實的政治環境格格不入，其積極用事、倡言恢復的愛國情操，仍囿於現實而壯志難酬。表現於詩歌中，便充滿慷慨激昂、悲憤抑鬱的氣格。而晚年深受自然山水的薰陶，再加上現實世界的閱歷，詩中多了恬淡自然之風。陸游汲取屈原、李白、杜甫、岑參及江西詩派的精華，再以其不平遭遇所展現的人格氣質，所謂「雄渾奔放，明快流暢」的詩風，「自然精切」的藝術技巧，除了陸游天生的材質之外，更是來自於生平際遇與家學學養的陶鑄所致。

十三　朱熹

　　朱熹，字元晦，號晦庵、晦翁，別號考亭、紫陽。祖籍婺源（今江西省婺源縣），出生於福建南劍（今福建省南平縣）。朱熹先世即以儒學為家傳，父親朱松，專精《詩》學，並潛心研究二程理學，朱熹自小受家學薰染，再以他專注、喜思辨的性格，決定了他繼承傳統、啟發新學的學術方向。十四歲以後，相繼拜師於當時的儒學名流，如胡憲、劉勉之、劉子翬、李延平等人，啟迪了朱熹在傳統《易》學及《春秋》學的體悟，由於他勤讀力行，讀書更能從源頭體會，更奠定他一生學說的基礎。

　　高宗紹興十八年（1148），朱熹年十九歲，中進士第，任職泉州同安縣主簿。在往後從仕的五十年中，或因主和派的掣軸，或因權奸小人的讒佞，他時而居家講學，時而外放州縣，無法在朝廷實現自己的政治理想。但朱熹堅持講學著述，對於南宋的學術教育亦多所貢

---

26 陸游臨終〈示兒〉詩云：「死去元知萬事空，但悲不見九州同。王師北定中原日，家祭無忘告乃翁。」

獻，如孝宗淳熙初年，應呂東萊之邀，與陸象山論學於鵝湖，兩者雖
無共識，卻因此奠立朱熹在南宋理學界的地位；淳熙五年，治南康軍
（在今江西省境），恢復廬山白鹿洞書院，並訂立「學規」，使學者有
所從，影響當時教育甚鉅；所撰《周易本義》、《詩集傳》、《四書集
注》等書，為當時學林所重，更影響明清以後的科舉及教育。朱熹的
學養及德望名重當世，卻仍敵不過南宋「君子道消、小人道長」的政
治環境，及至晚年，他所建立的「閩派」理學竟被指為「偽學」，繼而
遭受「叛黨」之污名，備受打壓。朱子卻依然講學不輟，門生聚合追
隨者眾，及至殂逝，眾人不顧朝廷威嚇，仍為其送葬者有千人之多。

　　朱熹的理學集北宋周、張、二程等學派而大成，尤其是二程的
「洛學」，影響極大。其中又以程頤對朱熹的沾溉最深。蓋程頤主張
「用敬」、「致知」，重在「存理」，這與程顥所主張的「養氣」略有不
同，朱熹繼承伊川的思想，開出「居敬」、「窮理」，益以「讀書」，治
學則重客觀、主歸納。所以，朱熹素有理學家「重道輕文」的文學
觀，更主張多讀書、多窮理，養成其樸實治學的生命態度，轉化於辭
章創作，其詩文多有平淡自然之風，哲理詩更富清新悠遠之逸趣。

十四　文天祥

　　文天祥，字宋瑞，一字履善，自號文山，南宋吉州吉水（今江西
吉水縣）人。天祥六歲，見學宮祠堂所祭祀的同鄉先賢歐陽脩、胡銓
等人，即立誓死後同受後人享祀，展現其忠義的志節。年十九歲，入
吉州白鷺州書院，服膺於程、朱之學，並鑽研朝章國故與天下大事。
理宗寶祐四年（1256），天祥二十歲，舉進士第，旋對策於集英殿，
理宗親擢為第一。後累官至右丞相。恭帝德祐元年（1275），元軍渡
江，天祥召募義軍抗敵，並散盡家財以充軍費。次年正月，元軍包圍

臨安，天祥奉命議和，卻遭拘留，後伺機逃歸。五月初，端宗在福州
即位，改元景炎。天祥授右丞相、樞密使等職，並駐軍潮陽（今廣東
潮陽縣），不久即被元將張弘範俘於五坡嶺（今廣東海風縣北端），初
服毒自盡，未死，解送北方途中絕食八天，又未死。元世祖本將委以
大任，文天祥堅辭不受，終遇害，享年僅四十七歲。

　　文天祥以一介文人投身抗元軍旅，終其一生不改報國之志，乃源
於他儒者的家國責任與剛毅不屈的性格。其就義前所寫的衣帶贊云：

> 孔曰成仁，孟云取義；惟其義盡，所以仁至。讀聖賢書，所學
> 何事？而今而後，庶幾無愧！

這不僅是文天祥死前心志的表明，更明示其寧死不屈的毅力，全來自
於孔孟仁義精神的感召，這也成為文天祥一生所賴以安身立命的準
則。我們評價其風格，可直言文天祥與浩然正氣同存，此「至大至
剛」正是其氣格所在。

十五　關漢卿

　　關漢卿，自號已齋叟，大都（今北京市）人，生卒年不詳。我們
無法從生平來檢視關漢卿的性情與風格，只能從其散曲作品略窺一
二。在其〈不伏老〉的套曲中，曾經介紹自己是「一個普天下郎君領
袖，蓋世界浪子班頭，願朱顏不致常依舊，花中消遣，酒內忘憂。分
茶顛竹，打馬藏鬮，通五音六律滑熟」的人，可見他為人豪爽卓俗、
灑脫不羈，蔑視世俗禮教，而且經常出入妓院酒肆，性情滑稽風趣，
並精通音律，凡吟詩、歌舞、琴簫、行獵、下棋、書法，無一不能，
是一個多才多藝、頗知風趣的知識份子。另一方面，其〈不伏老〉又

比喻自己是「蒸不爛、煮不熟、捶不扁、炒不爆、響噹噹一粒銅豌豆」，來說明自己意志堅強、不受強力屈服的性格。從他大量的劇曲作品中，許多都是揭發社會黑暗、鞭笞現實惡人、反映下層生活的主題，由此亦知其從事藝術創作的熱忱與決心。後人對於關漢卿曲學地位的評價很多，如熊自得《析津志》云：

> 生而倜儻，博學能文，滑稽多智，蘊藉風流，為一時之冠。[27]

王國維《宋元戲曲考》又說：

> 關漢卿一空傍偉，自鑄偉詞，而其言曲盡人情，字字本色，故當為元人第一。[28]

所謂「生而倜儻」乃從天生論其豪邁不羈的性格，而「博學能文」反映了關漢卿深厚的學養，至於「滑稽多智，蘊藉風流」實已涵蓋其整體的風格特質。王國維以「本色」評價其曲學的地位，充分顯示其元曲「通俗豪放」的特色。

十六　白樸

　　白樸，字仁甫，原籍隩州（今山西河曲縣），後遷居真定（今河北正定縣）。生齡七歲，蒙古軍隊攻陷開封，金朝滅亡。其父白華曾任金朝樞密判官，隨金主北渡黃河，白樸遂與通家舊好元好問逃難，

---

27 收錄於《永樂大典》，卷4653天字韻引。
28 見《王國維戲曲論文集——宋元戲曲考及其他》（臺北市：里仁書局，1993年2月初版），頁91-92。

在轉徙流離之間，元好問親自授讀，深受其潛移默化之影響，對於白樸日後學問養成有重要的作用。及至壯年，曾漫遊大都（今北京）、順天（今河北保定附近）、壽春（今安徽壽縣）、懷州（今河南沁陽縣）等地，並開始創作雜劇。年近五十，始遊江南，一度滯留江州、岳陽，後遷居建康（今南京市），過著優遊詩酒的生活。卒年不詳。

　　白樸早年遭逢戰亂，因父親不事異族的訓誨，終生絕意仕進。其懷才不遇的處境，轉化為縱意詩酒、寄情山水的情懷，成就了個人「玩世滑稽」[29]的性格與態度。其散曲作品文辭醇雅，兼具疏放與俊爽之風，與當時的風俗迥然不同，殆與其生平際遇相關。朱權《太和正音譜》評曰：

> 白仁甫之詞，如鵬摶九霄，風骨磊塊，詞源滂沛。若大鵬之起北溟，奮翼凌乎九霄，有一舉萬里之志，宜冠於首。[30]

白樸散曲在寫景上有清麗細膩的特色，其抒情筆調又深具流暢之感，其嘆世亦能深刻體悟，動人心脾，朱權所謂「風骨磊塊，詞源滂沛」，殆與其際遇、學養所造就的氣格相合。

十七　馬致遠

　　馬致遠，號東籬，元大都（今北京市）人。生卒年不詳，故僅能從前人述評知其生平與性格之梗概。朱權《太和正音譜》將馬致遠列為元曲作家之首，其評曰：

29　見明‧孫大雅：《天籟集‧序》。
30　見中國戲曲研究院主編：《中國古典戲曲叢書集成》（北京市：中國戲劇出版社，1980年2月第1版），頁16。

> 馬東籬之詞，如朝陽鳴鳳。其詞典雅清麗，可與〈靈光〉、〈景
> 福〉兩相頡頏，有振鬣長鳴，萬馬皆瘖之意。又若神鳳飛鳴於
> 九霄，豈可與凡鳥共語哉？宜列群英之上。[31]

其言「朝陽鳴鳳」蓋譽其曲風生氣蓬勃，具雄放之姿，而「典雅清
麗」又是馬致遠另一風格表現。賴橋本評馬致遠曲風亦云：

> 致遠一生懷才不遇，致半生蹉跎，最後且投老林泉，故其題材
> 中有不少「嘆世」之作，悲慨萬端，辭氣豪放，故後人多以其
> 為元人散曲豪放派之領袖。其實致遠作品不拘一格，超逸雄爽
> 固不少，閒適恬靜、典雅清麗之作亦所在多有，其題材更是廣
> 泛，直如詞中之東坡，無事不可言，無意不可入。[32]

此言「作品不拘一格」，除「超逸雄爽」之外，馬致遠的曲風也兼有
「閒適恬靜」、「典雅清麗」的特色，此二家所評不謀而合，也概略描
繪出馬氏多元性格的輪廓。

十八　徐志摩

　　徐志摩，名章垿，字又申。清光緒二十二年（1896）出生於浙江
省硤石鎮。父親徐申如為當地富商，所以志摩從小生活優渥，可以接
受完整的教育。五歲即入家塾接受孫蔭軒啟蒙，十五歲入杭州府中學
堂（後為浙江省第一中學），民國四年，中學畢業，即考取北京大學

---

31 中國戲曲研究院主編：《中國古典戲曲叢書集成》，頁16。
32 見《新譯元曲三百首》（臺北市：三民書局，1998年9月再版），頁170。

預科。不久，與張幼儀結婚，至民國六年重回北大讀書，師事梁啟超。民國七年夏天，志摩遠赴美國克拉克大學攻讀歷史，隔年又轉入哥倫比亞大學經濟系攻讀碩士。取得碩士學位之後，為了追隨哲學家羅素，他橫渡大西洋來到英國，可惜羅素轉赴中國講學，志摩於是轉入倫敦政經學院，直到民國十年春天，才改入劍橋大學，十一年八月啟程回國。志摩在英國兩年期間並未真正攻讀學位，也未從事任何創作，但是接收了康橋文化的洗禮，成就了後來的詩人氣質，比起浙江硤石，康橋更是徐志摩一生眷戀的真正故鄉。在他的〈吸煙與文化〉一文中曾經提到：

> 我不敢說受了康橋的洗禮，一個人就會變氣息，脫凡胎。我敢說的是——就我個人說，我的眼是康橋教我睜的，我的求知慾是康橋給我撥動的，我的自我意識是康橋給我胚胎。[33]

由此可知康橋對於他的影響頗大，志摩生命中兼有理性與浪漫的特質，並有強烈的個人主義色彩，可說是在康橋期間開始萌芽茁壯的。

　　徐志摩回國後的文學活動相當活躍，民國十二年與文壇著名詩人共同創立「新月詩社」；十三年，泰戈爾詩人訪華，志摩擔任翻譯，捲起詩壇旋風，並造成小詩的流行；十五年，因擔任北京晨報副刊主編，與聞一多、朱湘等人致力於新詩的格律化，形成「格律詩派」；二十年又創辦《新月詩刊》，成為三〇年代初期重要的新詩刊物。在文學創作方面，徐志摩也是文壇重要的詩人兼散文家，堪稱是浪漫與抒情的典型，所作詩歌充滿對真、善、美的執著，一直影響著現代詩壇。梁實秋在《談徐志摩》一書中提到徐志摩的為人，他說：

---

33 見《徐志摩全集》（臺南市：世一文化公司，2001年9月修訂二版），頁178-186。

必其人本身充實，有豐富的感情，有活潑的頭腦，有敏銳的機
智，有廣泛的興趣，有洋溢的生氣，然後才能容光煥發，腳步
矯健，然後才能引起別人的一團高興。志摩在這一方面可以說
是得天獨厚。

這裡將徐志摩的性格與為人描述得淋漓盡致，這是他活躍的行動力與
多采多姿的生命經驗，造就了如此得天獨厚的性格風采。在他短短的
三十六歲生命中，其感動讀者、啟發後進的影響力卻是極為深遠。

十九　楊喚

　　楊喚，本名楊森。遼寧省興城縣人。民國十九年（1930）生於遼
寧。那是「偽滿州國」的時代，他接受兩年初級農業職業學校的教
育，以及抗戰勝利後續讀一年畢業，就完全與學校絕緣。民國三十六
年，南下青島任職《青報》的校對工作，隔年即升任副刊編輯，此時
他未滿二十歲，卻逐漸嶄露頭角，在當地的報刊上發表詩作，並出版
了第一本詩集。不久，《青報》因戰火而解散，楊喚輾轉來到廈門，
隨即投身軍旅，在軍中的電影隊任上兵文書。民國三十八年隨部隊來
臺，升任陸軍上士文書，軍階低微，卻能以純真的心和文學的熱忱去
改變生命的悲苦，成就不少動人的詩篇。民國四十二年（1954），因
車禍猝逝於臺北，得年二十四歲。

　　楊喚有一個悲苦悽慘的童年，所以對於童年的嚮往，也常常寄以
美麗的幻想。這促使他在童詩及童話的創作上，有了絕大的成就。覃
子豪論楊喚的詩曾說：

　　　最值得讚美的，應該是楊喚作品中優美的風格罷。他表現思

想，而不故弄玄虛；表現意識，而不流於枯燥無味的說教；他表現戰鬥情緒，不是迎合，是自己心靈的需要。他的詩，格調新鮮，但不歐化；音節諧和，但不陳舊。其形象生動，比喻深刻……形象和比喻，就是詩人楊喚天才的表現，令讀者驚嘆。[34]

就楊喚所作的抒情詩與兒童詩而言，確實富有這些特色。他以短短不到二十五年的生命，卻創造了影響半世紀以來兒童文學發展的不朽詩篇。曾是楊喚的摯友，也是著名詩人歸人在追憶楊喚猝逝的情景說到：

> 與其說火車的巨輪，奪走了他年輕的生命，不如說是偉大的詩神。在楊喚追求超越的靈魂中，讓他不得享有天年吧！他貧困、簡陋的生活，由生迄死，最好以「一生若寄，一貧如洗」形容。[35]

歸人以為當年一場火車意外奪走了楊喚的生命，其實應有「自殺」的跡象。我們姑且不去察知真假，卻可以看到楊喚身為飄泊、貧困的詩人所該有的宿命。或許歸人所云「一生若寄，一貧如洗」的評價過於黯淡悲戚，我們卻必須相信，楊喚短短的二十四年生命，因其文學和詩而變得永垂不朽。

---

34 見覃子豪：〈論楊喚的詩〉，收入《楊喚詩集》（臺北市：洪範書店，2005年8月初版），頁177-182。
35 見歸人：〈一生若寄、一貧如洗——半世紀後憶故人楊喚及其零下四十度詩〉，收入《楊喚詩集》，頁1-4。

二十　鄭愁予

　　鄭愁予，本名鄭文韜，河北省寧河縣人，先人和祖父都是清朝世襲的官吏，父親鄭曉嵐是職業軍人，所以早年隨父親轉戰南北，鄭愁予在江南、湘、貴、黔及北平等地，甚至是接近邊塞的鄉下小村，都曾經留下童年的記憶和足跡。這種四處遷徙的成長背景，使他從小就喜歡流浪，並且可以在流浪生活中尋找到樂趣和生命的意義。鄭愁予早期詩作的浪漫情懷及「浪子意識」就是從這裡得到滋潤。十六歲遷徙來臺後，大量創作詩歌，且能鎔鑄古典於現代之中，並延續他一貫輕靈柔美的筆調與浪漫的情懷。五〇年代曾一度擱筆，直至六十八年重拾翰墨，因個人生命的閱歷，其詩作風格轉趨沉靜，展現另一種知性、圓融的美感。現代詩壇對於鄭愁予的評價很高，如楊牧評鄭愁予提到：

> 鄭愁予是中國的中國詩人，用良好的中國文字寫作，形象準確，聲籟華美，而且是絕對地現代的。……對中國現代詩的發展史來說，愁予造成的騷動和影響是鉅大的，不可磨滅的。[36]

瘂弦也曾經說：

> 鄭愁予的名字是寫在雲上的，他那飄逸而又矜持的韻致，夢幻而又明麗的詩想，溫柔的旋律，纏綿的節奏，與貴族的、東方風的、淡淡的哀愁的調子，這一切造成一種魅力，一種雲一般的魅力；這一切造成一種影響，一種巨大不可抗拒的影響；這

---

36 節錄自楊牧：〈鄭愁予傳奇〉，收入《鄭愁予詩集》（臺北市：志文出版社，1997年2月初版），頁1-4。

一切造成我們這個詩壇的「美麗的騷動」。[37]

楊牧所謂「形象準確，聲籟華美」，點出了他在文字運用上的純熟能力；而瘂弦稱讚他「飄逸矜持」、「夢幻明麗」，又說他的詩作展現「貴族」、「東方風」及「淡淡的哀愁」，幾乎是其浪漫性格的投射，他在詩壇所引起的「美麗的騷動」，依舊在餘波蕩漾著。

第三節　結合辭章風格與作家風格的教學

風格的鑑賞雖然以辭章本體為主要考察對象，其外圍條件的影響，也是不可忽視的因素。影響辭章風格的外圍因素，以作家風格為主，並旁及作家所處的時代、地域、流派等因素。

一　辭章風格與作家風格的關係

辭章是作家在某一時空之思想與情感的具體表現。它包含了作家的器識、情感、意志等元素。劉雨在論述文學作品與作家的關係提到：

> 當我們從作家的本體角度，對文學作品的產生過程進行一番深入的考察之後，往往會得出這樣一個基本的結論，即：文學是作家經驗的反映，它是作家經驗的一種獨特的變形。這意味著，對於任何一位作家來說，他的作品反映的不是生活的全部，而是進入作家主觀世界中的那一部分經過改造與變形的生活經驗。[38]

37　見瘂弦：《六〇年代詩選序》（臺北市：大業書局，1974年1月初版），頁2。

38　見劉雨：《寫作心理學》，頁281。

其所謂「文學是作家經驗的反映」、「作家經驗的一種獨特的變形」，
已經具體說明，文學是經由作家獨特的生命經驗，透過其主觀的改造
與變形，成為異於客觀自然物的藝術品。而風格是辭章的主導力量，
其偏剛、偏柔或剛柔互濟的形態，也是取決於作家生命經驗的反映。
具體而言，作家憑藉其獨特的器識或眼力，在某一時空經由情感或意
志的作用，選擇某一種文學表現形式，及適當的材料意象，組織成一
篇完整的文學作品，此作品因文體、主題、材料意象的不同，遂營造
出不同的風格。由此可知，作家風格對於辭章風格而言，具有絕對的
根源性，是辭章風格鑑賞中不可忽視的重要因素。

二　引介作家風格的實際教學

　　既已瞭解辭章風格與作家風格的關係，我們在引導學生鑑賞辭章
之際，就必須將作家的基本特質作一簡介，以凸顯其獨特的風格。在
教學步驟上，首先介紹作家生平，從其生平際遇梳理作家天生的材質
與氣性，以及足以影響其後天學養、習染的家庭環境、時代背景、風
俗文化與生活經歷等因素，歸納出作家因才、氣、學、習所形成的器
識，以見其基本的寫作風格。當然，適度引用後人對於作家的述評，
一方面可以印證自己的歸納所得，另一方面也讓學生可以對於作家風
格的掌握更為確定。

　　引介作家風格是辭章風格教學中不可缺少的程序，這是我們在分
析辭章風格時的重要佐證，也讓學生在鑑賞辭章時，體會作家風格分
析的重要性。

結語

　　作家風格來自於先天之才氣與後天之學習的融合，其融合成獨特的器識與眼力，直接影相辭章風格的呈現。根據這種脈絡，我們重新檢視歷代作家之風格，得到了更新的體認。這些作家風格的述評，將是辭章風格研究的重要參考。我們在從事風格教學時，當然不可忽略作家生平及其特質的探索，而應該結合作家風格與辭章風格，以建立學生正確的鑑賞態度。

第四章
辭章風格的實際教學

　　我們建構了辭章風格教學的理論，也瞭解辭章風格與作家風格之間的關係，就能進一步探討辭章風格的實際教學。本章著重於學生審視辭章風格之基本能力的訓練。首先依據風格的理論基礎，提出檢視原則；並分風格類型為三種，舉中學詩歌教材為例，進行辭章風格的實際分析；最後提出教學上的具體作法，以確立風格教學的步驟。

第一節　辭章風格的檢視原則

　　雖然章法風格與辭章風格非常接近，我們在建構辭章風格的檢視原則時，仍不能局限於章法風格的分析。畢竟辭章風格是一整體風貌的展現，必須兼顧辭章的個別重要領域，才能具體而完整地呈現辭章的風格與美感。所以我們歸納下列三點論述，作為檢視辭章風格的原則：

一　以意象、修辭提煉辭章風格的形象質素

　　辭章的形象思維主要包含了「意象」（個別）、「詞彙」與「修辭」等範疇，我們可以透過這三種學科領域，掌握局部辭章風格的形象質素。

　　就意象而言，「意象」是透過物象（包含景、事）以形成情意（包含情、理），既可以形成情意，更可能產生感染激發的力量。而

辭章意象的形成又藉由詞彙表現出它的原型意義，所以搜尋辭章中重要詞彙所指稱的意象，進而確定此材料意象偏於主觀的感染力，就可大略掌握個別意象所形成的風格。例如：

　　蒹葭蒼蒼，白露為霜，所謂伊人，在水一方。(〈蒹葭〉)

其中「蒹葭蒼蒼，白露為霜」是指「染霜露的蘆葦花」，如此意象應是深秋河邊的景致，具體而言，應是深秋河邊一片染霜露的蘆葦花叢。這種景致呈現在北方的黃河流域，更令人有「蒼茫蕭瑟」之感，而這「蒼茫蕭瑟」就是此一材料的意象風格。又如：

　　亂石崩雲，驚濤裂岸，捲起千堆雪。(〈念奴嬌〉)

是指赤壁之下「波濤洶湧、拍岸驚石，激起浪花水氣」的景象。這種景象出現在遼闊的長江江面，容易產生「雄偉壯闊」的感覺，而「雄偉壯闊」就是此一材料的意象風格。

　　就修辭而言，是利用特殊的文學技巧，針對材料意象進一步修飾或調整，使其更具藝術的美感。既有藝術的美感，就能形成風格，而每一種修辭技巧所產生的風格亦不相同。例如：

　　在齊太史簡，在晉董狐筆，在秦張良椎，在漢蘇武節；為嚴將軍頭，為嵇侍中血，為張睢陽齒，為顏常山舌；或為遼東帽，清操厲冰雪；或為出師表，鬼神泣壯烈；或為渡江楫，慷慨吞胡羯；或為擊賊笏，逆豎頭破裂。(〈正氣歌〉)

其舉用歷史十二哲人，以印證「正氣」的存在。作者運用了三種排比

句型，不僅形成語句之間的聯貫，更造成一種磅礴的氣勢，使「正氣」透過排比修辭的設計更能沁人心脾，而這「磅礴」的氣勢，就是這些材料透過排比技巧所形成的修辭風格。又如：

> 青青河畔草，綿綿思遠道。遠道不可思，夙昔夢見之。夢見在我旁，忽覺在他鄉。他鄉各異縣，展轉不可見。(〈飲馬長城窟行〉)

這裡所運用的材料包括「河畔之草」、「遠道之情人」、「相思者」及「夢境」等。作者運用「頂針」的技巧將這些材料所產生的意象巧妙地串聯起來，讓這種思念之情產生綿延不絕的效果，而結合這種情意，更能感受到「纏綿悱惻」的愛情。由此可見頂針技巧在串聯這些材料意象所產生之「纏綿悱惻」的修辭風格。

　　意象（含詞彙）與修辭讓我們瞭解到辭章風格局部的內在質素，這些形象性的內在質素，對於檢視整體辭章風格有極大的幫助，從形象思維切入來探討辭章局部的風格，在教學上比較容易被學生接納，也是我們檢視辭章風格必須先注意的原則。

二　以文法、章法梳理辭章風格的客觀條理

　　辭章的邏輯思維主要包括「文法」與「章法」等範疇，我們可以藉由文法、章法來梳理辭章風格的客觀條理。

　　就文法而言，「文法」是探討語句中意象與意象的邏輯關係。其中語的邏輯關係可形成「並列結構」，如：

> 「蝴蝶和蜜蜂」帶著花朵的蜜糖回家了。(〈夏夜〉)

「蝴蝶」、「蜜蜂」為並列關係；又「主從結構」，如：

　　蝴蝶和蜜蜂帶著「花朵的蜜糖」回家了。(〈夏夜〉)

「花朵」、「蜜糖」為主從關係；又「造句結構」，如：

　　唯見「長江天際流」。(〈黃鶴樓送孟浩然之廣陵〉)

「長江」、「天際流」為主語、謂語關係。
　　至於句子的邏輯關係可形成「敘事句」[1]，如：

　　故人具雞黍 (〈過故人莊〉)

其中「故人」為主語，「具」為述語，「雞黍」為賓語，構成「主語＋述語＋賓語」的句型結構。又可形成「有無句」[2]，如：

　　秦氏有好女，自名為羅敷。(〈陌上桑〉)

其中「秦氏」為主語，「好女」為賓語，構成「主語＋有＋賓語」的結構句型。又可形成「表態句」[3]，如：

---

[1] 敘事句又稱敘述句，敘述的大約都是行為或事件。它的主語往往是行為或事件的主事者。參見楊如雪：《文法ABC》(臺北市：萬卷樓圖書公司，1998年9月初版)，頁90。

[2] 有無句的句型和帶有賓語的敘事句很類似，句子成分的名稱也相同，只是它的述語是「有」或「無」字。見楊如雪：《文法ABC》，頁94。

[3] 表態句是對人、事、物在性質、狀態方面作描寫的句子，所以也叫描寫句。被描寫的對象是「主語」，謂語的中心成分叫「表語」。見楊如雪：《文法ABC》，頁98。

門前冷落車馬稀（〈琵琶行〉）

其中「門前」為主語，「冷落」、「車馬稀」皆為修飾用的表語，構成「主語＋表語」的結構句型。又可形成「判斷句」[4]，如：

我不是歸人，是個過客。（〈錯誤〉）

這兩句分別為否定義與肯定義的判斷句，其中「我」為主語，「不是」、「是」為繫詞，「歸人」、「過客」各為賓語，構成「主語＋繫詞＋賓語」的結構句型。

　　一般而言，構成「並列結構」的詞語，其對比性較強，容易形成陽剛的風格；而構成「主從結構」的詞語，其調和性較強，容易形成陰柔的風格。在句子方面，「敘述句」和「有無句」是純粹敘事的句子，通常偏於客觀的描述，語氣可能較為平淡；而「表態句」和「判斷句」則可能形成偏於主觀表述或判斷的句子，語氣可能隨著描述者的情感而有所起伏，容易形成多樣的風格。從整體辭章風格的角度來看，文法結構屬於語句層次的邏輯，其分析較為瑣細，所形成的文法風格對於辭章風格的影響也較為有限。所以我們梳理辭章風格的內在條理時，文法風格只是參考的條件，其整體的內在律動仍須透過章法風格的分析才能確實掌握。

　　就章法而言，章法結構的「移位」、「轉位」作用，決定了辭章之節奏韻律的趨向及強弱。我們必須檢視結構中每一結構單元的陰陽質性，再推演其順向移位、逆向移位或轉位所造成的向陰或向陽的動

4　凡是對事物的屬性、內涵給予解事、說明，或對事物作一事飛、異同的判斷的句子就是判斷句。見楊如雪：《文法ABC》，頁101。

勢，尤其核心結構的陰陽動勢，更是決定辭章偏於陽剛或陰柔的關鍵。以王之渙的〈登鸛雀樓〉為例，其詩云：

白日依山盡，黃河入海流，欲窮千里目，更上一層樓。

詩的首句描寫山景，次句描寫河景，兩句詩是針對所見實景而寫；第三句轉入抽象的思維，以「欲窮千里目」帶出末句抽象的人生哲理。根據詩的內容及其內在條理，分析結構表如下：

```
        ┌─ 具（陽）─┬─ 山（陰）:「白日依山盡」
        │           └─ 水（陽）:「黃河入海流」
        └─ 泛（陰）:「欲窮千里目」二句
```

結構表分為底層和上層。底層是「陰→陽」的順向移位，其帶出的陽剛之勢，正是壯闊的山河之景的內在條理。上層是核心結構，其「陽→陰」的逆向移位帶出較強的陰柔之勢，原本這陰柔之勢可以決定此詩偏於陰柔的風格，而底層壯闊之景的陽剛之氣仍強，遂與陰柔之勢調和，形成整首詩趨於「剛柔相濟」的風格趨向。

　　章法風格雖不能代表辭章風格的全貌，但其確定辭章陽剛或陰柔的內在律動，可以視為辭章風格的主調，是我們梳理風格之內在條理最重要的參考。

三　結合主旨，完成兼顧形象與邏輯的風格述評

　　在辭章學的領域中，「主旨（主題）」是指辭章最核心的情理，即中心思想。若從多、二、一（0）的角度來看，「意象」、「詞彙」、「修

辭」、「文法」、「章法」是「多」,「形象思維」與「邏輯思維」是「二」,而主旨為「一」,風格則屬抽象的「0」。[5] 所以,我們想要探討辭章風格(0),除了分析各種局部風格之外,仍必須結合主旨(一),才能見出風格的全貌。以杜甫的〈聞官軍收河南河北〉為例,其詩云:

> 劍外忽傳收薊北,初聞涕淚滿衣裳。卻看妻子愁何在?漫卷詩書喜欲狂。白日放歌須縱酒,青春作伴好還鄉。即從巴峽穿巫峽,便下襄陽向洛陽。

這首詩是杜甫描寫在四川聽聞唐朝官軍收復河南河北時的心情。從詩的內容及其內在條理,可繪出結構表如下:

在材料運用方面,「涕淚滿衣裳」、「喜欲狂」、「放歌縱酒」皆為欣喜奔放的意象,而作者又透過「示現」技巧,寫出「巴峽」、「巫峽」、「襄陽」、「洛陽」的時空懸想,更強化了瀟灑奔放之感。從章法結構來看,底層與次層結構皆為「陰→陽」的順向移位,產生明顯的陽

5　參見陳滿銘:〈意象與辭章〉,收入《修辭論叢》第六輯(臺北市:洪葉文化事業公司,2004年11月),頁351。

剛之氣,上層為核心結構,其趨於陽剛的轉位作用,將整首詩的陽剛之氣帶到高點,可知這首詩的章法風格是「剛中寓柔」的形式。另從「目→凡→目」的結構可以清楚認知,全詩的主旨落在「凡」的部分,即「喜欲狂」就是作者所要抒發的核心情意,這種情意是一種激烈奔放的喜悅,直抒作者胸臆而不含蓄做作,幾乎與其章法風格「剛中寓柔」的基調完全契合。綜上所述,這首詩在「剛中寓柔」的基本格調上,呈現的是「激動奔放」的風格。

　　從意象與修辭提煉辭章風格的形象質素,進一步從文法與章法中分析辭章風格的客觀條理,最後結合主旨所呈現的主題風格,我們從這三個步驟,建構了兼具形象思維與邏輯思維的辭章風格檢視原則,我們將以這個原則進行對辭章風格的實際分析。

第二節　辭章風格的類型及其分析實例

　　在第二章「辭章風格的理論基礎」中,我們曾建議以「章法風格」為主導的檢視規律,所以進行辭章風格的實例分析,可將辭章及其風格類型分為「剛中寓柔」、「柔中寓剛」與「剛柔相濟」三種,以作為研究分析的基礎。我們選取目前一綱多本的中學詩歌教材(含國中、高中的古典詩、詞、曲及現代詩)近三十首,作為辭章風格實例分析的文本,並以上述所建構的檢視原則為基礎,期能使每一首詩歌的風格皆有條理可循,才能落實於訓練學生審視風格的基本能力。

一　屬「剛中寓柔」的風格

　　所謂「剛中寓柔」的風格,是指辭章風格中「陽剛之氣」的成分多於「陰柔之氣」,形成辭章「陽剛外顯而陰柔內蘊」的風格形態。

在中學詩歌教材中，屬於這種風格形態者，如《詩經・蓼莪》、杜甫〈聞官軍收河南河北〉、白居易〈琵琶行〉、李煜〈浪淘沙〉、蘇軾〈念奴嬌〉、馬致遠〈天淨沙〉、關漢卿〈大德歌〉、白樸〈沉醉東風〉及楊喚〈夏夜〉等，試根據章法風格「剛中寓柔」的基調，分析其風格如下。

（一）蓼莪

原文

　　　蓼蓼者莪，匪莪伊蒿，哀哀父母，生我劬勞。
　　　蓼蓼者莪，匪莪伊蔚，哀哀父母，生我勞瘁。
　　　缾之罄矣，維罍之恥，鮮民之生，不如死之久矣！
　　　無父何怙？無母何恃？出則銜恤，入則靡至。
　　　父兮生我，母兮鞠我，拊我畜我，長我育我，
　　　顧我復我，出入腹我。欲報之德，昊天罔極。
　　　南山烈烈，飄風發發。民莫不穀，我獨何害？
　　　南山律律，飄風弗弗。民莫不穀，我獨不卒！

結構分析表

風格賞析

　　這首詩主要在抒寫人子悼念父母的傷痛。在材料意象的表現方面，作者運用譬喻之法，以代表美材之「莪」及代表庸材之「蒿」、「蔚」，表達自己平凡無所成而使父母蒙羞的憾恨；以缾、罍比喻自己與父母的關係，表達無法終養父母的懊悔。這些譬喻雖有含蓄之感，卻能令人體會到人子的懊悔與傷痛。又透過排比、類疊的技巧，如「父兮生我，母兮鞠我，拊我畜我，長我育我，顧我復我，出入腹我」，將父母的養育之恩擴大如江海之勢，令人動容。此外，「南山」的宏偉，足以象徵父母親恩之偉大；「飄風」的淒厲又可隱括人子傷痛之淒絕，這些透過聯想而產生的象徵，亦充滿激烈的情感。

　　在章法風格的條理方面，結構表底層的「今（陰）→昔（陽）」結構形成「陰→陽」的順向移位，產生陽剛之氣：次層的「因→果」結構亦為順向移位，其陽剛之氣又增；上層的「目（陽）→凡（陰）→目（陽）」為核心結構，其轉位作用所產生的陽剛之氣更強。綜理結構表的陰陽比例，其陽剛的成分遠多於陰柔的成分，使這首詩的風格明顯趨向「剛中寓柔」的形態。在此基調之上，我們結合其個別意象所產生的「淒惻悲愴」的氛圍，以及「欲報之德，昊天罔極」所傳達「人子不得終養父母之傷痛」的主旨，可以明顯見出全詩陽剛之氣的律動。徐定祥分析此詩云：

　　　全詩起落跌宕，波瀾迭起，迴旋往復，前後呼應，把孤子的哀
　　　思表達得委屈盡情，感人至深。……在遣詞造句上，不僅連用
　　　九個「我」字，令人驚心動魄，疊字的安排，亦頗具匠
　　　心。……如「烈烈」、「發發」、「律律」、「弗弗」四個入聲字連

續疊用，皆能聲色傳情，強化了全詩淒惻悲愴的氛圍。[6]

其言「驚心動魄」、「淒惻悲愴」雖僅就個別意象的表現而論，卻可作為此詩風格形象述評重要參考。而顏瑞芳從整體角度切入，認為：

> 全詩雖多處運用比興，但由於直抒真情，不假虛飾，因而表現出沉鬱凝重的風格。[7]

整體而言，上述「驚心動魄」、「沉鬱凝重」的感染力量是外顯的，而「淒惻悲愴」則內蘊於詩情之中，這正是章法風格之「剛中寓柔」的形態。

（二）木蘭詩

原文

　　唧唧復唧唧，木蘭當戶織。不聞機杼聲，惟聞女嘆息。問女何所思？問女何所憶？「女亦無所思，女亦無所憶。昨夜見軍帖，可汗大點兵；軍書十二卷，卷卷有爺名。阿爺無大兒，木蘭無長兄，願為市鞍馬，從此替爺征。」東市買駿馬，西市買鞍韉，南市買轡頭，北市買長鞭。朝辭爺娘去，暮宿黃河邊；不聞爺娘喚女聲，但聞黃河流水鳴濺濺。旦辭黃河去，暮至黑山頭，不聞爺娘喚女聲，但聞燕山胡騎聲啾啾。萬里赴戎機，

6　見《詩經鑑賞辭典》（合肥市：安徽文藝出版社，1992年3月第1版二刷），頁536。

7　見顏瑞芳、溫光華：《風格縱橫談》（臺北市：萬卷樓圖書公司，2003年2月初版），頁61。

關山度若飛，朔氣傳金柝，寒光照鐵衣。將軍百戰死，壯士十
年歸。歸來見天子，天子坐明堂。策勳十二轉，賞賜百千強。
可汗問所欲，「木蘭不用尚書郎，願借明駝千里足，送兒還故
鄉。」爺娘聞女來，出郭相扶將。阿姊聞妹來，當戶理紅妝。
小弟聞姊來，磨刀霍霍向豬羊。開我東閣門，坐我西閣床。脫
我戰時袍，著我舊時裳。當窗理雲鬢，對鏡貼花黃。出門看火
伴，火伴皆驚惶：「同行十二年，不知木蘭是女郎。」雄兔腳
撲朔，雌兔眼迷離，兩兔傍地走，安能辨我是雄雌？

結構分析表

風格賞析

　　這是一首北朝民歌，詩中「木蘭」並非真有其人，主要是藉由木
蘭代父從軍的故事，來表現北方民族積極樂觀的精神及男女平等的觀

念。從材料意象的運用來看，詩的開頭即化用北地〈折楊柳枝歌〉[8]
的寫作形式，帶出主角木蘭心中「軍帖催促，家無兄長」的擔憂，營
造此段抑鬱之感。接著，描寫木蘭辭別爺娘到達戰地，其「東市買駿
馬」四句及「不聞爺娘喚女聲」六句，充分運用民歌重疊朗唱的技
巧，節奏強烈而情緒激昂，而「黃河流水鳴濺濺」、「燕山胡騎聲啾
啾」的意象運用，烘托出木蘭此時悲悽孤寂的心境。再者，描寫戰地
生活，「萬里赴戎機」六句應是文人潤飾之筆，這裡用略筆描繪十年
的軍旅生涯，其表現時光流轉的快速，充滿節奏流暢之美。而接著描
述凱旋歸朝，受天子賞賜，木蘭卻毅然辭謝，表達歸鄉意願，其企盼
喜悅之情躍然紙上。最後描述木蘭回鄉、家人歡聚及伙伴驚見其女兒
之身的種種情狀，表現的是溫馨滿足的氛圍。詩的結語以歌者的口吻
為此詩評論，有讚嘆之意，也隱含北方民間對於男女平等的觀念的
肯定。

　　從結構表的陰陽動勢來看，底層「詳（陽）→ 略（陰）→ 詳
（陽）」結構的轉位作用，帶出明顯的陽剛之勢。四層的「實（陽）
→ 虛（陰）」結構為逆向移位，其勢趨於陰柔；而「賓（陽）→ 主
（陰）→ 賓（陽）」結構則為轉位作用，其陽剛之勢遠大於同層的陰
柔之勢。三層的「先（陰）→ 後（陽）」結為順向移位，其勢趨於陽
剛。次層的「因（陰）→ 果（陽）」結構又是順向移位，其勢亦趨於
陽剛。上層的「具（陽）→ 泛（陰）」結構為逆向結構，其陰柔之勢
因前四層陽剛之勢的抵銷而減弱，形成全詩「剛中寓柔」的風格形
態。傅錫壬論此詩之風格提到：

　　　　全詩刻畫人物處豪爽明朗，描寫佔地時壯闊勇猛，十足表現了

8　〈折楊柳枝〉：「敕敕何力力，女子臨窗織，不聞機杼聲，只聞女嘆息。問女何所思？
　　問女何所憶？阿婆許嫁女，今年無消息。」

　　北方民族的性格，與代表南方詩歌的〈孔雀東南飛〉情趣迥然不同。[9]

從其意象呈現的風格如「豪爽明朗」、「壯闊勇猛」皆為陽剛之屬，再加上主旨所呈現的樂觀進取的精神，此詩「剛中寓柔」的形態應可確定。但是其部分傳達「抑鬱」、「悲悽」之情感，及結語四句所表現的「含蓄」之理，亦為陰柔之氣的展現。這是北朝民歌的「豪邁粗獷」，受文人潤飾之後，又多了「浪漫柔媚」的成分所致。

（三）聞官軍收河南河北

原文

　　　劍外忽傳收薊北，初聞涕淚滿衣裳。
　　　卻看妻子愁何在？漫卷詩書喜欲狂。
　　　白日放歌須縱酒，青春作伴好還鄉。
　　　即從巴峽穿巫峽，便下襄陽向洛陽。

結構分析表

9　見傅錫壬：《歷代樂府詩選析》（臺北市：五南圖書出版公司，1988年5月初版），頁339。

風格賞析

　　這首詩是杜甫流寓梓州（今四川三臺）時，聽聞唐軍收復<u>洛陽</u>、<u>鄭</u>、<u>汴</u>，因欣喜欲狂而寫下的作品。從材料意象的運用來看，「涕淚滿衣裳」、「喜欲狂」、「放歌縱酒」皆表現了欣喜奔放的情感，而作者又透過「示現」技巧，寫出「巴峽」、「巫峽」、「襄陽」、「洛陽」的時空懸想，更強化了奔放流暢之感。

　　從詩的結構來看，底層與次層結構皆為「陰→陽」的順向移位，產生明顯的陽剛之氣，上層為核心結構，其趨於陽剛的轉位作用，將整首詩的陽剛之氣帶到高點，將這首詩「剛中寓柔」的風格形態顯現出來。而全詩的主旨落在結構表中「凡」的部分，即「喜欲狂」就是作者所要表達的核心情意，這種情意同樣是激烈奔放的喜悅，直抒作者胸臆而不做作，幾乎與其章法風格「剛中寓柔」的基調完全契合。綜上所述，這首詩在「剛中寓柔」的基本格調上，呈現的是「激動奔放」的風格。霍松林評此詩云：

　　　　這首詩除第一句敘事點題外，其餘各句這首詩除第一句敘事點
　　　　題外，其餘各句，都是抒發忽聞勝利消息之後的驚喜之情。萬
　　　　斛泉源，出自胸臆，奔湧直瀉。仇兆鰲在《杜少陵集詳註》中
　　　　引王嗣奭的話說：「此詩句句有喜躍意，一氣流注，而曲折盡
　　　　情，絕無妝點，愈樸愈真，他人絕不能道。」後代詩論家都極
　　　　為推崇此詩，讚其為老杜「生平第一首快詩也」。[10]

---

10 見《唐詩鑑賞集成・霍松林評》（臺北市：五南圖書出版公司，2001年12月初版三
　　刷），頁654。

所謂「萬斛泉源，出自胸臆，奔湧直瀉」、「一氣流注，而曲折盡情，
絕無妝點，愈樸愈真」正可以作為這首詩「激動奔放」之風格的最佳
註腳。

（四）琵琶行

原文

　　潯陽江頭夜送客，楓葉荻花秋瑟瑟。主人下馬客在船，舉酒欲
飲無管絃；醉不成歡慘將別，別時茫茫江浸月。忽聞水上琵琶
聲，主人忘歸客不發。尋聲闇問彈者誰？琵琶聲停欲語遲。移
船相近邀相見，天酒迴燈重開宴。千呼萬喚始出來，猶抱琵琶
半遮面。

　　轉軸撥絃三兩聲，未成曲調先有情。絃絃掩抑聲聲思，似訴平
生不得志。低眉信手續續彈，說盡心中無限事。輕攏慢撚抹復
挑，初為霓裳後綠腰。大絃嘈嘈如急雨，小絃切切如私語；嘈
嘈切切錯雜彈，大珠小珠落玉盤。間關鶯語花底滑，幽咽泉流
水下灘。水泉冷澀絃凝絕，凝絕不通聲暫歇。別有幽愁闇恨
生，此時無聲勝有聲。銀瓶乍破水漿迸，鐵騎突出刀槍鳴。曲
終收撥當心畫，四絃一聲如裂帛。東船西舫悄無言，唯見江心
秋月白。

　　沉吟放撥插絃中，整頓衣裳起斂容。自言本是京城女，家在蝦
蟆陵下住。十三學得琵琶成，名屬教坊第一部。曲罷曾教善才
伏，妝成每被秋娘妒。武陵年少爭纏頭，一曲紅綃不知數。鈿
頭雲箆擊節碎，血色羅裙翻酒污。今年歡笑復明年，秋月春風
等閒度。弟走從軍阿姨死，暮去朝來顏色故。門前冷落車馬

稀，老大嫁作商人婦。商人重利輕別離，前月浮梁買茶去。去
來江口守空船，繞船月明江水寒。夜深忽夢少年事，夢啼妝淚
紅闌干。

我聞琵琶已嘆息，又聞此語重唧唧！同是天涯淪落人，相逢何
必曾相識！我從去年辭帝京，謫居臥病潯陽城；潯陽地僻無音
樂，終歲不聞絲竹聲。住近湓江地低溼，黃蘆苦竹繞宅生；其
間旦暮聞何物？杜鵑啼血猿哀鳴。春江花朝秋月夜，往往取酒
還獨傾。豈無山歌與村笛？嘔啞嘲哳難為聽。

今夜聞君琵琶語，如聽仙樂耳暫明。莫辭更坐彈一曲，為君翻
作琵琶行。感我此言良久立，卻作促絃絃轉急；淒淒不似向前
聲，滿座重聞皆掩泣。座中泣下誰最多？江州司馬青衫溼。

結構分析表

風格賞析

　　這首詩是白居易貶官江州司馬時所作。全詩透過描寫琵琶女彈奏琵琶、自述身世的描寫，抒發作者自己的「天涯淪落之恨」。在材料意象的運用方面，首段描寫江面送客之景，並交代與琵琶女偶遇之緣起，營造出「縹緲空闊」的氛圍。次段描寫琵琶女彈奏的情景，作者藉由譬喻之法，以「大珠小珠」、「間關鶯語」、「幽咽泉流」等視覺形象來比喻聲音，其彈奏的絃聲初由「輕快流利」，漸漸轉成「冷澀凝絕」，最後收撥一畫，戛然而止，產生足以盪氣迴腸、驚心動魄的感染力量[11]。三段描寫琵琶女自述身世的經過，這一段扣人心弦的描寫，充滿著怨慕泣訴的抒情筆調，確能激起深切的同情。於是才有「同是天涯淪落人，相逢何必曾相識」的感嘆，四段描寫作者貶謫潯陽以來的心路歷程，就是面對琵琶女的身世所形成的共鳴，所表現的是一種哀怨悽絕的情緒。這種哀怨悽絕之感，在末段藉由第二次的琵琶彈奏的促絃急聲，帶出另一種激動之情，作者的熱淚直流、濕透青衫，使得這分淒苦之情，更有酣暢淋漓之感。

　　從結構表所呈現的陰陽動勢來看，底層的「因→果」及「底→圖」結構都是「陰→陽」的順向移位，其陽剛之氣較強；而「揚→抑」結構為「陽→陰」的逆向移位，產生的陰柔之氣幾乎與同一層的陽剛之氣相抵。三層的「動→靜」結構所產生的陰柔之氣與「先→後」、「因→果」結構所產生的陽剛之氣亦產生相抵的現象。至於二層的「今（陰）→昔（陽）」、「虛（陰）→實（陽）」結構皆為顯現陽剛之氣的順向移位，而上層「目（陽）→凡（陰）→目（陽）」又是顯現強烈陽剛之氣的轉位作用，整體而言全詩的陽剛的成分仍多於

---

11 參見《唐詩鑑賞集成‧霍松林評》，頁1059。

陰柔，形成「剛中寓柔」的風格形態。若結合「抒發天涯淪落之恨」的主旨，其「酣暢淋漓」之感具有較多的陽剛之氣，所以將這首詩定於「剛中寓柔」的風格基調非常合理。

（五）浪淘沙

原文

　　簾外雨潺潺，春意闌珊。羅衾不耐五更寒。夢裡不知身是客，一晌貪歡。　　獨自莫憑闌，無限江山，別時容易見時難，流水落花春去也，天上人間。

結構分析表

風格賞析

　　這闋詞是李煜亡國之後寓居北宋的感觸之作，旨在抒發一個亡國之君身處異地的苦悶與哀痛。在材料意象的運用方面，「雨潺潺」所營造的是一種淒苦的氛圍，「夢裡貪歡」則在凸顯作者不願面對現實

苦悶的心理。至於「憑闌」的處境,更帶出復國無望、歸鄉無期的茫然意象。隨後用虛筆帶出「無限江山」的傷感,傳達自己客居異鄉的悲痛;最後以景結情,用「水流花落」、「春去人逝」之景,暗示詞人即將結束一生的悲嘆。

　　從章法結構的陰陽條理來看,全詞以「實→虛→實」的筆法寫成。在此核心結構之下,寫景由外而內,再從「潺潺細雨」的背景(底)寫到「夢裡貪歡」的焦點(圖),凸顯主角似醒似夢的情狀,也描繪出一幅孤苦淒涼的景象;底層「由外而內」的結構,形成逆向的移位作用,帶出陰柔之勢;次層「由底而圖」是「陰→陽」的順向移位,陽氣較強,而「由果及因」則為「陽→陰」的逆向移位,陰柔力度較高;上層的「實(陽)→虛(陰)→實(陽)」結構,是極為強烈的轉位,再加上是全詞的核心結構,足以總括前二層,故其「陽→陰→陽」的轉位作用,形成了最強的陽剛之勢,也造就了通篇「剛中寓柔」的風格。潘君昭說:

> 從本詞低沉悲愴的基調中,透露出這個亡國之君綿綿不盡的故土之思,可以說是一支婉轉淒苦的哀歌。[12]

這「低沉悲愴的基調」就是此詞的陽剛之勢,而「婉轉淒苦」就是其陰柔的部分了。譚復堂用「雄奇幽怨」[13]來概括此詞的風格,正契合「剛中寓柔」的格調!

12　見《唐宋詞鑑賞集成》上冊(臺北市:五南圖書出版公司,2001年12月初版三刷),頁172。

13　譚復堂云:「雄奇幽怨,乃兼二難,後起稼軒,稍遜父矣。」見〈李後主詞輯評〉,收入《李後主‧李清照詞欣賞》(臺北市:漢風出版社,2000年二版三印),頁100。

（六）念奴嬌赤壁懷古

原文

大江東去，浪淘盡、千古風流人物。故壘西邊，人道是、三國
周郎赤壁。亂石崩雲，驚濤裂岸，捲起千堆雪。江山如畫。一
時多少豪傑。　　遙想公瑾當年，小喬初嫁了，雄姿英發。羽
扇綸巾，談笑間、檣櫓灰飛煙滅。故國神游，多情應笑我，早
生華髮。人間如夢，一尊還酹江月。

結構分析表

風格賞析

　　此詞是蘇軾謫居黃州時，遊賞黃岡城外赤鼻磯所寫下的作品。其
內容主要抒寫因赤壁景物所興發的今古感懷。這是《東坡樂府》中被

譽為具有「英雄氣格」的「千古絕唱」[14]。在材料意象的運用方面，上片描寫赤壁開闊的景色，並結合古今英雄人物，布置了一個極為廣闊而悠久的時空；下片運用今昔對比，以周瑜的「雄姿英發」對比自己的「早生華髮」，進而帶出「還酹江月」的超曠襟懷。

　　從結構表的陰陽動勢來看，結構表共分五層，底層由山景而水景，是「陰→陽」的順向移位，其勢偏於陽剛；四層寫景由抽象而具體，其勢亦偏於陽剛；三層的「底→圖」、「虛→實」結構均為「陰→陽」的移位，其勢又偏於陽剛；次層的「目→凡」結構出現了逆向移位，其陰柔之勢雖然非常明顯，但是被同層的「昔→今」結構所產生的陽剛之氣消弱，因此對於上層的「久（陰）→暫（陽）」結構的陽剛之勢影響不大。綜理全篇可以見出其整體「剛中寓柔」的風格趨向。古今評論此詞者，皆以「雄渾」、「悲壯」、「超曠」等陽剛之詞譽之，如楊慎云：

> 古今詞多脂軟纖媚取勝，獨東坡此詞感慨悲壯雄偉高卓，詞中之史也。[15]

又如劉乃昌云：

> 這首詞從總的方面來看，氣象磅礴，格調雄渾，高唱入雲，其境界之宏大，是前所未有的。通篇大筆揮灑，卻也襯以諧婉之句，英俊將軍與妙齡美人相映生輝，昂奮豪情與感慨超曠的思

---

14 沈雄《古今詞話》云：「東坡〈酹江月〉，為千古絕唱」。徐《詞苑叢談》：「自有橫槊氣概，固是英雄本色」。其餘各家之評，可參閱曾棗莊：《蘇詞彙評》（成都市：四川文藝出版社，2000年1月一版），頁41-52。

15 見楊慎：《草堂詩餘》，卷四，收入曾棗莊：《蘇詞彙評》，頁44。

緒迭相遞轉，做到了莊中含諧，直中有曲。[16]

此所謂「感慨悲壯雄偉高卓」、「氣象磅礴」、「格調雄渾」的氣格，結合章法風格的分析，更能確定其「剛中寓柔」的基調。再結合「抒發超俗曠達之人生感懷」的主旨，這闋詞被評為「雄渾」、「超曠」確實是有理可循。

（七）天淨沙秋思

原文

枯藤、老樹、昏鴉，小橋、流水、人家，古道、西風、瘦馬，夕陽西下，斷腸人在天涯。

結構分析表

風格賞析

這首曲是古人稱頌為散曲中的絕品，主要在表現天涯遊子的羈旅

16 見《唐宋詞鑑賞集成・劉乃昌評》，頁728。

情懷。從材料意象的運用來看，作者連用四組、十一種物象，串聯出一幅深秋的圖景。這些物象各展現出秋天的各種特質，第一句「枯藤、老樹、昏鴉」描繪秋天的枯藤在西風中微微顫抖，已有殘敗蕭條之感，而老樹枝枒上的老鴉佇立更給人蒼茫悲涼之感。第二句「小橋、流水、人家」略帶溫馨之感，卻反襯出第三句「古道、西風、瘦馬」淒涼與孤寂。這些物象在「夕陽西下」的氛圍之中，都是在烘托「斷腸人」淪落天涯的淒苦。

　　從結構表的陰陽動勢來看，十一種物象之間相互烘托的「圖底」關係，是這首曲最主要的內在條理而次層「底（陰）→圖（陽）」的順向移位及上層「圖（陽）→底（陰）→圖（陽）」的轉位，將曲的動勢帶出明顯的陽剛之勢，使這首曲呈現「剛中寓柔」的風格基調。賴橋本分析此曲提到：

> 題為「秋思」，卻不從「情」字落筆，只是排比一連串景和物，一句一景，尤其前三句十八個字，全部都是名詞和形容詞，彷如一個個鏡頭，描繪出一幅高曠悲涼的秋景，而景中帶情，其情自見。[17]

所謂「高曠悲涼」正是這首曲的風格，與主旨所抒發的「孤寂落寞」之情可以互相闡發，更契合章法風格「剛中寓柔」的形態。

---

17 見賴橋本：《新譯元曲三百首》（臺北市：三民書局，1998年9月再版），頁187。

（八）大德歌—秋

原文

風飄飄，雨瀟瀟，便做陳摶也睡不著。懊惱傷懷抱。撲簌簌淚點拋。秋蟬兒噪罷寒蛩兒叫。淅零零細雨打芭蕉。

結構分析表

風格賞析

　　這首曲是關漢卿〈大德歌〉十首之一，前四首分寫春、夏、秋、冬，此為第三首，描寫的是「秋」，旨在藉秋聲抒發秋夜的愁思。作者以寫景起筆，以寫景作結，藉由「風雨瀟瀟」、「蟬噪蛩叫」、「雨打芭蕉」的聽覺摹寫，營造出秋夜的蕭瑟之感，在此氛圍之中，其孤寂淒涼之情更油然而生。

　　從結構表的陰陽動勢來看，底層的「賓（陽）→主（陰）」結構是逆向移位，形成陰柔的力量，此陰柔之勢正契合孤寂淒涼的情緒。上層的「景（陽）→情（陰）→景（陽）」結構是凸顯陽剛之氣的轉位作用，此陽剛之勢與秋景的蕭殺之氣不謀而合，亦為此曲的主調，形成整體「剛中寓柔」的風格形態。主旨雖在抒發秋夜愁思，而這種

情緒卻被外圍秋景的蕭殺之氣所包圍，這就是此曲陽剛之氣較為強烈
的原因。賴橋本評此詞云：

> 此首寫相思，卻不從「情」字下筆，全篇都描寫聲音，藉種種
> 秋聲自然烘托出秋夜的悲淒來，猶如曲中之〈秋聲賦〉，寫來
> 頗見奇巧。[18]

其言曲中之〈秋聲賦〉，正如歐陽脩所謂「初淅瀝以蕭颯，忽奔騰而
澎湃，如波濤夜驚，風雨驟至」給人的蕭殺之感，無怪乎此曲展現了
較強的陽剛之氣，與一般的秋思之作截然不同。

（九）沉醉東風漁父詞

原文

> 黃蘆岸白蘋渡口，綠楊堤紅蓼灘頭。雖無刎頸交，卻有忘機友：
> 點秋江白鷺沙鷗。傲殺人間萬戶侯。不識字煙波釣叟。

結構分析表

```
┌─底（陰）：「黃蘆岸白蘋渡口」二句
│         ┌─天（陰）：「雖無刎頸交」三句
└─圖（陽）─┤
          └─人（陽）：「傲殺人間萬戶侯」二句
```

---

18 見賴橋本：《新譯元曲三百首》，頁108。

風格賞析

　　這首曲專寫漁父。藉歌詠漁家生活的恬淡悠閒，來強調歸隱生活的美好。[19] 從材料意象的運用來看，「黃蘆岸白蘋渡口」及「綠楊堤紅蓼灘頭」所營造的是一個炫麗而多采多姿的情境。作者以紅、綠、黃、白交錯輝映的渡口灘頭為背景，開始描寫動態的景觀，其用擬人筆法描寫白鷺、沙鷗，又描寫不識字的煙波釣叟，凸顯出「傲殺人間萬戶侯」的孤傲心情。

　　從結構表的陰陽動勢來看，底層的「天（陰）→人（陽）」結構與上層的「底（陰）→圖（陽）」結構，皆為「陰→陽」的順向移位，產生明顯的陽剛之氣，構成此曲「剛中寓柔」的風格基調。若結合主旨來看，「恬淡悠閒」是一種剛柔兼具的風格形態，而作者所凸顯的「孤傲」心情，卻是偏於陽剛的。顏瑞芳、溫光華評曰：

　　　其主旨顯豁，條理分明，在恬淡閒適中，也寄託了自身孤傲的性格。[20]

已經清楚說明此曲「剛中寓柔」之風格形態的具體內涵。

（十）夏夜

原文

　　蝴蝶和蜜蜂們帶著花朵的蜜糖回來了，
　　羊隊和牛群告別了田野回家了，

---

19 見賴橋本：《新譯元曲三百首》，頁115。
20 見顏瑞芳、溫光華：《風格縱橫談》，頁150。

火紅的太陽也滾著火輪子回家了，
當街燈亮起來向村莊道過晚安，
夏天的夜就輕輕地來了。
來了！來了！
從山坡上輕輕地爬下來了。
來了！來了！
從椰子樹梢上輕輕地爬下來了。
撒了滿天的珍珠和一枚又大又亮的銀幣。

美麗的夏夜呀！
涼爽的夏夜呀！
小雞和小鴨們關在欄裡睡了。
聽完了老祖母的故事，
小弟弟和小妹妹也闔上眼睛走向夢鄉了。
〈小妹妹夢見她變做蝴蝶在大花園裡忽東忽西地飛，
小弟弟夢見他變做一條魚在藍色的大海裡游水。〉
睡了，都睡了！
朦朧地，山巒靜靜地睡了！
朦朧地，田野靜靜地睡了！
只有窗外瓜架上的南瓜還醒著，
伸長了藤蔓輕輕地往屋頂上爬。
只有綠色的小河還醒著，
低聲地歌唱著溜過彎彎的小橋。
只有夜風還醒著，
從竹林裡跑出來，
跟著提燈的螢火蟲，
在美麗的夏夜裡愉快地旅行。

結構分析表

風格賞析

　　這首是童話詩人楊喚的經典傑作，旨在歌頌夏夜的清新與美好。從材料意象的運用來看，作者先描寫夏夜來臨之前的景象，運用巧妙的擬人筆法，描寫「蝴蝶」、「蜜蜂」、「羊隊」、「牛群」和「火紅的太陽」，筆調相當輕快自然，毫無遲暮之感。其後又透過具象化的技巧，將「夜」從山坡、從椰子樹稍輕輕地拉下，最後用象徵星星、月亮的「珍珠」和「銀幣」，為夏夜揭開序幕，其筆調同樣充滿輕快、親切之感。接著進入夏夜的主軸，作者先描寫靜態的夏夜之美，再進一步描述夏夜的動態之美，其中「南瓜」、「小河」、「夜風」、「螢火蟲」等物象，在作者巧妙安排下變得活潑躍動，將夏夜帶向高潮，使整首詩充滿輕快活潑的律動。

　　從結構表的陰陽動勢來看，底層的「靜（陰）→動（陽）」結構為順向移位，其勢趨於陽剛；三層的「人（人事）→天（自然）」結構為逆向移位，其勢趨於陰柔，而「泛（陰）→具（陽）」結構則為順向移位，其勢又趨於陽剛，兩者相抵之下，陰柔之勢變得較為明顯；至於二層的「先（陰）→後（陽）」結構與上層「底（陰）→圖

（陽）」結構皆為順向移位，又將詩的動勢帶向陽剛，而上層為核心結構，其陽剛之勢具有主導作用，使這首詩的章法風格呈現「剛中寓柔」的形態。若結合「歌頌夏夜之清新美好」的主旨來看，其「剛中寓柔」的風格基調與「輕快自然」的感染力是可以相應的。

二　屬「柔中寓剛」的風格

所謂「柔中寓剛」的風格，是指辭章風格中「陰柔之氣」的成分多於「陽剛之氣」，使辭章呈現「陰柔外顯而陽剛內蘊」的風格形態。在中學詩歌教材中，屬於這種風格形態者，如《詩經・蒹葭》、〈飲馬長城窟行〉、〈陌上桑〉、〈迢迢牽牛星〉、李白〈長干行〉、黃庭堅〈寄黃幾復〉、朱熹〈觀書有感〉、辛棄疾〈西江月〉、徐志摩〈再別康橋〉、鄭愁予〈錯誤〉等，試以其「柔中寓剛」的章法風格為基調，分析其個別的辭章風格如下。

（一）蒹葭

原文

> 蒹葭蒼蒼，白露為霜，所謂伊人，在水一方。溯洄從之，道阻且長；溯游從之，宛在水中央。
> 蒹葭淒淒，白露未晞。所謂伊人，在水之湄。溯洄從之，道阻且躋；溯游從之，宛在水中坻。
> 蒹葭采采，白露未已。所謂伊人，在水之涘。溯洄從之，道阻且右；溯游從之，宛在水中沚。

結構分析表

風格賞析

　　這是一首情詩，選自《詩經‧秦風》，旨在抒發尋覓意中人可望而不可及的惆悵。從材料意象的運用來看，作者以「蒹葭」起興，描繪深秋蘆葦渲染霜露的淒清景色，營造出一種「渺遠虛惘」的氛圍。而江水曲折，「伊人」可望而不可及，表達了作者殷切想見、執著追求的情意。在每一章的末句，作者以「宛在」作結，更帶出伊人若隱若現、虛無縹緲的意象。

　　從結構表的陰陽動勢來看，三章所傳達的內在條理相同，所以我們可以僅就一章的律動而論。底層的「虛（陰）→實（陽）→虛（陰）」結構是轉位作用，形成明顯的陰柔之勢，而上層的「賓

（陽）→主（陰）」結構為逆向移位，其勢又趨於陰柔，綜理全詩的
律動，可以見出此詩「柔中寓剛」的風格形態。滕志賢評此詩云：

> 總觀全詩，以景托情，以情入景，情景相融，蘊藉雋永。本篇
> 從頭至尾，籠罩在朦朧悠遠的情調中，堪稱朦朧詩之祖。[21]

若結合主旨所表達的「惆悵」之情，其所謂「朦朧悠遠」，皆與「柔
中寓剛」的風格基調完全契合。顏瑞芳、溫光華評此詩也提到：

> 詩人把抽象的心境化為具體的意象，語言顯得含蓄雋永，清雅
> 婉約。而整首詩透過情景交融的手法，呈現出悠渺淒清的意
> 境，也是本詩深受後世喜愛的原因。[22]

可與上列風格述評及章法風格「柔中寓剛」的形態互相參證。

（二）飲馬長城窟行

原文

> 青青河畔草，綿綿思遠道。遠道不可思，夙昔夢見之。
> 夢見在我旁，忽覺在他鄉。他鄉各異縣，展轉不可見。
> 枯桑知天風，海水知天寒。入門各自媚，誰肯相為言？
> 客從遠方來，遺我雙鯉魚。呼兒烹鯉魚，中有尺素書。
> 長跪讀素書，書中竟何如？上有加餐飯，下有長相憶。

---

21 見《新譯詩經讀本》（臺北市：三民書局，2001年2月初版二刷），頁345。
22 見顏瑞芳、溫光華：《風格縱橫談》，頁62。

結構分析表

風格賞析

　　這是一首典型的閨怨情詩，旨在抒發思婦獨守空閨、久候良人的幽怨之情。在材料意象的運用上，作者首先以青草起興，而綿亙無際的河邊青草，也象徵著思婦綿延不絕的思念，其運用頂針的技巧，營造出一種幽怨纏綿的氛圍。而夢境的描述，雖有飄忽渺遠的感覺，卻與現實的孤苦相違，其所謂「枯桑知天風，海水知天寒」所產生的淒冷孤寂之感，正與其飄忽之境形成強烈對比。最後以收信、讀信表達思婦的殷切期盼，同時也傳達遠方良人的對家人的無限牽掛。藉由「雙鯉魚」的牽繫，這段相互思念的情感，更顯得真摯而綿長。

　　從結構表的陰陽動勢來看，底層的「果（陽）→因（陰）」結構為逆向結構，顯現陰柔的動勢，而「天（陰）→人（陽）」結構所形成的陽剛之勢仍小於「果→因」結構所形成的陰柔之勢；次層的「正（陰）→反（陽）→正（陰）」結構所產生的轉位作用，造成更明顯的陰柔之勢；而上層「賓（陽）→主（陰）」結構仍為逆向移位，其陰柔之勢亦強，綜理各層的陰陽動勢可以明顯看出整體「柔中寓剛」的風格形態。一般對於這首詩的風格述評，多認為此詩「情感

含蓄真摯，筆觸委婉而流暢」[23]，而白連仲更清楚提到：

> 全詩以閨婦思念遠出不歸親人的情感為主線，「天籟自鳴，直
> 抒己志，」如風行水上，自然成文如風行水上，自然成文，言
> 有盡而意無窮」（清劉毓松《古謠諺序》），讀來親切自然，雖
> 平直而意味深長。表現了樂府民歌以現實生活為反映內容的基
> 本特色。[24]

這裡說明了此詩「自然真切」的風貌。若結合這首詩的閨怨特質及其
「抒發思婦獨守空閨、久候良人的幽怨之情」的主旨，其內在陰柔的
律動應佔有很大的成分，我們用章法風格「柔中寓剛」的基調來理解
其風格的內在律動，使其「幽怨纏綿」、「委婉流暢」、「自然真切」的
形象述評更為有理可說。

（三）陌上桑

原文

> 日出東南隅，照我秦氏樓。秦氏有好女，自名為羅敷。羅敷喜
> 蠶桑，採桑城南隅。青絲為籠系，桂枝為籠鉤。頭上倭墮髻，
> 耳中明月珠。緗綺為下裙，紫綺為上襦。行者見羅敷，下擔捋
> 髭鬚；少年見羅敷，脫帽著帩頭。耕者忘其犁，鋤者忘其鋤。
> 來歸相怨怒，但坐觀羅敷。使君從南來，五馬立踟躕。使君遣
> 吏往，「問是誰家姝？」「秦氏有好女，自名為羅敷。」「羅敷

---

23 參見顏瑞芳、溫光華：《風格縱橫談》，頁68-69。
24 見《樂府詩鑑賞辭典》（鄭州市：中州古籍出版社，1990年3月第1版），頁39。

年幾何？」「二十尚不足，十五頗有餘。」使君謝羅敷，「寧可共載不？」羅敷前置辭：「使君一何愚，使君自有婦，羅敷自有夫。」「東方千餘騎，夫婿居上頭。何用識夫婿？白馬從驪駒。青絲繫馬尾，黃金絡馬頭。腰中鹿盧劍，可直千萬餘。十五府小吏，二十朝大夫，三十侍中郎，四十專城居。為人潔白皙，鬑鬑頗有鬚，盈盈公府步，冉冉府中趨。坐中數千人，皆言夫婿殊。」

結構分析表

風格賞析

　　這是一首描寫古代婦女的丰姿神韻及堅貞情操的敘事詩。從材料意象的運用來看，作者運用巧妙的側面描寫，烘托出女子羅敷外在神韻。首先描述她的採桑工具以「青絲為籠系，桂枝為籠鉤」，裝扮是「頭上倭墮髻，耳中明月珠。緗綺為下裙，紫綺為上襦」，展現了羅

敷「優雅細膩」的神態。其次透過旁人的反應,所謂「行者見羅敷,
下擔捋髭鬚」、「少年見羅敷,脫帽著帩頭」、「耕者忘其犁,鋤者忘其
鋤。來歸相怨怒,但坐觀羅敷」,側面烘托羅敷的美麗動人。於是,
一個勤勞而美麗的古典女子形象,就在作者輕柔的筆調中被凸顯出
來。次段以羅敷和使君的對話為主,凸顯羅敷潔身自愛、不輕浮隨便
的性格,令人感受到女子「貞節而剛烈」的堅持,與機智慧黠的特
質。最後透過羅敷對於丈夫的讚揚與期待,表現了女子「堅定而樂
觀」的愛情。

從結構表的陰陽動勢來看,底層的「因→果」及「淺→深」結
構均為「陰→陽」的順向移位,其形成的陽剛之氣影響全篇不大。
三層的兩疊「點(陰)→染(陽)」結構所形成的陽剛之氣,與「擊
(陽)→敲(陰)」結構所形成的陰柔之氣大致相抵。至於二層的
「泛(陰)→具(陽)」結構是順向移位,陽剛之氣被凸顯;而「實
(陽)→虛(陰)」結構為逆向結構,其陰柔之氣較強,亦削弱了
「泛→具」結構所產生的陽剛氣勢。上層的「外(陽)→內(陰)」
為核心結構,其逆向移位所凸顯的陰柔之氣最為明顯,綜理其餘各層
的陰陽動勢,整首詩呈現的是「柔中寓剛」的風格形態。王運熙、周
鋒評此詩云:

> 從首詩來看,作者採用虛實結合,實中有虛的手法充分表現了
> 羅敷外貌和內心的美。在敘述中使用生動的對話使人物性格鮮
> 明,結構緊湊。誇張與鋪陳等藝術手法又使詩富有濃郁的民歌
> 風味和詼諧的喜劇效果。[25]

---

25 見《詩詞曲賦名作鑑賞大辭典‧詩歌卷》(太原市:北岳文藝出版社,1991年12月
   第1版二刷),頁109。

其所謂「虛實結合」的手法，正是本詩描寫羅敷從「外在形貌」寫到「內在神韻」，以及從實寫「羅敷與使君的對話」到虛想「羅敷丈夫之成就」的結構次序。如此即吻合「外（陽）→內（陰）」、「實（陽）→虛（陰）」的陰陽律動，而「詼諧的喜劇效果」亦屬於一種偏於陰柔的格調，在在印證此詩「柔中寓剛」的風格基調。

（四）迢迢牽牛星

原文

迢迢牽牛星，皎皎河漢女。纖纖擢素手，札札弄機杼。
終日不成章，泣涕零如雨。河漢清且淺，相去復幾許。
盈盈一水間，脈脈不得語。

結構分析表

```
        ┌ 圖（陽）┬ 平提（陰）：「迢迢牽牛星」二句
        │        └ 側注（陽）：「纖纖擢素手」四句
  ──────┤
        │        ┌ 實（陽）：「河漢清且淺」二句
        └ 底（陰）┴ 虛（陰）：「盈盈一水間」二句
```

風格賞析

　　這是古詩十九首之一，其描寫牛郎、織女相看而不能相望，實則抒發鍾情男女咫尺天涯的哀怨[26]。在材料意象的運用上，作者以牛

26 參見奚少庚、趙麗雲：《歷代詩詞千首解析辭典》（臺北市：建宏出版社，1996年2月初版），頁201。

郎、織女的神話故事為主軸，本來就容易引發讀者的多層幻想，增加了這首詩的感染力。尤其是疊字的運用，如「迢迢」牽牛星、「皎皎」河漢女、「纖纖」擢素手、「札札」弄機杼、「盈盈」一水間、「脈脈」不得語，在形式上具有音樂性的節奏美，在內容情意上更能應和相思的綿延之感。

從結構表的陰陽動勢來看，底層的「平（陰）→側（陽）」結構為順向移位，顯現陽剛之氣，而「實（陽）→虛（陰）」結構為逆向移位，其陰柔之氣大於同層「平（陰）→側（陽）」結構所產生的陽剛之氣。上層的「圖（陽）→底（陰）」為核心結構，其逆向移位所形成的陰柔之勢為全詩的主調，使整首詩呈現「柔中寓剛」的風格形態。

劉勰曾對〈古詩十九首〉提出一個總體評價，所謂「直而不野」、「怊悵切情」[27]，正是一種充滿陰柔之風的形象評述，馬茂元更針對此詩的藝術特色加以說明，其云：

> 詩從想像出發，充滿濃厚的浪漫氣息，在《古詩十九首》裡這是最為特出的一篇。這種幻想之所以產生，就詩的題材來說，它是以雙星的戀愛故事為背景；就詩的思想來說，它完全是現實生活的反映。兩者結合起來，凝成了詩的優美形象。[28]

其所謂「濃厚的浪漫氣息」、「詩的優美形象」，都是屬於陰柔風格的形象述評。再結合此詩「抒發鍾情男女咫尺天涯之哀怨」的主旨來看，這首詩所展現之婉轉哀怨的感染力，相當符合「柔中寓剛」的風格基調。

---

27 見《文心雕龍・明詩》篇。

28 見馬茂元：《古詩十九首探索》（高雄市：復文圖書出版社，1984年11月初版），頁157。

（五）長干行

原文

妾髮初覆額，折花門前劇。郎騎竹馬來，遶床弄青梅。同居長
干里，兩小無嫌猜。十四為君婦，羞顏未嘗開。低頭向暗壁，
千喚不一回。十五始展眉，願同塵與灰。常存抱柱信，豈上望
夫臺。十六君遠行，瞿塘灩澦堆。五月不可觸，猿聲天上哀。
門前遲行跡，一一生綠苔。苔深不能掃，落葉秋風早。八月蝴
蝶黃，雙飛西園草。感此傷妾心，坐愁紅顏老。早晚下三巴，
預將書報家。相迎不道遠，直至長風沙。

結構分析表

風格賞析

　　這首詩是李白仿作民間〈長干曲〉所寫成的樂府詩篇。主要在描寫長干女思念遠行丈夫的心情與企盼來歸的願望。在材料意象的運用上，詩人以長江下游的「長干里」為背景，展開一段青梅竹馬的相戀故事。男女主角從童年的「兩小無嫌猜」，到初婚時的「羞顏未嘗開」，表現女子從懵懂童年到初嫁嬌羞的心路歷程。及至後來接受丈夫的感情，女子展現了另一種面對愛情的態度，詩人以「塵灰」為喻，更引用「抱柱信」、「望夫臺」的寓言傳說，凸顯女子對於這段婚姻的堅貞情懷。時空回到現在，詩人描寫思婦等待的情狀，運用許多物象來襯托思婦的心情，如用「綠苔」象徵女子空等的愁思，用「落葉」凸顯青春歲月的流逝，用「蝴蝶雙飛」反襯女子的孤單，這些物象對於表達女子期待的苦楚皆有正面強化的作用。而詩人並不將此詩局限在幽苦的氛圍之中，末段透過「預想示現」及「誇飾」的技巧，表達了女子想見丈夫的殷切，同時也將此詩轉向積極躍動的情緒，使此詩具備纏綿婉轉的風格之外，又多了靈活躍動的感染力。

　　從結構表的陰陽動勢來看，底層的兩疊「因（陰）→果（陽）」結構為順向移位，其陽剛之氣較多；而「揚（陽）→抑（陰）」結構及「眾（陽）→寡（陰）」結構為逆向移位，其凸顯的陰柔之氣大於同一層的陽剛之氣。三層的「反（陽）→正（陰）」結構為逆向移位，再加上「正反」章法的對比質性，其陰柔之氣明顯大過「底→圖」結構所行成的陽剛之氣。上層的「實（陽）→虛（陰）」為核心結構，其逆向移位所形成的陰柔之氣最為明顯，再加上其餘各層的陰柔氣勢，整體呈現出「柔中寓剛」的風格形態。余恕誠針對這首詩提出評論說到：

這首詩寫南方女子溫柔細膩的感情，纏綿婉轉，步步深入。配合著舒徐的音節，形象化的語言，在生活圖景刻畫，環境氣氛渲染，人物性格描寫上，顯示了完整性、創造性。《唐宋詩醇》讚揚說：「兒女子情事，直從胸臆流出。縈迴曲折，一往情深。」評價是很高的。[29]

　　其言「深沉柔和」、「纏綿婉轉」正是此詩陰柔風格的部分，而「靈活躍動」的成分較小，可視為陽剛之氣的展現，這些形象式的風格評語，確實吻合了「剛中寓柔」的基調，也符合「抒發女子思念企盼之心情」的主旨相契合。

（六）寄黃幾復

原文

　　　我居北海君南海，寄雁傳書謝不能。
　　　桃李春風一杯酒，江湖夜雨十年燈。
　　　持家但有四立壁，治病不蘄三折肱。
　　　想得讀書頭已白，隔溪猿哭瘴煙藤。

結構分析表

```
        ┌ 實(陽) ┬ 今(陰)：「我居北海君南海」二句
        │        └ 昔(陽)：「桃李春風一杯酒」二句
        └ 虛(陰) ┬ 反(陽)：「持家但有四立壁」三句
                 └ 正(陰)：「隔溪猿哭瘴煙藤」
```

---

29 見《唐詩鑑賞集成》上冊（臺北市：五南圖書出版公司，2001年12月初版三刷），頁288。

風格賞析

　　這是一首思念朋友的詩，作者感慨兩人分隔兩地的境遇，也隱含為朋友的懷才不遇、窮愁潦倒，抒發深沉的慨嘆。從材料意象的運用來看，詩人善於引用典故，如「我居北海君南海」、「治病不蘄三折肱」皆化用自《左傳》，而「寄雁傳書」與《漢書‧蘇武傳》有關，「持家但有四立壁」則化引自《史記‧司馬相如傳》，使本詩具備了古樸典雅的感染力。至於「猿哭」的哀淒、「瘴煙藤」的縹緲氛圍，更添增此詩淒苦哀愁的情思。此外，作者更善於鍊字，其化用典故，只取其意而避免字句複重，已收點鐵成金的效果，更具奇峭之風；而「桃李春風一杯酒，江湖夜雨十年燈」更是作者苦心經營的佳句，其形式的對偶與意境的對比皆有可觀，令人同時感受到溫馨及淒冷兩種氛圍。

　　從結構表的陰陽動勢來看，底層的「今（陰）→昔（陽）」結構為順向移位，其勢趨於陽剛，而「反（陽）→正（陰）」結構為逆向移位，其陰柔之勢遠大於同一層的陽剛之勢。上層的「實（陽）→虛（陰）」為核心結構，其逆向移位所凸顯的陰柔之勢成為此詩的主導力量，形成全詩「柔中寓剛」的風格形態。歷來評論家常以黃詩「古樸奇峭」之風為基礎來評論此詩，故其評斷之語多以局部意象來概括整體之風格。如霍松林云：

　　　（此詩）取《左傳》、《史記》中的散文語言入詩，又給近體詩
　　　帶來蒼勁古樸的風味。[30]

---

30 見《名家鑑賞宋詩大觀》（上海市：上海辭書出版社，1988年5月第1版），頁505。

陶文鵬亦云：

> 「但有四立壁」連用五個仄聲，卻有意不補救，下句（治病不
> 蘄）仍用順中帶拗，使詩句瘦硬奇峭，恰好表現黃幾復傲岸不
> 阿的品格。[31]

這裡所謂「蒼勁古樸」、「瘦硬奇峭」，皆屬陽剛之風格。若結合結構
表來說，這些詩句確實落在結構表裡展現陽剛之氣的律動中，而此陽
剛之動勢僅為局部，另外存在的陰柔的力量不能就此忽視。所以用
「蒼勁古樸」、「瘦硬奇峭」來概括全詩整體之風格有失偏頗，其末句
帶出的悲涼之感才是此詩的核心情意。因此，以「悲涼」之感（屬陰
柔）為主，「蒼勁」之風（屬陽剛）為輔，形成「柔中寓剛」的基調
才是本詩的整體風貌。

（七）觀書有感

原文

> 半畝方塘一鑑開，
> 天光雲影共徘徊。
> 問渠那得清如許？
> 為有源頭活水來。

31　見《詩詞曲賦名作鑑賞大辭典‧詩歌卷》，頁1108。

結構分析表

風格賞析

　　宋詩多有哲理闡述的內涵，本詩為朱熹得意之作，亦具備這種特色。作者藉由自然景物的書寫，抒發個人讀書治學的體會。從材料意象的運用來看，其描寫方塘「天光雲影」的躍動景致，以及清澈明淨的活水源頭，給人一種靈動舒活的感受。而自然景物背後所象徵的哲思，更可以引發豁然開朗的共鳴。

　　從結構表的陰陽動勢來看，底層的「靜（陰）→動（陽）」結構為順向移位，其勢趨於陽剛；「果（陽）→因（陰）」結構則為逆向移位，其勢趨於陰柔，此陰柔之勢大於同一層的陽剛之勢。上層的「具（陽）→泛（陰）」為核心結構，其逆向移位的作用帶出陰柔之氣，成為此詩的主要動勢，使全詩呈現「柔中寓剛」的風格形態。顏瑞芳、溫光華評論此詩提到：

　　　　源頭有活水流動，水塘方能保持清澈明淨；人也必須不斷吸取
　　　　新知，寸心才得以明潔無瑕，並避免思想的陳腐和僵化。其寓
　　　　物說理的技巧貼切而高妙，既有哲理思考的深度，又有雋永可

味的情韻，是一首極富理趣的傑作。[32]

其言「哲理思考的深度」可視為這首詩內蘊陽剛之氣的原因，而「雋永可味的情韻」則是陰柔之氣的源頭，從表現手法而言，其陰柔之氣是較為外顯的。此外，馬乃驪針對風格評論此詩也提到：

> 詩人將詩題改為〈觀書有感〉，確實把方塘詩的意境昇華了，由一般自然的審美情趣，上升到人生哲理的審美高度，由此看來，朱熹詩不只「雅正明潔」，更具有他真正理學大師的獨特哲理。[33]

其言「雅正明潔」正是一種偏於陰柔的風格。若再檢視其主旨「抒發讀書治學之體會」的含蓄呈現，就不難理解其「柔中寓剛」之風格的內在律動。

（八）西江月

原文

> 明月別枝驚鵲，清風半夜鳴蟬。稻花香裡說豐年，聽取蛙聲一片。七八個星天外，兩三點雨山前。舊時茅店社林邊，路轉溪橋忽見。

---

32 見顏瑞芳、溫光華：《風格縱橫談》，頁111。
33 見《詩詞曲賦名作鑑賞大辭典‧詩歌卷》，頁1205。

結構分析表

風格賞析

　　這闋詞是辛棄疾少數展現悠閒之情的佳作。其主旨在描寫閒居帶湖期間，夜行黃沙道中的農村景致。從材料意象的運用來看，作者以擬人的筆法描寫鵲噪、蟬鳴與蛙聲，在明月、清風與稻花香的烘托之下，呈現夏夜農村的熱鬧氛圍，也展現了自然與人文的和諧交融。下片起首將筆觸拉遠，並運用倒裝手法，描寫疏闊的星空與稀微的山雨，表現了疏淡自然的美感。結尾二句也是倒裝句法，其筆觸由遠而近，一座「社林邊的舊時茆店」，出現在「路轉溪橋」之間，除了帶來驚喜之外，更給人淡淡的溫馨之感。

　　從結構表的陰陽動勢來看，底層「天（陰）→人（陽）→天（陰）」結構的轉位作用形成濃厚的陰柔之勢，其力度遠大於「空（陰）→陸（陽）」結構之順向移位所產生的陽剛之勢。上層的「近（陰）→遠（陽）→近（陰）」結構又是趨於陰柔之勢的轉位，因其核心結構之故，此陰柔之勢影響全篇風格極大，決定了此詩「柔中寓剛」的風格形態。曾棗莊、吳洪澤評此詞云：

整首詞格局自然，隨意揮灑，具有清新淡雅的美感，代表了辛
詞平淡自然的另一風格。[34]

從材料意象的疏淡自然，到主旨所呈現的悠閒之情，正與所謂「清新
淡雅的美感」、「平淡自然的風格」不謀而合，更符合章法風格之「柔
中寓剛」的基調。

（九）再別康橋

原文

輕輕的我走了，
　　正如我輕輕的來；
我輕輕的招手，
作別西天的雲彩。

那河畔的金柳，
　　是夕陽中的新娘，
波光裡的豔影，
　　在我的心頭蕩漾。

軟泥上的青荇，
　　油油的在水底招搖；
在康河的柔波裡，
　　我甘心做一條水草！

---

34 見曾棗莊、吳洪澤：《蘇辛詞選》（臺北市：三民書局，2000年11月初版），頁243。

那榆蔭下的一潭，
　　不是清泉，是天上的虹，
揉碎在浮藻間，
　　沉澱著彩虹似的夢。

尋夢？撐一支長篙，
　　向青草更青處漫溯，
滿載一船星輝，
　　在星輝斑斕裡放歌。

但我不能放歌，
　　悄悄是別離的笙簫；
夏蟲也為我沉默，
　　沉默是今晚的康橋！

悄悄的我走了，
　　正如我悄悄的來；
我揮一揮衣袖，
　　不帶走一片雲彩。

結構分析表

風格賞析

　　這首詩是徐志摩早年留學英國康橋，在二度回到康橋之後的感懷之作，也是現代詩發展以來的經典作品之一。主旨在抒發對康橋的眷戀深情與離愁別緒。從材料意象的運用來看，詩人運用了《詩經》重章的技巧，在首尾設計了重複的語言，如「輕輕的我走了」──「悄悄的我走了」、「正如我輕輕的來」──「正如我悄悄的來」、「我輕輕的招手」──「我揮一揮衣袖」、「作別西天的雲彩」──「不帶走一片雲彩」，字詞稍有不同，意象卻非常相近，不僅形成了首尾呼應，更在故作瀟灑的神態中，隱現其眷戀的深情。其次，作者以「有我」的姿態，融入康橋景物的描寫之中：其用譬喻手法寫「河畔的金柳」，不忘強調「在我的心頭蕩漾」；描寫「水底的青荇」，更希望自己成為「一條水草」；又將榆蔭下的潭水，比喻成天上的虹，進而轉入自己的夢境之中。夢境中滿是斑斕的星輝，在星輝下卻不能放歌，因為即將離別而沉默，這種離愁別緒更令人悵惘。於是，夏蟲也沉默、康橋也沉默，作者藉由擬人筆法想要親近康橋的一景一物，卻帶

出更深、更濃的離愁。作者廣泛地運用擬人筆法，使詩中的意象更加親切自然。

　　從結構表的陰陽動勢來看，底層的「高（陽）→低（陰）」結構是逆向移位，其勢趨於陰柔。四層的「小（陰）→大（陽）」結構為順向移位，其勢趨於陽剛。三層的「實（陽）→虛（陰）」結構又是帶出陰柔之勢的逆向移位。二層的「正（陰）→反（陽）」結構則為順向移位，又帶出陽剛之勢。從底層到二層的陰陽動勢形成幾近相抵的態勢，至上層的「凡（陰）→目（陽）→凡（陰）」結構，其轉位作用帶出最明顯的陰柔之勢，再以其為核心結構之故，影響全詩風格最大，形成整首詩「柔中寓剛」的風格形態。顏瑞芳、溫光華提到此詩的風格說：

　　　　全詩寄寓了詩人細膩而豐富的情思，也展現了情景交融的優美
　　　　意境，是徐志摩婉約柔媚風格的代表作品。[35]

其明示此詩為徐志摩「婉約柔媚」的代表作，我們結合主旨「抒發對康橋的眷戀深情與離愁別緒」，及材料意象所呈現的輕柔幽愁的美感，更印證了章法風格「柔中寓剛」的律動。

（十）錯誤

原文

　　　　我打江南走過
　　　　那等在季節裡的容顏如蓮花的開落

35　見顏瑞芳、溫光華：《風格縱橫談》，頁176。

東風不來，三月的柳絮不飛

你底心如小小的寂寞的城

恰若青石的街道向晚

跫音不響，三月的春帷不揭

你底心是小小的窗扉緊掩

我達達的馬蹄是美麗的錯誤

我不是歸人，是個過客……

結構分析表

風格賞析

　　中國的閨怨詩流傳已久，向來多有深深的哀怨情愁。而鄭愁予的〈錯誤〉抒寫思婦因錯認而產生的欣喜與失落之情，雖然承續了傳統閨怨詩的意象，卻給人更多迷離與悵惘的感覺。從材料意象的運用來看，作者以「過客」的口吻來描述這一件「錯誤」，就已經脫離傳統閨怨詩的敘述筆法。其描述過客之「來」，首先營造了「暮春三月，雜花生樹，群鶯亂飛」的江南風光，並以此為背景，烘托出女子「如

蓮花開落」的容顏,「蓮花」象徵著思婦的堅貞,而「開落」則代表著希望的升起與幻滅,這兩行詩刻意低兩格行筆,揭開的序幕,充滿古典江南「煙雨迷濛」的浪漫氛圍。其次,詩人以譬喻的手法,運用多種物象來詮釋思婦的心情:「東風」與「跫音」代表等待的情人,「柳絮」與「春帷」代表思婦本欲飛揚的心,而「寂寞的城」、「青石的街道向晚」、「小小的窗扉緊掩」,景物由大而小、由背景而聚焦,代表著思婦心靈的愈加封閉。這些物象沒有強調思婦的哀愁,卻充滿著寧靜黯淡之感。特別一提的是,倒裝句的使用,如「青石的街道向晚」強調時間,寂寞之感亦隨之拉長;「小小的窗扉緊掩」強調窗扉,思婦無助失落的心靈亦成為焦點。至於「美麗的錯誤」是同一事物的兩個矛盾的概念,這種對襯不在強調等待的哀愁,而在凸顯女子的惆悵與無奈,更添增淒美浪漫之感。

　　從結構表的陰陽動勢來看,底層的「底(陰)→圖(陽)」結構為順向移位,形成陽剛之氣,其力量影響全詩不大。次層的「泛(陰)→具(陽)」結構亦為順向移位,其勢趨於陽剛,而「反(陽)→正(陰)」結構則為逆向移位,其陰柔之勢因本大於同層的陽剛之勢,再以其對比質性,此陰柔之勢更加明顯。上層的「底(陰)→圖(陽)→底(陰)」為核心結構,其趨於陰柔的轉位作用,決定了此詩偏於陰柔風格的主要力量,再結合其餘各層之陰陽動勢,此詩的風格應為「柔中寓剛」的形態。李元洛評曰:

　　　鄭愁予的詩素以婉約見長,他的愛情詩更可以說清新婉約,綺思無窮,如這一首詩便是這樣。[36]

---

36 見《新詩鑑賞辭典》(上海市:上海辭書出版社,1991年11月第1版),頁780。

鄭愁予早期的作品多能融古典於現代，其詩風有「婉約飄逸」的韻致，這首〈錯誤〉頗符合他早期的詩風，其筆調輕柔，材料意象亦顯淒美浪漫，這一支「美麗而錯誤」的小小插曲，不帶任何哀愁，卻引來無限的迷離與悵惘。我們以「柔中寓剛」為基調來詮釋本詩的風格，無論從形象思維或邏輯思維來看，都很容易感受其婉約風格的內在質素及律動。

三　屬「剛柔相濟」的風格

所謂「剛柔相濟」的風格，是指辭章風格中「陽剛之氣」與「陰柔之氣」的成分接近相等，而呈現「陽剛與陰柔並顯而相濟」的風格形態。在中學詩歌教材中，屬「剛柔相濟」之風格者，如陶淵明〈歸園田居〉及〈飲酒之五〉、北朝民歌〈木蘭詩〉、王之渙〈登鸛雀樓〉、李白〈送孟浩然之廣陵〉、孟浩然〈過故人莊〉、杜甫〈石壕吏〉、文天祥〈正氣歌〉、崔顥〈黃鶴樓〉、陸游〈書憤〉等。試以「剛柔相濟」的章法風格為基調，配合意象、修辭與主旨，分析個別的辭章風格如下。

（一）歸園田居

原文

種豆南山下，草盛豆苗稀，晨興理荒穢，帶月荷鋤歸。
道狹草木長，夕露沾我衣。衣沾不足惜，但使願無違。

結構分析表

風格賞析

　　這首詩是陶淵明辭官歸隱後的生活寫照，旨在藉由田園生活的清苦，反襯自己甘於平淡、遠離喧囂的心願。從材料意象的運用來看，詩人首先描寫田園的躬耕生活：其描繪作物的具體形象是「草盛豆苗稀」，形容自己的作息是「晨興理荒穢，帶月荷鋤歸」，敘述深夜歸園的氛圍是「道狹草木長，夕露沾我衣」，這些景象的描寫在在顯示其生活的清苦與躬耕的難處。儘管如此，詩人仍不改其隱居田園的初志，結尾以「但使願無違」明白道出自己甘於清苦平淡的心願，也讓我們深深瞭解，陶淵明的性格是寧願清苦度日，亦不願「為五斗米折腰」。

　　從結構表的陰陽動勢來看，上層的「景（陽）→情（陰）」結構為逆向移位，其勢趨於陰柔，而次層的「反（陽）→正（陰）」結構亦為逆向移位，其陰柔之勢因對比的質性而更為明顯，這兩個結構所形成的陰柔之勢本來已決定此詩的風格趨向，但是底層的「因（陰）→果（陽）」結構、三層的「靜（陰）→動（陽）」結構及次層的「點（陰）→染（陽）」結構皆為順向移位，其陽剛之勢層層漸強，削弱

了陰柔的力量，使全詩風格呈現幾近「剛柔相濟」的形態。賀新輝評曰：

> 從這首詩可以看出，陶詩在寫景和抒情上有很高的成就。情景交融，一向是詩人所追求的藝術境界。……本詩在寫景抒情中正是達到了「妙合無垠」的藝術境界，看似平淡、清俊，沒有雕琢的痕跡，卻滿蘸著詩人濃烈的感情，很見藝術功力。[37]

這裡所謂「情景交融」、「妙合無垠」的藝術境界，不僅吻合「先寫景後抒情」的結構類型，實際上亦兼具了陽剛與陰柔的美感，這種圓融無鑿痕的藝術特色，適足與「剛柔相濟」的風格內涵相互闡發。

（二）飲酒詩之五

原文

> 結廬在人境，而無車馬喧。問君何能爾，心遠地自偏。採菊東籬下，悠然見南山。山氣日夕佳，飛鳥相與還。此中有真意，欲辨已忘言。

---

37 見《古詩鑑賞辭典》（北京市：中國婦女出版社，1988年12月第1版），頁598。

結構分析表

風格賞析

　　這首詩亦為陶淵明歸隱後的作品。詩人藉飲酒之名，抒發歸隱生活的悠閒情懷。從材料意象的運用來看，詩人以「結廬在人境」卻無「車馬」的干擾，明示自己不為富貴榮華所動的「心遠」境界，其運用對襯筆法，凸顯了偏遠與喧鬧的矛盾，卻烘托出詩人超塵絕俗的性格。其次透過田園景物的描寫，具體形容山林生活的安適，所言「採菊東籬下，悠然見南山」，充分展現詩人與自然合而為一的無我境界。接著寫景由近而遠，詩人遠眺黃昏之山氣，望見群歸之飛鳥，營造出「空闊悠遠」的意象。結句以抒情落筆，其「忘言」之詞，強調閒居田園的「真意」已非筆墨所能形容，全然來自詩人真切的體會，同時也寄託了深刻的哲思。

　　從結構表的陰陽動勢來看，底層的「果（陽）→因（陰）」結構為逆向移位，帶出陰柔之勢；而「近（陰）→遠（陽）」結構為順向移位，帶出陽剛之氣，兩個結構的陰陽力度相差不大。次層的「泛（陰）→具（陽）」結構為順向移位，帶出陽剛之勢，其陽剛的力度漸強。上層的「景（陽）→情（陰）」結構為逆向移位，其產生的陰柔之氣本可左右全詩的陰陽動勢，又被次層的陽剛之氣所中和，總理

各層的陰陽成分，這首詩的風格仍屬於「剛柔相濟」的形態，只是陰柔之氣稍強。李易評論此詩之風格提到：

> 此首飲酒詩，記結廬之事，寫田園之景，抒隱居之情，以事真、景真、情真而見意之真，以純樸自然、不假雕琢的藝術風格，表現了耕隱者生活的一些重要方面，顯現出詩人歷史、哲學、美學的旨趣和造詣。[38]

陶詩的風格向以「自然渾樸」著稱，此言「純樸自然、不假雕琢的藝術風格」正是此意。就詩的主旨而言，其抒發隱居的悠閒之情，帶出深刻的哲學真意，很能與陶詩「自然渾樸」的風格相稱，而渾融與質樸的內在條理，正是一種「剛柔相濟」的律動。

（三）登鸛雀樓

原文

　　白日依山盡，黃河入海流，欲窮千里目，更上一層樓。

結構分析表

　　┌　具（陽）┬　山（陰）：「白日依山盡」
　　│　　　　　└　水（陽）：「黃河入海流」
　　└　泛（陰）：「欲窮千里目」二句

38　見《詩詞曲賦名作鑑賞大辭典・詩歌卷》，頁233。

風格賞析

　　王之渙的〈登鸛鵲樓〉是唐人五絕中的不朽之作。這首詩主要在描寫登臨所見，進而提出「登高才足以望遠」的哲思。從材料意象的運用來看，詩人首先描寫落日西沉、黃河奔騰的開闊景象，短短兩句對句，概括了廣大的山水視野，也營造出雄偉壯闊的氛圍。三、四兩句即景生意，將此詩帶入抽象的思考，卻提升到更高的境界。詩人融合寫景與說理，運用形象思維來呈現抽象哲理，筆觸不落鑿痕，卻帶出作者向上進取、高瞻遠矚的襟懷。

　　從結構表的陰陽動勢來看，底層由山景（陰）寫到水景（陽），其順向移位凸顯陽剛之氣，正與其壯闊的意象吻合。上層由具體景物（陽）寫到抽象思理（陰），其逆向移位帶出陰柔之勢，此陰柔之氣因底層的陽剛之氣而消減，造成全詩幾近於「剛柔相濟」的風格形態。陳邦炎評此詩云：

> 詩的前兩句「白日依山盡，黃河入海流」，寫的是登樓望見的景色，寫得景象壯闊，氣勢雄渾。……而詩人還想進一步窮目力所及，看盡遠方景物，更登上了樓的頂層。詩句看來只是平鋪直敘地寫出了這一登樓的過程，而含意深遠，耐人探索。[39]

其言「景象壯闊，氣勢雄渾」，是這首詩呈現陽剛之氣形象質素，而「含意深遠，耐人探索」卻是一種屬於陰柔的含蓄美，這種含蓄美本來不比壯闊之氣來得明顯，卻因主旨蘊於含蓄美中而變得重要。可見

---

39 見《唐詩鑑賞集成・陳邦炎評》（臺北市：五南圖書出版公司，2001年12月初版三刷），頁87。

兩種美感同時並呈在此詩的風格之中，使其「剛柔相濟」的格調有理可據。

（四）黃鶴樓送孟浩然之廣陵

原文

> 故人西辭黃鶴樓，煙花三月下揚州。
> 孤帆遠影碧山盡，唯見長江天際流。

結構分析表

風格賞析

　　這是一首送別詩，旨在抒發李白送別友人孟浩然的悠蕩情懷。從材料意象的運用來看，首句點明送別題旨，而次句的「煙花三月」帶出優美綺麗的氛圍，在這繁花盛開的三月天，李白目送友人上船，更目送「孤帆」漸行漸遠，在詩人的翹首凝望中，孤帆不見了，卻展現一幅更為開闊的江水宏景，三、四兩句雖從寫景入手，卻隱含著李白對朋友的深情及嚮往遠處揚州的詩意。這份詩意悠悠蕩蕩，傳遞著詩人的瀟灑，也蕩漾著詩人的愉悅與暢想。

從結構表的陰陽動勢來看，底層的「實（陽）→虛（陰）」結構為逆向移位，帶出陰柔之勢，而「近（陰）→遠（陽）」結構所帶出的陽剛之勢仍稍弱同層的陰柔氣勢。上層的「因（陰）→果（陽）」結構為順向移位，其帶出的陽剛之氣本可支配全詩的律動，然底層的陰柔之勢尚強，遂削弱了上層的陽剛之氣，形成整首詩接近「剛柔相濟」的風格形態。余恕誠分析此詩提到：

> 這首送別詩有它自己特殊的情味。它不同於王勃〈送杜少府之蜀川〉那種少年剛腸的離別，也不同於王維〈渭城曲〉那種深情體貼的離別。這首詩，可以說是表現一種充滿詩意的離別。[40]

王勃〈送杜少府之蜀川〉所呈現的是「海內存知己，天涯若比鄰」的開闊意境，其風格偏於陽剛；而王維〈渭城曲〉卻有「勸君更盡一杯酒，西出陽關無故人」的哀淒，其風格則偏向陰柔。李白寫作此詩所展現的詩意，是從「煙花三月」的輕柔與「長江天際流」的開闊而來，當然還包括李白隨孟浩然下揚州而飛翔、蕩漾的情懷。這些意象在在證明其「剛柔相濟」的風格內涵。

（五）過故人莊

原文

> 故人具雞黍，邀我至田家。綠樹村邊合，青山郭外斜。開筵面場圃，把酒話桑麻。待到重陽日，還來就菊花。

---

40 見《唐詩鑑賞集成·余恕誠評》（臺北市：五南圖書出版公司，2001年12月初版三刷），頁361。

結構分析表

風格賞析

　　這首詩是孟浩然因故人之邀，寫下拜訪故人受到熱情款待的溫馨感受。從材料意象的運用來看，詩人先以平淡的筆調敘事友人熱絡的邀請，「雞黍」、「田家」只是農村的平凡物象，卻給人親切自然的感受。而「綠樹」在村邊圍繞，「青山」在遠郭周匝，詩人所營造的背景，是一種山青水綠、風清氣爽的氛圍。在如此令人神往的田園中，詩人與故友在場圃設筵，而話題又是平凡的「桑麻」農事，令人體會到與世無爭、親切自然的田園生活。這種生活令詩人嚮往，於是以虛筆作結，相約重陽之日，重回農村再敘佳話。整首詩的意象充分展現「平淡自然」的感染力。

　　從結構表的陰陽動勢來看，底層的「底（陰）→圖（陽）」結構為順向移位，其勢趨於陽剛。二層的「因（陰）→果（陽）」結構亦為順向移位，其陽剛之勢漸強。上層的「實（陽）→虛（陰）」結構為逆向移位，其陰柔之勢本為主導風格的力量，而下二層的陽剛之勢將其陰柔的力量削弱，形成整首詩「剛柔相濟」的風格形態。余恕誠評此詩云：

　　　　一個普通的農莊，一回雞黍飯的普通款待，被表現得這樣富有
　　　詩意。描寫的是眼前景，使用的是口頭語，描述的層次也是完

全任其自然，筆筆都顯得很輕鬆，連律詩的形式也似乎變得自由和靈便了。你只覺得這種淡淡的平易近人的風格，與他描寫的對象——樸實的農家田園和諧一致，表現了形式對內容的高度適應，恬淡親切卻又不是平淺枯燥。它是在平淡中蘊藏著深厚的情味。[41]

這裡從局部說點明口語的「自然」、筆調的「輕鬆」、格律的「靈便」，以及整體的「淡淡的平易近人的風格」，這些以形象所描述的感染力量，正是「剛柔相濟」之內在律動的具體展現。詩人的內心，應如此詩剛柔調和的風格一般，顯現其和諧平易的境界。

（六）黃鶴樓

原文

> 昔人已乘黃鶴去，此地空餘黃鶴樓。
> 黃鶴一去不復返，白雲千載空悠悠。
> 晴川歷歷漢陽樹，芳草萋萋鸚鵡洲，
> 日暮鄉關何處是？煙波江上使人愁。

結構分析表

```
    ┌景(陽)┬久(陰):「昔人已乘黃鶴去」四句
    │      └暫(陽):「晴川歷歷漢陽樹」二句
    └情(陰):「日暮鄉關何處是」二句
```

---

41 見《唐詩鑑賞集成・余恕誠評》，頁110。

風格賞析

　　這首詩是崔顥的代表作，也是唐代七律中的絕品[42]。此詩透過登樓所見，抒發今昔之感與思鄉之情，亦隱含詩人懷才不遇的感嘆。從材料意象的運用來看，詩的前四句以攤破格律的方式，敘述黃鶴與神仙的傳說，其筆調流暢自然，亦帶出悠遠茫然的千古之嘆。五、六兩句回歸格律，以對偶筆法描寫江河景致，其「晴川草木」與「萋萋河洲」的摹寫，將先前的茫然之感拉回眼前的現實景物，形成「千古虛景」與「當前實景」的對比，一種今昔交錯的美感油然而生。而「鸚鵡洲」的描寫，乃援引東漢禰衡之事，暗示其懷才不遇之嘆。尾聯以抒情作結，明顯帶出濃厚的思鄉之愁，使詩意又拉回縹緲迷茫的氛圍。

　　從結構表的陰陽動勢來看，底層的「久（陰）→暫（陽）」結構為順向移位，其勢趨於陽剛。上層的「景（陽）→情（陰）」結構為逆向移位，此核心結構的陰柔力量本為全詩風格之主調，但是受到底層陽剛之勢的影響，其力度稍減，形成全詩「剛柔相濟」的風格形態。蔡義江評論此詩之筆法與意境提到：

> 　　仙人跨鶴，本屬虛無，現以無作有，說它「一去不復返」，就有歲月不再、古人不可見之憾；仙去樓空，唯餘天際白雲，悠悠千載，正能表現世事茫茫之慨。詩人這幾筆寫出了那個時代登黃鶴樓常有的感受，氣概蒼莽，感情真摯。……（頸聯）忽一變而為晴川草樹，歷歷在目，萋萋滿洲的眼前景象，這一對比，不但能烘染出登樓遠眺者愁緒，也使文勢因此而有起伏波瀾。……末聯以寫煙波江上日暮懷歸之情作結，使詩意重歸於

---

42 嚴羽《滄浪詩話》云：「唐人七言律詩，當以崔顥〈黃鶴樓〉為第一。」

開頭那種渺茫不可見的境界。[43]

其言「氣概蒼莽」、「起伏波瀾」，皆屬陽剛之境界，這是針對寫景部分的意象風格而言，而開頭的千古懷想與結尾的鄉關之愁，皆給人「渺茫不可見」之感，則屬於陰柔的格調，若配合主旨來看，陰柔與陽剛的動勢應並存於此詩之中，其陰柔之氣稍強，卻是與陽剛之氣均融相濟的形態。

（七）石壕吏

原文

　　暮投石壕村，有吏夜捉人。老翁逾牆走，老婦出門看。吏呼一何怒！婦啼一何苦！聽婦前致詞：「三男鄴城戍。一男附書至，二男新戰死。存者且偷生，死者長已矣！室中更無人，惟有乳下孫。有孫母未去，出入無完裙。老嫗力雖衰，請從吏夜歸。急應河陽役，猶得備晨炊。」夜久語聲絕，如聞泣幽咽。天明登前途，獨與老翁別。

---

43 見《唐詩鑑賞集成‧蔡義江評》（臺北市：五南圖書出版公司，2001年12月初版三刷），頁442-443。

結構分析表

風格賞析

　　這首詩是杜甫著名的「三吏」、「三別」[44]之一，詩人藉由石壕官吏強徵人民戍邊的事件觀察，表現百姓身處戰亂的憂苦。從材料意象的運用來看，作者以「暮投石壕村，有吏夜捉人」點明故事的時空背景，也直接揭開此一事件的序幕。而官吏捉人，老翁踰牆而走，接著又是官吏的呼喝聲與老婦的哀號聲，使現場瀰漫著肅殺陰森的氣氛。其次，透過婦人的敘述，描寫這一家的悽慘景況——早已徵調入伍的三個壯丁，已有兩個戰死沙場，家中僅剩老嫗、媳婦和一個未斷奶的孫兒，而老嫗拗不過官吏的強迫，遂自請赴軍中炊食，才暫時平息這一場官吏強徵民伕的事件，其敘事平實，卻令人聞之顫然。詩人並未描寫後續發展，僅用聽覺摹寫，描繪靜絕的夜裡隱約傳來的嬰兒哭聲，給人一種淒涼絕望之感。等天明啟程，作者寫明「獨與老翁

---

44 「三吏」指杜甫的〈新安吏〉、〈潼關吏〉、〈石壕吏〉三首，「三別」指〈新婚別〉、〈垂老別〉、〈無家別〉三首。這六首詩是杜甫由洛陽經潼關，準備回華州述職，途中依其所見所聞而寫的，表現了安史之亂期間民間百姓及地方官兵的疾苦。

別」，不僅交代了徵伕事件的結局，更表現百姓在戰亂之中的茫然與
不安。

　　從結構表的陰陽動勢來看，底層的「虛（陰）→實（陽）」結構
為順向移位，其陽剛之勢不強。四層由「過去」寫到「未來」，其
「陽→陰」的逆向移位帶出較明顯的陰柔之勢。三層的「實（陽）
→虛（陰）」結構為逆向移位，又帶出更明顯的陰柔之勢；而「先
（陰）→後（陽）」為順向移位，其呈現的陽剛之氣仍小於同一層的
陰柔之氣。二層的「因（陰）→果（陽）」結構及上層的「點（陰）
→染（陽）」結構皆為順向移位，其陽剛之勢本可主導全詩的風格趨
向，但經由三層與四層陰柔之氣的影響，消弱了全詩陽剛的動勢，使
整首詩的風格幾近於「剛柔相濟」的態勢。霍松林談到此詩的藝術成
就曾說：

　　　　在藝術表現上，這首詩最突出的一點是精煉。陸時雍稱讚道：
　　　　「其事何長！其言何簡！」就是指這一點說的，全篇句句敘
　　　　事，無抒情語，亦無議論語；但事實上，作者巧妙地通過敘事
　　　　抒了情，發了議論，愛憎十分強烈，傾向性十分鮮明。褒貶寓
　　　　於敘事，既節省了很多筆墨，又毫無概念化的感覺。……正由
　　　　於詩人筆墨簡潔、洗鍊，全詩一百二十個字，在驚人的廣度與
　　　　深度上，反映了生活中的矛盾與衝突，這是十分難能可貴的。[45]

所謂「簡潔洗鍊」的藝術表現，本來就兼具陽剛與陰柔之特色，再以
其平實而中性的敘事筆調，也是一種剛柔調和的筆勢。這些藝術表現
均與「剛柔相濟」之章法風格吻合，可見用此一基調來詮釋本詩風格
之內在條理，是極為合理的。

45　見《唐詩鑑賞集成・霍松林評》，頁584。

（八）正氣歌

原文

天地有正氣，雜然賦流形：下則為河嶽，上則為日星，於人曰浩然，沛乎塞蒼冥。皇路當清夷，含和吐明庭；時窮節乃見，一一垂丹青：在齊太史簡，在晉董狐筆，在秦張良椎，在漢蘇武節；為嚴將軍頭，為嵇侍中血，為張睢陽齒，為顏常山舌；或為遼東帽，清操厲冰雪；或為出師表，鬼神泣壯烈；或為渡江楫，慷慨吞胡羯；或為擊賊笏，逆豎頭破裂。是氣所磅礡，凜烈萬古存。當其貫日月，生死安足論？地維賴以立，天柱賴以尊。三綱實繫命，道義為之根。嗟予遘陽九，隸也實不力。楚囚纓其冠，傳車送窮北。鼎鑊甘如飴，求之不可得。陰房闐鬼火，春院閟天黑。牛驥同一皂，雞棲鳳凰食。一朝蒙霧露，分作溝中瘠。如此再寒暑，百沴自辟易。哀哉沮洳場，為我安樂國！豈有他繆巧？陰陽不能賊。顧此耿耿在，仰視浮雲白，悠悠我心悲，蒼天曷有極！哲人日已遠，典型在夙昔，風簷展書讀，古道照顏色。

結構分析表

風格賞析

　　這首〈正氣歌〉是文天祥在元朝大都獄中的絕筆之辭。旨在藉其
胸中「正氣」的存在，表現其堅毅不屈的高尚氣節。從材料意象的運
用來看，全詩分為議論及敘事兩部分。作者首先以「天地有正氣，雜
然賦流形」作為議論之綱領，並平提「正氣」充塞於天、地、人之
間。其次側注於人事正氣的論述，其援引十二哲人因「正氣」而名垂
青史，運用了三種排比句型，使文氣未有凝滯之感，卻造成更多磅礡
的氣勢。最後提出結論，以為「磅礡正氣」乃超越時空而永存，人倫
為之繫，道義為其根，點出自己所憑藉的「正氣」是宇宙自然的真

氣。在敘事方面，作者首先發出遭囚之嘆，並藉由「牛驥同一皁，雞棲鳳凰食」的巧喻，暗諷統治者賢愚不分，不懂珍視人才。其次說明自己囚居暗獄兩年，得以百沴不侵，全賴胸中一股正氣，居於「沮洳」之中而安然自得。這裡自述身世，筆調較前段平和，並帶有幾分哀淒之感。末段以「悠悠我心悲，蒼天曷有極」抒發家國之悲，而重提哲人之典型，作為自己效法的對象，其言「風簷展書讀，古道照顏色」不僅表達對古人的嚮往之情，更呈現文天祥此時「安寧平和」的心境。

　　從結構表的陰陽動勢來看，底層的「全（陰）→偏（陽）」結構及「天（陰）→人（陽）」結構皆為順向移位，其勢趨於陽剛。四層平提「天」、「地」、「人」為並列結構，其陰陽之動勢可先略而不論；而「因（陰）→果（陽）」結構及「先（陰）→後（陽）」結構亦為順向移位，又產生較強的陽剛之氣。三層的「平（陰）→側（陽）」結構及「凡（陰）→目（陽）」結構皆為順向移位，其產生的陽剛之勢恰與「實（陽）→虛（陰）」結構之逆向移位所產生的陰柔之氣相抵。次層的「凡（陰）→目（陽）」結構為順向移位，產生陽剛之氣；而「具（陽）→泛（陰）」之逆向移位卻凸顯陰柔之氣，其力度較強於同層的陽剛之氣。上層「論（陽）→敘（陰）」結構因逆向移位而凸顯陰柔的力量，本為全詩風格之主調，但底層與四層的陽剛氣勢不容忽略，在削弱陰柔之氣以後，形成全詩「剛柔相濟」的風格形態。

　　歷來評論此詩風格者，多偏重於文天祥堅貞不屈的正氣與剛正不撓的節操而論，如喬曉蓮評此詩云：

　　　這首〈正氣歌〉表現了他肝膽相照，正氣凜然，視死如歸，堅
　　　貞不屈的高尚氣節與情操，寫得情真意切。……尤其是詩篇所

表現的愛國熱情和為民族獻身的精神，將永遠激勵著人們去奮
發向上地拼搏。[46]

這種評價，乃著重於「剛正氣節」的意象與「抒發愛國情操」的主
旨，往往只看出此詩陽剛氣格的部分。而末段所抒發的悲戚及結句所
呈現的平和心境，是此詩展現陰柔的地方。若配合結構表來看，詩的
前半段表現磅礴的氣勢，是為陽剛之氣的展現；而後半段趨於理性平
和的筆調，抒發向慕古人的心情，則是陰柔之氣的表現。由此可見，
此詩陰柔風格的部分不容忽視，我們用「剛柔相濟」的基調來詮釋其
風格的內在條理，應比較合理。

（九）書憤

原文

　　早歲那知世事艱？中原北望氣如山。
　　樓船夜雪瓜洲渡，鐵馬秋風大散關。
　　塞上長城空自許，鏡中衰鬢已先斑。
　　出師一表真名世，千載誰堪伯仲間？

---

46 見《詩詞曲賦名作鑑賞大辭典·詩歌卷》，頁1233。

結構分析表

風格賞析

　　這首詩是陸游晚年退居山陰家中的作品，旨在透過對往事的追念與感懷，表達重新立誓報國的願望。從材料意象的運用來看，詩人首先描述昔日滿懷壯志、鎮守沙場的盛況，從不知世事險惡、氣盛如山的抽象心情，寫到戍守樓船、馳騁鐵馬的具體景象，充分表現「雄放豪邁」的氣勢。頸聯回到現實，描寫作者衰老的處境，其「空自許」、「衰鬢」等意象，令人倍感哀嘆與淒涼。然而作者並非嘆老服輸，尾聯援引「出師表」之典故，除了向慕諸葛亮當年誓師北伐的豪情，也同時帶出想要復出報國的願望。

　　從結構表的陰陽動勢來看，底層的「泛（陰）→具（陽）」結構為順向移位，帶出陽剛之氣。三層的「因（陰）→果（陽）」結構為順向結構，亦帶出陽剛之氣，而「大（陽）→小（陰）」的逆向移位帶出陰柔之氣，略強於同層陽剛之力度。次層的「盛（陽）→衰（陰）」又是逆向移位再加上此結構的對比質性，其陰柔之氣非常明顯。上層的「敘（陰）→論（陽）」為順向移位，其產生的陽剛之氣本為此詩風格之主調，而次層與三層的陰柔之氣不可忽略，消弱了上

層陽剛的力度，遂使全詩呈現「剛柔相濟」的風格形態。何滿子分析此詩之辭氣提到：

> 全詩感情沉鬱，氣韻渾厚，顯然得力於杜甫。中兩聯屬對工穩，尤以頷聯「樓船」、「鐵馬」兩句雄放豪邁，為人們廣為傳誦。這樣的詩句出自他親身的經歷，飽含他的政治生活感受，是那些逞才搞藻的作品所無法比擬的。[47]

所謂「感情沉鬱」是偏於陰柔的情調，而「氣韻渾厚」則屬於陽剛的氣象，這兩種形象式的風格述評，恰與章法風格之「剛柔相濟」形態吻合。此外，「樓船」、「鐵馬」所表現的「雄放豪邁」又落在結構表中陽剛之氣的部分，可見我們以「剛柔相濟」的基調來分析此詩之風格，可見出精確的內在條理。

第三節　辭章風格教學的步驟

在確立辭章風格的檢視原則之後，我們也藉由實際作品的風格分析，驗證這些檢視原則的理論價值與實作的可行性。而落到實際的風格教學，可從兩階段來實施教學之步驟：一是訓練學生熟悉基本的風格分析技巧，二是進階培養學生建構風格的審美素養。

一　辭章風格的基礎教學

如何引領學生體會辭章風格的存在，並具體掌握分析風格的步

---

47 見《名家鑑賞宋詩大觀》，頁977。

驟，我們可以先從基礎的訓練做起。風格之基礎教學必須從整體角度來把握四個重點：首先，我們要檢視作家的寫作風格，同時要兼顧作家所處的時空與流派來作全面的統整；其次，再根據檢視原則，進行辭章的風格分析；再者，融合辭章風格與其外圍因素如時代、地域、流派、作家等，以印證分析之結果；最後，我們綜理各種內外因素，以確定辭章的風格趨向。茲根據這四項重點，詳述其內容如下：

（一）檢視作家風格

作家以個人先天的才氣，決定情性之庸俊；藉後天的學習，薰染氣質之雅俗。然後結合先天與後天的條件，成就個人之器識。作家器識之優劣，足以影響對宇宙自然、家國社會的認知。落到辭章之創作，也因為個人立意、取材及文辭表現的不同，其風格也大異其趣。由此可知，作家風格與辭章風格的關係非常密切，兩者互為表裡，必須相互參證，才是完整辭章風格的體現。所以，引導學生鑑賞辭章之風格，必須先瞭解作家的生平，梳理出足以影響作家情性與氣質的因素，如家學淵源、生命遭遇、時代流轉、地域變遷等，以確定作家個人的才學、器識與寫作風格，作為我們分析辭章風格時的重要參考。

（二）進行辭章分析

確定作家風格之後，我們可以進行辭章風格的分析。根據其檢視原則，專意於辭章本身內在因素的探討。包括個別意象的探索、修辭技巧的分析，藉以提煉辭章風格在形象思維方面的主觀質素；從字句組織、篇章結構來解析意象的排列組合，藉以梳理辭章風格在邏輯思維方面的客觀條理；最後結合主題思想，探討辭章之核心情理與風格的關係；此外，適度援引傳統印象式、直覺式的風格述評，與我們分析的結果相互參證，可以更準確地掌握辭章風格的完整面貌，同時又

兼顧傳統的風格論述與新證的風格內在律動，對於引導學生掌握分析
原則、建立鑑賞能力，應有很大的助益。

（三）融合寫作背景

　　所謂「寫作背景」是指作家創作辭章的時空環境。這一時空環境
包含作家的才學、器識、際遇，以及大環境的時代、地域、流派等背
景。作家的才學、器識對於辭章風格的影響已如前述；而際遇的悲或
喜、憂或樂、順利或坎坷、平凡或激盪，會影響作家情理的抒發，對
於辭章主題的設定有直接關係。主題設定的不同，當然會形成不同的
風格。另一方面，時代、地域的差異，作家流派的分野，其形成的時
代風格、地域風格和流派風格也不相同。我們在分析辭章風格時，除
了專意於辭章本身的內在規律之外，對於作家個人的際遇，以及作家
所處的時代、地域，作家所歸屬的流派等外圍因素，也應一併考慮。
其外圍因素的考量，可以作為辭章風格分析的佐證，對於風格的掌握
應是正面的助益，在實際教學上，也使學生認知到辭章寫作背景的
重要。

（四）確定風格趨向

　　從作家風格的檢視，到辭章風格的分析，進而融合外圍的寫作背
景，我們幾乎可以掌握辭章風格的完整面貌。在上節詩歌風格的分析
中，我們運用了傳統印象式的風格述評，作為辭章內在之剛柔律動的
佐證，一方面證明其邏輯條理的分析之不誣；另一方面落實在教學
上，可以使學生認知到不同的風格述評，也能使學生分辨形象式之風
格品類的剛柔屬性，這是多方面的風格教學模式，對於學生鑑賞能力
的訓練是非常有幫助的。

二　辭章風格的審美教學

　　為使學生對於辭章風格有更深的體悟與感受，我們可以從審美的角度訓練學生建構完整的審美能力。瞭解辭章風格的形成規律，有助於確立風格的鑑賞原則，更能進一步確定風格的美感效果。落實到鑑賞教學的層面，仍須以深入淺出、具體可行的步驟，才能引領學生體會辭章的風格之美。茲分述具體的教學步驟如下：

（一）聯繫風格與美感的關係

　　風格是一種抽象的力量，要如何引領學生體悟風格的本質，是審美教學中的第一步。通常我們會運用語言或文字的感染力量來引導學生進入風格的領域。舉例來說，同樣一句話，因為語氣的不同，會形成差異極大的感染力量，其語勢的強弱或語調的高低都可能產生不同的感受，這就是語言風格的初步差異。文字是構成辭章的基本要素，其形成感染力的脈絡和語言類似，語句的長短、聲調的抑揚，以至於運用不同的標點符號造成不同的語意，皆可形成不同的感染力。當某種語文的氣勢成為個人的用語習慣，其語文風格就逐漸形成了。無論其風格偏於剛健，或偏於柔婉，當接收者（讀者）感受到文章之美，其正向的風格就確定了。所以教師在進行風格教學時，必須讓學生體認到辭章風格與文學作品的美感是密不可分的，因為一篇主旨明確、架構完整、遣詞造句亦流露美感氛圍的文章，其風格必然蘊含豐富的美感，這是風格之審美教學首先必須強調的概念。

（二）強調風格的美感效果

　　既然辭章的風格與美感密不可分，其散發出的美感效果必然能夠感動讀者。讀者通常可從主題的清朗或晦暗、取材的柔婉或雄放、修

辭的典雅或通俗及章法結構的勁健或柔和，直接感受到辭章的各種美
感，這些美感可視為辭章的風格展現。當辭章所展現的是雄曠、豪
邁、勁健、剛強的風格，通常就會呈現一種「壯美」的效果；而呈現
婉約、柔媚、清逸、濃豔的風格，則呈現另一種「優美」的效果。風
格的「陽剛」或「陰柔」，正可呼應於美學上的「對比」與「調和」，
延展出「優美」或「壯美」的型態。無論是哪一種風格，或哪一種美
感，其對於人類心靈都會產生舒適、爽快的感覺。這是我們從事風格
審美教學所必須強調的第二個理念。

（三）建立風格的審美原則

　　進行辭章的風格分析，其本質就是辭章的美感鑑賞。從主題風格
的匯整，讓我們領略了辭章的立意之美；從意象風格的探討，讓我們
領略了辭章的取材之美；從詞彙風格的分析，讓我們瞭解遣詞也有不
同的雅俗美感；從修辭風格的梳理，我們發現了每一種修辭格的美對
於整體辭章的影響；從章法風格的脈絡統整中，我們深入瞭解了章法
風格的陽剛之美與陰柔之美。為了瞭解辭章整體的風格，我們從辭章
具體的主題、意象、詞彙、修辭及章法，梳理其個別向度的風格脈
絡，也同時印證風格即蘊含美感的事實。所以我們知道，引導學生進
行風格分析就是一次面對文學藝術的審美歷程，其審美原則就在風格
分析的過程中逐步建構起來。首先，瞭解辭章在主題風格、意象風
格、詞彙風格、修辭風格及章法風格的個別呈現；其次，再評估個別
向度的風格對於整體辭章風格的影響程度，通常主題風格與章法風格
影響最大，而意象風格、詞彙風格及修辭風格影響較小；再者，確認
整體辭章風格的剛柔取向，並配合傳統印象式的述評，統整出辭章的
整體評價。當辭章的整體風格出現，其代表文學藝術的整體美感也就
隨之產生，當學生掌握了風格分析的具體步驟，也同時領略了辭章風
格的審美原則，對於學生審美素養的提升當有正向的助益。

（四）培養學生對辭章的審美能力

我們要建立風格的審美原則，就是在提供一套具體可行的鑑賞原理，以供學生進行風格分析。事實上，從辭章風格的基礎教學引導學生掌握其風格分析的步驟，實足以因應對整體辭章的理解與體會；而審美教學的意義在於提升學生檢視辭章風格的高度，期望引領學生從美學與哲學的角度來觀照辭章的藝術價值。

文學被視為人類的重要藝術之一，以辭章為主體的文學藝術不僅蘊含文學知識的「真」，更存在實用的「善」，同時也具備永恆的「美」。因此，辭章風格教學的目標不僅是讓學生掌握辭章學的知識，也不僅於學習風格分析的實用技巧而已，更重要的是如何引導學生領略辭章的藝術之美，並培養學生對辭章的審美能力，建立其完整的審美素養，並融於日常生活之中，才足以激發學生更多探索與創造之能力，同時又具備優質的文化素養，這才是語文教師在從事語文教學時所應思考與整備的積極態度。

結語

學生以才性學養之差異，對於辭章的感知能力也參差紛紜。我們試圖建立一個具體可循的風格鑑賞原則，目的在激發學生對於辭章之形象思維與邏輯思維的認知，讓他們對於風格的理解不再如霧裡看花，而是能確實掌握其內在規律，培養有效而具體的鑑賞能力。當然，在實際的風格教學中，面對不同程度的學生，教師對於教學步驟的斟酌調整，仍是必要的。對於美學感受較淺的學生，可以從基礎分析的訓練做起；而對於美感藝術較敏銳的學生，其風格的審美教學則不可或缺。

第五章
辭章風格的教學活動設計

　　辭章風格的教學活動可分為「教學」與「評量」兩個部分，在教學活動方面，又可分為「鑑賞」活動及「寫作」活動；在評量設計方面，則以「選擇題」的題型設計為主。

第一節　風格鑑賞教學的活動設計

　　依現行國文教學的實施，可區分為「準備活動」、「發展活動」、「綜合活動」與「追蹤活動」等四大活動。辭章風格的鑑賞是屬於「綜合活動」的階段。前述第四章已經確立風格教學的具體步驟為「檢視作家風格」、「進行辭章分析」、「融合寫作背景」、「確定風格趨向」。本節針對教學之綜合活動，將辭章風格教學的四大步驟落實於教案設計中，以見其教學活動之梗概。因限於篇幅，僅列舉國中教材之〈夏夜〉及高中教材之〈飲酒詩之五〉為例，設計教案如下。

一　〈夏夜〉之風格教學活動設計

單元名稱	夏夜	班級	七年二班	人數	30
教材來源	翰林版國中國文第一冊	指導教師	蒲基維	時間	50分鐘
教材研究	〈夏夜〉一詩是童詩，其意象活潑生動，充滿想像之逸趣，屬於「剛中寓柔」的風格形式。				
學生條件分析	這一班級是剛從小學畢業的七年級學生，以其十三歲的年齡與心智，對於抽象風格感受較弱，必須用具體意象加以引引導，才能收教學之效。				
教學方法	課文結構講解、引導鑑賞、心得分享				
教學資源	課本、字詞卡、結構分析表投影片				
教學目標	單元目標		具體目標		
	一、認知方面 　1.能瞭解作家風格。 　2.能瞭解辭章的取材意象。 　3.能辨析重要的修辭美感。 　4.能理解詩的結構布局。 二、能力方面 　5.培養材料意象的辨識能力。 　6.培養鑑賞能力。 三、情意方面 　7.能感受詩的情意內涵。 　8.能感受詩的風格與美感。		1-1 能瞭解作家生平。 1-2 能說出作家風格。 2-1 能說出材料的意象。 2-2 能辨識意象風格。 3-1 能說出修辭類型。 3-2 能瞭解修辭的美感效果。 3-3 能辨識修辭風格。 4-1 能瞭解詩的結構。 4-2 能分辨詩的陰陽動勢。 4-3 能辨識詩的章法風格。 5-1 能理解作者取材的用意。 5-2 能辨識材料的意象。 6-1 能掌握詩的鑑賞原則。		

			6-2 能實際鑑賞詩歌。 7-1 能掌握詩的主旨。 7-2 能體會詩的主題風格。 8-1 能感受詩的風格之美。 8-2 能培養詩歌鑑賞的興趣。	

時 間 分 配	節	月	日	教　學　重　點
	4			（一）檢視作家風格　　（二）進行辭章分析 （三）融合寫作背景　　（四）確定風格趨向

教學 目標	教學活動	教具	時間	評量	備註
	※綜合活動		[50]		
1-1	一、介紹作者生平，並強調足以影響 　　其個人風格的事蹟或經歷。 　1.童年生活不幸，反以純真的詩 　　心，對抗生命的悲苦。 　2.早年隨部隊來台，曾任陸軍上士 　　文書。 　3.民國四十三年，因車禍喪生，得 　　年二十五歲。	板書補充	5'		
1-2	二、由楊喚生平際遇與性格，透視其 　　風格趨向。 　→熱愛生命、性情真摯誠懇		3'	1-1達成 1-2達成	
2-1	三、辨識〈夏夜〉材料意象： 　1.蝴蝶、蜜蜂、羊隊、牛群、火紅 　　的太陽：用於夜來之背景，營造 　　輕快自然的感覺。 　2.「夜」輕輕地爬下來：靈巧而親 　　切，	字詞卡	5'		

	3. 小雞、小鴨、小弟弟、小妹妹、山巒、田野：描寫自然與人事的種種睡態，表現夏夜的寧靜。			
	4. 南瓜、藤蔓、小河、夜風、螢火蟲：描寫自然景物的動態，表現夏夜的靈動之美。			2-1達成
2-2	四、辨識意象風格： 　每一種物象，都充滿靈動活潑的感染力。		2'	2-2達成
3-1 3-2	五、找出特殊修辭並說明美感效果： 　1. 擬人：全詩的物象均被作者擬人化了，營造了親切的感染力，其筆調亦顯自然。 　2. 譬喻：以「珍珠」、「銀幣」比喻星星和月亮，使星空的形象更加閃動亮麗。 　3. 呼告：「美麗的夏夜啊！涼爽的夏夜啊！」有加強印象表達對夏夜的熱愛之情。	修辭卡	3'	3-1達成 3-2達成
3-3	六、辨識修辭風格： 　1. 擬人法的運用最易形成「親切自然」的風格。本詩之物象彷彿與讀者對話，拉近了不少距離。 　2. 譬喻法使物象更加鮮明，其閃動亮麗之感又增加鮮豔穠麗的色彩。 　3. 呼告修辭容易營造激昂的氛圍。		2'	3-3達成
4-1	七、分析詩的結構： 　見附錄結構表。 　1. 以蝴蝶、蜜蜂等物象作為背景，描寫夜來之前的騷動，具烘托之效。	結構表投影片	8'	

	2. 自然與人事的交錯描寫，具和諧之美感。			
	3. 有抽象的呼告，也有具象的寫景，層次非常鮮明。			
	4. 景物描寫有動態和靜態，形成強烈的對比。			4-1達成
4-2 4-3	八、分辨結構表的陰陽動勢： 　1. 底層凸顯陽剛之氣。 　2. 三層的陰柔之氣稍強。但不足以主導全詩風格。 　3. 次層陽剛之氣又強。 　4. 上層陽剛之氣最強。		3' 3'	4-2達成 4-3達成
5-1	九、確定詩的章法風格： 　本詩為「剛中寓柔」的風格形態。	板書補充	3'	
5-2	十、理解作者取材的用意，並培養辨識材料意象的能力： 　詩人選用自然和人事的景物，並將它們擬人化，是童詩固有的特質，作者發揮靈動的想像力，目的就是要贏造夏夜清新而活潑的氛圍。			5-1達成 5-2達成
6-1 6-2	十一、掌握詩風格的鑑賞原則，並實際鑑賞詩歌： 　1. 檢視作家風格：楊喚為童詩代表作家。 　2. 進行辭章分析：意象、修辭、章法、主題等。 　3. 融合寫作背景：含作家、時代、流派、地域等因素。 　4. 確定風格趨向：天真爛漫、生動	板書補充	3'	6-1達成 6-2達成

	活潑。			7-1達成
7-1 7-2	十二、引導學生確定詩的情意，並深 　　刻體會主題風格： 　　本詩旨在歌頌夏夜的美好，其主 　　題呈現的是清新自然、生動活潑 　　的格調。	板書補充	5'	7-2達成
8-1 8-2	十三、統整局部風格，確定整體風格 　　的趨向： 　　這首詩所使用的材料蘊含親切、 　　活潑的感染力，再加上描寫夏夜 　　之美的主題，使全詩具有和諧的 　　美感，更具有輕快活潑的律動。	板書補充	5'	8-1達成 8-2達成

附錄：〈夏夜〉結構分析表

二　〈飲酒詩之五〉之風格教學活動設計

單元名稱	飲酒詩之五	班級	高二恭班	人數	40人
教材來源	東大版高中國文第三冊	指導教師	蒲基維	時間	50分鐘
教材研究	〈飲酒詩之五〉是陶淵明歸隱田園時的作品，全詩抒發隱居生活的真趣，充滿悠閒自然的美感。				
學生條件分析	高二學生的閱歷較為豐富，這一班又是文組的學生，可以進行較為抽象的思維引導，並可教授更深的風格規律。				
教學方法	課文結構講解、引導鑑賞、心得分享				
教學資源	課本、字詞卡、修辭卡、結構分析表投影片				

教　學　目　標	單元目標	具體目標
	一、認知方面 　1.能瞭解作家風格。 　2.能瞭解辭章的取材意象。 　3.能辨析重要的修辭美感。 　4.能理解詩的結構布局。 二、能力方面 　5.培養材料意象的辨識能力。 　6.培養鑑賞能力。 三、情意方面 　7.能感受詩的情意內涵。 　8.能感受詩的風格與美感。	1-1 能瞭解作家生平。 1-2 能說出作家風格。 2-1 能說出材料的意象。 2-2 能辨識意象風格。 3-1 能說出修辭類型。 3-2 能瞭解修辭的美感效果。 3-3 能辨識修辭風格。 4-1 能瞭解詩的結構。 4-2 能分辨詩的陰陽動勢。 4-3 能辨識詩的章法風格。 5-1 能理解作者取材的用意。 5-2 能辨識材料的意象。 6-1 能掌握詩的鑑賞原則。

				6-2 能實際鑑賞詩歌。 7-1 能掌握詩的主旨。 7-2 能體會詩的主題風格。 8-1 能感受詩的風格之美。 8-2 能培養詩歌鑑賞的興趣。

時間分配	節	月	日	教　學　重　點
	4			（一）檢視作家風格　　（二）進行辭章分析 （三）融合寫作背景　　（四）確定風格趨向

教學目標	教學活動	教具	時間	評量	備註
	※綜合活動		[50]		
1-1	一、介紹陶淵明生平，並強調足以影 　　響其個人風格的事蹟或性格。 　1. 四十歲以前時官時隱的際遇。 　2. 不喜歡官場逢迎拍馬的文化。 　3. 晚年隱居田園的適志與寧靜。	課本 板書補充	5'	1-1達成	
1-2	二、由陶淵明生平際遇與性格，透視 　　其風格趨向。 　→恬淡、自然、率真		3'	1-2達成	
2-1	三、辨識材料意象： 　1. 車馬喧：象徵官場與世俗的紛 　　擾。 　2. 採菊：象徵悠閒自得的生活。 　3. 見南山：表達「物我」合一的心 　　境。 　4. 山氣、飛鳥：以景物之空曠，表 　　達心境之悠然。	字詞卡	5'	2-1達成	
2-2	四、辨識意象風格： 　　超塵絕俗、空闊悠遠。		2'	2-2達成	

3-1	五、找出特殊修辭並說明美感效果：	修辭卡			
3-2	1. 提問：「問君」二句強調印象，並增加詩人與讀者之間的親切感。				
	2. 頂針：「見南山，山氣……」，形成意象的連結，讓「我」與「物」合而為一。				
	3. 象徵：「飛鳥」象徵詩人從百般束縛的官場，回歸到自由自在之田園生活的喜樂。			3-1達成 3-2達成	
3-3	六、辨識修辭風格：		5'		
	1. 提問修辭可以增加親切感，營造自然之風。				
	2. 頂針修辭造成意象的連結，使物象有連綿之感。				
	3. 象徵修辭通常可以營造「含蓄」之風，此處又以飛鳥來作象徵，更有「悠遠」之致。			3-3達成	
4-1	七、分析詩的結構： 　　見附錄結構表。	結構分析表投影片	8'		
	1. 寫景部分先由抽象之筆法，表達「心遠地自偏」的觀點，再具體描寫遠近之景色，層次非常鮮明。				
	2. 抒情部分有正反對比，凸顯「真意」之難辨，也提升詩的意境。			4-1達成	
4-2	八、分辨結構表的陰陽動勢：	板書補充	3'		
	1. 底層陰柔之勢較強。				
	2. 次層呈現陽剛之勢。				
	3. 上層的陰柔之勢最強。			4-2達成	
4-3	九、確定詩的章法風格：		3'		

	本詩為「剛柔相濟」的風格形態。		3'	4-3達成
5-1 5-2	十、理解作者取材的用意，並培養辨識材料意象的能力： 詩人選用自然景物來表現悠閒的隱居情趣，可以見出詩人熱愛田園、甘於平淡的心志。			5-1達成 5-2達成
6-1 6-2	十一、掌握詩風格的鑑賞原則，並實際鑑賞詩歌： 　1.檢視作家風格。 　2.進行辭章分析：意象、修辭、章法、主題等。 　3.融合外圍因素：含作家、時代、流派、地域等因素。 　4.確定風格趨向。	板書補充	3'	6-1達成 6-2達成
7-1 7-2	十二、引導學生確定詩的情意，並深刻體會主題風格： 作者藉飲酒之名，抒發田園生活中遠離名利、悠然自得的心境。其立意超遠，並有清新自然與悠遠的美感。	板書補充	5'	7-1達成 7-2達成
8-1 8-2	十三、統整局部風格，確定風格趨向： 整首詩有「清新自然」的風格，而在形式與內容上也達到了「和諧統一」的美感。	板書補充	5'	8-1達成 8-2達成

附錄：〈飲酒詩之五〉結構分析表

第二節　風格寫作教學的活動設計

寫作教學當以「能力」為主軸，並由局部、單一之能力，逐步訓練到整體、綜合之能力。使學生從實作中學習，逐漸建立完整的寫作能力，並學會如何運用不同材料來寫出不同風格的作品。

寫作訓練一 ：辨識材料意象的風格

請仔細理解表格中各組材料的內在情理，並寫出這些材料的情理所蘊含的風格。

參考答案：壯闊雄偉、質樸自然、柔媚可愛、豪放飄逸、陰冷幽暗、穠豔華麗

材　料　意　象	風　格
玉山、阿里山、日月潭、大甲溪	
桃花、蝴蝶、美人、鞦韆、羅扇	
緊掩的窗扉、青石街道、黃昏	

※思路引導：

　　這一題目是在訓練學生取材能力和辨識意象風格的能力。不同的材料，會給人不同的情意感受。第一組「玉山、阿里山、日月潭、大甲溪」都是屬於開闊的山水景物，容易形成「壯闊雄偉」的風格；第二組「桃花、蝴蝶、美人、鞦韆、羅扇」都是閨閣女性身邊的事物，容易營造「柔媚可愛」的感染力；第三組「緊掩的窗扉、青石街道、黃昏」屬於陰暗閉塞的空間，容易形成「陰冷幽暗」的氛圍。

寫作訓練二 ：遣詞造句辨風格

> 　　下列是一般的平鋪直敘的語句，請運用「疊字」修辭改寫，營造不同的修辭風格：

敘　　事　　句	修　　辭　　句
我不禁滿身大汗而淚流滿面。	我不禁汗涔涔而淚潸潸了。
天空下起雨來，把我都淋濕了。	
陽光很烈，曬得我全身發燙。	

※思路引導：

　　這一題目是在訓練學生的修辭能力，並且學會運用修辭以營造不同的修辭風格。「疊字」修辭是利用字詞的重複，以加強讀者對於事物的印象，同時又能營造特殊的節奏感。「天空下起雨來，把我都淋濕了。」如果加上疊字，可以變成「天空淅瀝瀝地下起雨，把我淋得濕達達的」。第二題「陽光很烈，曬得我全身發燙。」如果加上疊字，可以變成「火辣辣的太陽，曬得我皮膚紅烙烙的」。

寫作訓練三 ：謀篇布局創風格

> 請以「記遊」為主題，寫作一篇結構完整、主旨明確的文章。
> 一、請以散文體裁寫作，勿用新詩或小說來創作。
> 二、請同時列出簡略的寫作大綱。
> 三、文長在四〇〇～六〇〇字之間。

※思路引導：

　　這一題目的設計是在凸顯謀篇能力的訓練，並運用不同的結構布局，營造不同的辭章風格。這一題目以「記遊」為主題，通常會出現「敘論法」或「情景法」的結構布局。一般而言，「先敘事後議論」的結構形式容易塑造理性的思維，會形成陽剛的風格；「先寫景後抒情」的結構形式容易塑造感性的思維，會形成陰柔的風格。如果再進一步運用「敘事→議論→敘事」，可能在理趣的思維之中，更增加親切感，使文章呈現「剛柔相濟」的風格形式；至於「寫景→抒情→寫景」的結構形式，可能強化客觀寫景的成分，同樣容易營造「剛柔相濟」的風格。教師在引導學生寫作此題時，可以簡略說明「不同結構形式可能造成不同風格」的概念，讓學生有具體可循的方向，其教學效果會更好。

寫作訓練四：綜合訓練

> 　　人類的情緒是多元的，有時悲傷，有時歡笑，有時憤怒，有時快樂。請你運用適當材料，利用寫景或敘事的方式，來表達你個人的某種情緒。
>
> 　一、篇幅安排請以寫景或敘事為多，抒情為少。
> 　二、文章必須分段，不得以詩歌形式書寫。
> 　三、文長在四〇〇～六〇〇字之間。

※思路引導：

　　這一題目是在訓連學生的立意能力和綜合能力。在寫作中，表現不同的情緒，可以運用不同的材料來表達。例如悲傷可用「風雪」、「陰暗的角落」、「霪雨霏霏」等物象來傳情，歡笑、快樂可以用「氣球」、「陽光」等物象來表達，而表現憤怒的情緒，則可以用「火山」、「海嘯」或「龍捲風」等物象來表達。再加上不同的主題，不同的謀篇布局，都可能造成不同的風格。教師可以藉由這幾種概念來引導學生，使他們寫出獨特風格的文章。

第三節　風格評量教學的活動設計

　　風格教學的評量設計是屬於國文教學四大活動中的「追蹤活動」，即利用評量來檢視學生對於風格鑑賞的學習成果，並根據評量成績來修正教學方法，或從事補救教學的活動。本節以「四選一」的單選題為例，針對「辭章風格」、「作家風格」與「時代、流派、地域風格」等項，分述如下。

一　關於辭章風格的評量設計

　　辭章風格的類型非常多樣，我們在設計其評量題目時，可以就「剛中寓柔」、「柔中寓剛」及「剛柔相濟」三種基本類型來命題，而列出辭章內容，讓學生來辨識其風格類型，應是較好的命題方式。以下是命題之範例：

1. 下列四首詩中所呈現的情意，何者可以感受到「雄偉壯闊」的風格？

　　（A）玉階生白露，夜久浸羅襪，卻下水晶簾，玲瓏望秋月。

　　（B）山中相送罷，日暮掩柴扉；春草年年綠，王孫歸不歸？

　　（C）明月出天山，蒼茫雲海間；長風幾萬里，吹度玉門關。

　　（D）美人捲珠簾，深坐顰蛾眉；但見淚痕濕，不知心恨誰？

答案：（C）

解析：

　　這一題目要求學生找出「雄偉壯闊」風格的作品，主要是在評量其對於「剛中寓柔」之辭章風格的認知。（A）選項是李白的〈玉階怨〉，在表達思婦的等待之情，風格趨於哀怨淒憐；（B）選項是王維的〈送別〉，主要在表達送別之情，呈現的是愁緒纏綿的風格；（C）選項節錄自李白的〈關山月〉，主要在描寫塞外邊疆的景色，其雄偉壯闊之感非常明顯；（D）選項是李白的〈怨情〉，也在表達怨婦的愁恨，同樣是哀怨纏綿的氛圍。所以答案選（C）。

2. 下列四首詩中所呈現的情意，何者可以令人感受到「疏淡自然」的風格？

　　（A）寒雨連江夜入吳，平明送客楚山孤；洛陽親友如相問，一片冰心在玉壺。

　　（B）獨憐幽草澗邊生，上有黃鸝深樹鳴；春潮帶雨晚來急，野渡無人舟自橫。

（C）岐王宅裡尋常見，崔九堂前幾度聞；正是江南好風景，落花
　　　時節又逢君。

（D）落魄江湖載酒行，楚腰纖細掌中輕；十年一覺揚州夢，贏得
　　　青樓薄倖名。

答案：（B）

解析：

　　這一題目要求學生辨識出「疏淡自然」風格的作品，主要在評量其對於「柔中寓剛」之辭章風格的認知。（A）選項選自王昌齡〈芙蓉樓宋辛漸〉，表現的是送別的情境，從材料意象和主題可以感受到孤冷淒清的氛圍；（B）選項選自韋應物〈滁州西澗〉，其如詩如畫的山水景致，正可表現「疏淡自然」之風；（C）選項選自杜甫〈江南逢李龜年〉，主要在抒發對時代盛衰與晚年流浪之感慨，其今昔對比帶出「淒涼抑鬱」的風格；（D）選項選自杜牧〈遣懷〉，旨在追憶昔日落魄揚州的生活，其放浪生活的描寫充滿「悔恨感傷」的情緒。所以答案選（B）。

3. 下列所節錄的四首現代詩中，其呈現的情意，何者可以令人感受到「古樸典雅」的風格？

（A）南朝的時候／我打此經過／寫了幾首詩／和女子調笑／他們戲稱我為／帝王。歷史要數說我／亡國的罪愆／但是／我的罪／何止亡國

（B）我大清早起／站在人家屋角啞啞的啼／人家討嫌我，說我不吉利／我不能呢呢喃喃討人家的歡喜／天寒風緊／無枝可棲

（C）感謝你們／對於我／小小的存在／還報予／生命最熱烈的／掌聲

（D）來自石頭的族群／雖然被騷人墨客／請入書齋／視為上賓／始終還不是／不改其石頭的本性

答案：（A）
解析：

　　這一題目要求學生找出「古樸典雅」風格的作品，主要是在評量其對於「剛柔相濟」之辭章風格的認知。（A）選項節錄自蔣勳〈南朝的時候〉，其歌詠古人古事，明顯有「古樸典雅」之風；（B）選項節錄自胡適〈老鴉〉，其自我解嘲充滿「詼諧戲謔」之趣；（C）選項節錄自李瘦蝶〈蚊子〉，一反我們對於蚊子的負面形象，此詩所展現的是「生動活潑」的意境；（D）選項節錄自文曉村〈文房四寶〉，其歌詠硯臺，遣詞用字都相當「平整沉穩」。所以答案選（A）。

二　關於作家風格的評量設計

　　作家風格來自於作家的才氣與學識，也直接影響辭章風格的趨向。我們在評量學生對於作家風格的瞭解程度，可以運用辭章來反推作家的風格，如此可以深入瞭解辭章風格的內涵，更能緊密結合辭章與作家之關係。試舉杜甫、蘇軾、辛棄疾和徐志摩為例，設計評量題目如下：

1.杜甫詩歌向來有「沉鬱頓挫」之美，下列詩歌，何者最能代表這種風格？

　（A）錦里先生烏角巾，園收芋粟未全貧。慣看賓客兒童喜，得食階除鳥雀馴。秋水才深四五尺，野航恰受兩三人。白沙翠竹江村暮，相送柴門月色新。

　（B）好雨知時節，當春乃發生。隨風潛入夜，潤物細無聲。野徑雲俱黑，江船火獨明。曉看紅濕處，花重錦官城。

　（C）舍南舍北皆春水，但見群鷗日日來，花徑不曾緣客掃，蓬門今始為君開。盤飧市遠無兼味，樽酒家貧只舊醅。肯與鄰翁相對飲，隔籬呼取盡餘杯。

（D）國破山河在，城春草木深，感時花濺淚，恨別鳥驚心。烽火
　　　連三月，家書抵萬金。白頭搔更短，渾欲不勝簪。

答案：（D）

解析：

　　這一題目是藉由閱讀杜甫詩來辨識其「沉鬱頓挫」的風格，可以
評量學生對於杜甫生平際遇的熟悉程度，同時也檢視學生知否運用材
料、主旨以檢視風格的原則。（A）選項為杜甫〈南鄰〉詩，是他作
客南鄰所寫下的山莊訪隱圖，顯現其「恬淡清幽」的風格；（B）選項
是〈春夜喜雨〉詩，旨在描寫春夜雨景，抒發喜悅的心情，其藉景抒
情的筆調，充分展現靈動活悅的特色；（C）選項是〈客至〉詩，是杜
甫寓居浣花溪草堂因摯友來訪所寫下的動人紀事。全詩描寫客至的情
景，顯得「自然率真」；（D）選項是〈春望〉詩，是杜甫親逢安史之
亂，身處長安，與妻兒仳離時所寫下的感恨詩。其感情濃烈，氣度渾
澔，正是其「沉鬱頓挫」之風格的代表詩作。所以答案選（D）。

2. 蘇軾是「豪放」詞風的開創者，但是其詞仍不乏柔媚婉約的作品，
　 下列所節錄的詞作，何者表現出蘇軾「柔媚婉約」的詞風？
　（A）去年相送，餘杭門外，飛雪似楊花。今年春盡，楊花似雪，
　　　　猶不見還家。　　對酒捲簾邀明月，風露透窗紗。恰似姮娥
　　　　憐雙燕，分明照，畫梁斜。
　（B）春未老，風細柳斜斜。試上超然臺上作，半壕春水一城花。
　　　　煙雨暗千家。　　寒食後，酒醒卻咨嗟，休對故人思故國，
　　　　且將薪火試新茶，詩酒趁年華。
　（C）一千頃，都鏡淨，倒碧峰。忽然浪起，掀舞一葉白頭翁。堪
　　　　笑蘭臺公子，未解莊生天籟，剛道有雌雄。一點浩然氣，千
　　　　里快哉風。

（D）歸去來兮，清谿無底，上有千仞嵯峨。畫樓東畔，天遠夕陽
　　　多。老去君恩未報，空回首，彈鋏悲歌。舡頭轉，長風萬
　　　里，歸馬駐平坡。

答案：（A）

解析：

　　這一題目是在評量學生辨識東坡詞風格的能力。（A）選項〈少
年遊〉在表現送別之情，是蘇軾婉約詞的代表作；（B）選項是〈望江
南〉，寫的是超然臺的景致，充滿曠達之氣；（C）選項是〈水調歌
頭〉，是蘇軾為黃州快哉亭所作，其恢闊雄偉的感染力非常明顯；
（D）選項是〈滿庭芳〉，為蘇軾告別黃州的作品，其景物描寫與情
意表達都呈現峻闊之感。所以答案選（A）。

3. 辛棄疾的詞風具有多樣面貌，有些是疏淡自然，有些是慷慨悲憤，
　有些則是清新婉約，下列辛詞中，何者屬於「疏淡自然」的風格？
　（A）少年不識愁滋味，愛上層樓。愛上層樓，為賦新詞強說愁。
　　　　而今識盡愁滋味，欲說還休。欲說還休，卻道天涼好個秋。
　（B）醉裡挑燈看劍，夢回吹角連營。八百里分麾下炙，五十絃翻
　　　　塞外聲。沙場秋點兵。　　馬作的盧飛快，弓如霹靂弦驚。
　　　　了卻君王天下事，贏得生前身後名，可憐白髮生。
　（C）明月別枝驚鵲，清風半夜鳴蟬。稻花香裡說豐年，聽取蛙聲
　　　　一片。七八個星天外，兩三點雨山前。舊時茅店社林邊，路
　　　　轉溪橋忽見。
　（D）何處望神州？滿眼風光北固樓。千古興亡多少事，悠悠，不
　　　　盡長江滾滾流。　　年少萬兜鍪，坐斷東南戰未休，天下英
　　　　雄誰敵手？曹劉，生子當如孫仲謀。

答案：（C）

解析：

（A）選項〈醜奴兒〉是辛棄疾閒居帶湖的作品，其表現生活的辛酸充滿深沉含蓄之感；（B）選項的〈破陣子〉則表現了辛棄疾的愛國熱忱與現實的憤懣，展現其慷慨激昂的氣勢；（C）選項的〈西江月〉是辛棄疾描寫農村景色的代表作，確實呈現疏淡自然的風格；（D）選項的〈南鄉子〉藉懷古抒發家國興亡之感，也是展現其豪邁雄放的氣魄。所以答案選（C）。

4. 下列有關徐志摩之個人風格的敘述何者正確？

（A）其出身貧寒家庭，性格偏向拘泥孤傲，後接收新文化才逐漸擺脫拘滯的思維。

（B）在英國康橋期間，吸取了此地文化的洗禮，對於其浪漫情懷與理性思維有深遠影響。

（C）因為自我意識強烈，再加上寫詩不拘格套，極力反對當時的格律詩派的作詩風格。

（D）徐志摩寫詩充滿溫婉柔媚的情味，散文則一反詩風，呈現辛辣的風格。

答案：（B）

解析：

這一題目是在評量學生對於徐志摩之作家風格的瞭解。（A）選項應是家境富裕，其性格亦無孤傲拘泥之氣；（C）選項中徐志摩應是三〇年代格律詩派的代表人物；（D）選項中徐志摩的散文親切自然，並無辛辣之風。所以答案選（B）。

三　關於時代、流派及地域風格的評量設計

本節就時代、流派、地域之不同所形成的迴異風格，個別設計其評量題目如下：

1. 近體詩在唐代與宋代的發展軌跡不同，因主題與表現技巧的迴異，各形成不同的風格。一般而言，唐詩主情韻，風格趨於感性；而宋詩主議論，風格偏於理性。下列作品何者是屬於宋詩的風格。

（A）楊柳渡頭行客稀，罟師盪槳向臨沂。惟有相思似春色，江南江北送君歸。

（B）昨夜江邊春水生，艨艟巨艦一毛輕。向來枉費推移力，此日中流自在行。

（C）五陵年少金市東，銀鞍白馬度春風。落花踏盡遊何處，笑入胡姬酒肆中。

（D）天街小雨潤如酥，草色遙看近卻無。最是一年春好處，絕勝煙柳滿皇都。

答案：（B）

解析：

這一題目是在評量學生認識近體詩因時代之不同所形成的不同風格。（A）選項是王維〈送沈子福歸江東〉，其傳達的離愁別情，特別有豐縟華贍的韻味；（B）選項是朱熹〈觀書有感〉，藉行船作喻，說明條件成熟，才能功到自然成之理，充滿宋詩之理趣；（C）選項是李白〈少年行之二〉，其描寫五陵少年意氣風發的神態，表現作者的人生形象，深具昂揚之氣是；（D）選項是韓愈〈早春呈水部張十八員外之一〉，其描寫滿城煙柳的長安景色，頗有清新溫潤之感。所以答案選（B）。

2. 唐宋詞向來有「婉約」與「豪放」之別，下列四闋詞中，何者屬於「婉約」之詞風？

（A）金風細細，葉葉梧桐墜。綠酒初嘗人易醉。一枕小窗濃睡。紫薇朱槿花殘，斜陽卻照闌干，雙燕欲歸時節，銀屏昨夜微寒。

（B）老夫聊發少年狂，左牽黃，右擎蒼，錦帽貂裘，千騎捲平岡。為報傾城隨太守，親射虎，看孫郎。

（C）千古江山，英雄無覓，孫仲謀處。舞榭歌臺，風流總被、雨打風吹去。斜陽草樹，尋常巷陌，人道寄奴曾住。想當年，金戈鐵馬，氣吞萬里如虎。

（D）綠楊巷陌秋風起，邊城一片離索。馬嘶漸遠，人歸甚處，戍樓吹角。情懷正惡，更衰草寒煙淡薄。似當時、將軍部曲，迤邐度沙漠。

答案：（A）

解析：

　　這一題目是在評量學生辨識婉約詞派與豪放詞派的不同風格。（A）選項是晏殊〈清平樂〉，其景物描寫充分表現婉約詞派應有的柔媚風格；（B）選項節錄自蘇軾〈江城子〉，其描寫的射獵情景，表現出豪邁的氣勢；（C）選項節錄自辛棄疾〈永遇樂〉，這裡的江山之景與今昔之感，也是屬於雄壯豪邁的風格；（D）選項節錄自姜夔〈淒涼犯〉，這裡的景物描寫，營造出冷峻高遠之風。所以答案選（A）。

3. 南北朝民歌因為地域環境與風俗習慣的不同，造成其迥異的風格。一般而言，北朝民歌較為豪邁奔放，而南朝民歌較為柔媚含蓄。下列何者屬於南朝民歌「柔媚含蓄」的風格？

（A）男兒須作健，結伴不須多，鷂子經天飛，群雀兩相波。

（B）驅羊入谷，白羊在前，老女不嫁，蹋地喚天。

（C）門前一株棗，歲歲不知老。阿婆不嫁女，哪得孫兒抱。

（D）秋風入窗裡，羅帳起飄揚，仰頭看明月，寄情千里光。

答案：（D）

解析：

　　這一題目是在評量學生認識南北朝民歌因地域、風俗之不同，所產生不同風格的詩歌。（A）選項是北朝的〈企喻歌〉，主要在摹寫男子以豪勇為榮的心理，表現豪邁之氣；（B）選項是北朝的〈地驅樂歌〉，其表達的女子悲憤，充滿慷慨之氣；（C）選項是北朝的〈折楊柳枝歌〉，是母親對女兒企盼出嫁的心情描寫，表露得非常直接；（D）選項是南朝的〈子夜四時歌〉，其綺思艷語充滿旖旎情致。所以答案選（D）。

結語

　　教學活動是理論建構之後的實踐程序，在辭章風格教學的理論基礎之上，我們運用教學活動以落實教學效果，更藉以檢視理論與原則的完整性與可行性。透過鑑賞教學、寫作教學及評量教學的活動設計，我們夠能確定辭章風格教學的可行性，其教學原則的實踐，更有助於教師引導學生建立辭章的鑑賞能力，並能體會辭章之美。

第六章
結論

　　語文能力的培養是國文教學的重要目標。尤其在當前教育體制下，教材版本的開放、入學管道的多元、評量方式的革新與價值觀念的紛繁，培養學生完備的中文（語）能力更是重要。就中學生而言，大致已經建構了基礎的中文聽、說能力，相較之下，其讀、寫能力的培養更是教學的重點。閱讀與寫作本是一種順向與逆向的互動關係，聯繫此一關係的樞紐就是辭章的鑑賞。風格的研究實為辭章鑑賞的核心，風格教學的實施，就是在培養學生鑑賞辭章的能力，並利用鑑賞所得，一方面可以領略辭章之美，另一方面又能轉化為辭章創作的能力。由此可知，辭章風格的教學是建立學生讀寫能力的重要基石。本論文在此觀念的領導之下，詳細地探討辭章風格教學的種種面向，獲得了下列幾項成果：

一　建構辭章風格教學的理論基礎

　　教學活動的實施，必須先有完整的理論基礎，才能確立教學目標，掌握教學方法，進而形成良好的師生互動，達到教學相長的理想境界。就辭章風格的教學而言，我們首先針對「風格的定義」及「風格品類的論述」，探討其源流與轉變；其次，利用《周易》（含〈易傳〉）八卦之卦象，探討風格的哲學根源；在這些基礎之上，進一步從辭章風格內在條理的論述，確定風格的檢視規律，並結合心理學、美學之理論，以分析風格教學的心理基礎。我們釐清了風格論述的發

展軌跡，並運用哲學與美學的觀念，建構了辭章風格分析的理論。為了理論的實用性，更從創作與鑑賞兩個面向認知到風格教學的心理脈絡，確實對於風格的實際教學具有指導的作用。

二　疏通辭章風格與作家風格的關係

　　辭章的創作本來就是作家情志的具體展現。有關辭章風格的內在成素，如材料意象的運用、修辭技巧的變化、字句及篇章邏輯的組織，以至於主題的呈現等，均有賴於作家之智力與情志的施展。我們試圖釐清作家風格的成因，找到了作家性格形成，由才氣、學習到器識的脈絡，歸結出「智力結構」的概念，並依據此一概念，重新探索歷代詩人的才性與學養，並引前人述評以瞭解作家風格之成因。在疏通辭章風格與作家風格之後，對於實際的風格鑑賞，應有正面的參考價值。

三　確立辭章風格鑑賞的具體原則

　　「理論」的建構是抽象的，而「原則」的確立就是將抽象的「理論」、「概念」落實到具體的「分析」、「鑑賞」。既已瞭解辭章風格的內在條理，又掌握到主導辭章風格的力量，我們就可以確立一套具體的風格檢視原則：首先，從意象的形成、表現（即修辭）提煉辭章風格在形象思維方面的質素；其次，從意象的排列組合（即文法、章法）梳理辭章風格在邏輯思維方面的條理；最後，結合主旨所蘊含的核心情理，提出兼具主觀感知與客觀條理的風格述評。我們並非否定傳統印象式、直覺式的風格評論，只是希望透過風格內在規律的探索，讓直覺印象的批評更有理可說，對於初學辭章鑑賞的中學生而

言，提供了具體可循的原則。根據這些原則，我們以中學詩歌教材為例，實地分析其風格取向，在「剛中寓柔」、「柔中寓剛」或「剛柔相濟」的基調之上，就可呈現其形象述評的內在條理。

四　提供辭章風格教學的完整步驟

我們提供辭章風格的檢視原則雖為具體，其過程仍是深刻而細微的。如何深入淺出地引導學生認識風格，是培養其辭章鑑賞能力的關鍵。因此，提供具體而完整的風格教學步驟是必要的程序。以基礎教學而言，在實際教學過程中，「檢視作家風格」是鑑賞辭章的先務，「進行辭章分析」則為了梳理風格的內在條理，「結合寫作背景」可作為風格鑑賞的參考與佐證，最後，歸納分析之結論，就能「確定風格趨向」。這是「由外而內」、「由淺而深」、「由具體而抽象」的教學引導步驟，完全符合學生的感知心理。透過這四大步驟的實施，期望學生不再視鑑賞為畏途，反能透過鑑賞，培養完整的語文能力。再以進階的審美教學而言，辭章風格的審美教學是訓練學生建構審美素養的關鍵，在實際教學中，學生既已掌握風格鑑賞的步驟，更要開始理解風格與美感的密切關係，才能體會辭章風格所呈現的美感效果，以建立辭章風格更高層次的審美原則，而最終就是要培養學生對辭章的審美能力，以建構其對辭章藝術的審美素養。

五　落實辭章風格教學的活動設計

在整體的國文教學活動中，辭章風格之鑑賞是屬於「綜合活動」的階段。此一階段不僅要進行辭章風格的鑑賞，更希望引導學生運用風格之概念來寫作文章，並延伸到「追蹤活動」，利用評量之題型設

計，檢驗學生鑑識風格類型的能力。職是之故，在鑑賞教學方面，我
們透過教案之設計，具體呈現風格教學的流程，完成學生鑑賞能力與
美感體會的目標；在寫作教學方面，透過寫作訓練之設計，期望學生
從實作中學習辭章之創作，並建立自我獨特的寫作風格；在評量教學
方面，透過選擇題型的設計，檢驗學生對於作家風格、辭章風格、時
代風格、地域風格與流派風格的認知，其評量結果並可作為調整教學
之參考。

　　從國中至高中階段，學生的人格養成尚在發展，他們對於外在事
物的感知程度則漸趨深刻，其學習成長的過程也逐漸對於抽象之概念
有所體悟。身為國語文教師，面對這一群語文能力仍方興未艾的年輕
學子，不僅要訓練他們成就完整的中文讀寫能力，更有責任引導他們
領略辭章之美。「智育」與「美育」的結合，是辭章風格教學的基本
精神，我們並提供了具體的原則與方法，期待教師們更能重視風格教
學，達成語文教育之認知、能力與情意的教學目標。

附錄一
論辭章的「意象風格」
——以唐宋詩詞為考察對象

一　前言

　　辭章風格是指辭章整體審美風貌之展現。既是「整體」，又具有「審美」特質，則多具備「可識而不可見、可感而不可觸」的抽象質性。如何使具有抽象質性的辭章風格有理可說，進而探索它形成的規律，是風格學研究不可忽略的課題。筆者曾就「章法風格」、「修辭風格」探究辭章風格形成的內在條理[1]，從主觀的形象思維與客觀的邏輯思維，已尋得辭章風格內在韻律之雛形。我們深知，辭章的根源來自於「意象」，所以從最根源的「意象」來分析風格，才能探知辭章風格的原始質素，這個原始質素所產生的抽象的感染力量，我們稱之為「意象風格」（個別）。由此可知，運用意象學的知識以探索辭章風格的內在質素，也是一種有效的途徑。

　　意象學一直是辭章學研究的重要範疇，近年學者多將研究視角專注於「個別意象」之探究。大體而言，有偏於「象」的探討，如草木意象、山水意象、花鳥意象；有偏於「意」方面的研究，如季節意象、色彩意象、登臨意象等。這些研究多屬於狹義意象之範疇，至於廣義的意象定義乃擴及整體辭章而言，兩者所牽涉的範疇有所區

1　章法風格的研究，見拙著：《章法風格析論》（新北市：花木蘭文化出版社，2007年3月初版）；修辭風格的研究，見拙作：〈辭章「修辭風格初探」〉，收入《修辭論叢》第七輯，2006年10月。

分。[2]本文以狹義的意象為基礎，藉由分析「物象」與「情理」之關聯，進而探索意象所形成的感染力量，以尋求意象風格的形成規律，再進一步結合廣義之整體意象，認知到整體辭章的風格。

二　「意象風格」的形成規律

探討「意象風格」的形成規律，必須先瞭解「意象」一詞的真義。所謂「意象」，是結合「意」與「象」兩者概念而成，「意」是指人類的思維活動，「象」則就外在事物而言，黃永武先生對「意象」一詞曾定義說：「是作者的意識與外界的物象相交會，經過觀察、審思與美的釀造，成為有意境的景象。」[3]簡單來說，意象就是人類意念與外界景物的結合，其所結合的圖景，與現實世界客觀存在的圖象不同，主要在於它已蘊含了人類複雜的思維。我們有必要從哲學、心理及辭章三個層面，探索意象的根源，才可以進一步梳理「意象風格」的形成規律。

（一）從哲學層面看

意象既是人類抽象思維與外界具體景象的結合，可視為「抽象」與「具體」的對應關係所形成的有機圖景。抽象的意是「虛」，具體的象是「實」，又可視為「虛」與「實」的對應關係。無論是抽象與具體，或是虛與實的對應，都可能受到「無」與「有」之哲學概念的

2　近幾年探討意象的研究越來越多，大抵偏向於「個別意象」之研究；陳滿銘教授又以此為基礎，提出辭章與意象之不可分，進而分論意象之形成、表現、組織與統合，不僅涵蓋了傳統狹義的意象概念，也發展了廣義的整體意象系統。參見《意象學廣論》（臺北市：萬卷樓圖書公司，2006年11月初版），頁21-67。

3　見《中國詩學・設計篇》（臺北市：巨流圖書公司，1999年6月初版十三刷），頁3。

影響。在先秦「無」與「有」的哲學論述中，當以《老子》所闡述的「道」的思想最為完備。其論述「有」、「無」概念提到：

> 無、名天地之始；有、名萬物之母。故常無，欲以觀其妙；常有，欲以觀其徼。此兩者，同出而異名，同謂之玄。(〈一章〉)

老子認為無與有是道的一體兩面，無為「道之體」，有為「道之用」，所以道是「無」與「有」的統一，兩者「同出而異名」，具有一而二、二而一的屬性。從宇宙生成的態勢來看，「無」的混沌與無限，代表的是宇宙虛的、抽象的一面；而「有」的廣大與有限，代表的是宇宙實的、具體的一面。所以老子認為「道」之存在，具備了既虛且實、又無又有的特質。其言：

> 道之為物，惟恍惟惚。惚兮恍兮，其中有象；恍兮惚兮，其中有物；窈兮冥兮，其中有精。其精甚真，其中有信。(〈二十一章〉)

「道」為「恍惚」、「窈冥」的無形之物，卻又具備「有象」、「有物」、「有精」、「有信」的萬事萬物之特質，老子所強調的是「有無相生」、「虛實相應」、「具體與抽象」的宇宙規律，也是一切生命的本質與原理。余培林對於這個原理更具體闡述：

> 於形而上的「道」，「無」為體，「有」為用；於形而下的「器」，「無」為本，「有」為末。「有」所以能利人，皆賴於

「無」的發揮作用。[4]

從其「體用」、「本末」之觀念，我們可以進一步延伸其義：意象之「意」為體、為本，意象之「象」則為用、為末。意象的本質所體現的「具體與抽象」的特質，確實能與《老子》的「無有」觀念相互呼應。

　　在先秦哲學思想中，又有直接以「意」、「象」之詞闡述二者的本質，如《易傳‧繫辭上》所言：

> 見乃謂之象，形乃謂之器。
> 聖人有以見天下之賾，而擬諸其形容，象其物宜，是故謂之象。
> 古者庖羲氏之王天下也，仰則觀象於天，俯則觀法於地，觀鳥獸之文與地之宜，進取諸身，遠取諸物，於是始作八卦，以通神明之德，以類萬物之情。

這裡說明「象」的客觀存在，而聖人如庖羲氏者見天下之賾，觀天地、鳥獸之文，進一步運用符號（八卦）比擬千變萬化之物象，其所貫通的「神明之德」、「萬物之情」即為「意」。這些論述已經可以看出「象──意──言（符號）」三者之間的關係。而聖人如何去梳理這三者之間的複雜微妙之關係呢？《易傳‧繫辭上》有進一步之說明，其言：

> 子曰：「書不盡言，言不盡意。」然則聖人之意，其不可見乎？子曰：「聖人立象以盡意，設卦以盡情偽，繫辭焉以盡其

4　見余培林：《新譯老子讀本》（臺北市：三民書局，1990年11月九版），頁32。

言，變而通之以盡利，鼓之舞之以盡神。」

所謂「言不盡意」說明了語言在表達思想情感的侷限性，而〈繫辭傳〉卻又提出的「象可盡意、辭可盡言」的觀點，認為聖人透過「設卦」、「繫辭」、「變通」、「鼓舞」的過程，即可以突破語言的侷限性，貫通「意」、「象」、「言」之間的隔閡與差距。關於這個論點王弼曾對此說明云：

> 夫象者，出意者也；言者，明象者也。盡意莫若象，盡象莫若言。言生於象，故可尋言以觀象；象生於意，故可尋象以觀意。意以象盡，象以言著。[5]

從這段說明可知，「象」是「意」的表現，「言」是闡明「象」的符號，「情意」可透過「言語」、「形象」完整地表現出來。陳望衡在《中國古典美學史》解釋此理說到：

> 王弼將「言」、「意」、「象」排了一個次序，認為「言」生於「象」、「象」生於「意」。所以，尋言是為了觀象，觀象是為了得意。言——象——意，這是一個系列，前者均是後者的工具，後者均為前者的目的。[6]

這裡強調「尋言而觀象」、「觀象而得意」的過程，與我們一般閱讀（包括鑑賞）時透過文辭而理解物象，藉由物象體會情意的脈絡是相

5　見王弼：《周易略例・明象》，收入《易經集成》149（臺北市：成文出版社，1976年），頁21-22。

6　見《中國古典美學史》（長沙市：湖南教育出版社，1998年8月第1版），頁207。

同的。所以「言→象→意」可視為逆向的鑑賞過程。再從另一角度
來看，「意→象→言」就是作家藉物象以傳達情意，而用相關之文
辭表現出來的創作過程。

　　《老子》的「無有」觀，讓我們理解到宇宙蘊含著「具體、有
形」與「抽象、無形」的兩種概念。老子所強調「無」與「有」的相
互對應，也證實了「具體物象」與「抽象情意」之間的表裡關係。就
抽象的情意而言，理應蘊含更深一層的「氣象」或「神韻」，這一層
「氣象」或「神韻」，則是意象風格存在的直接證明。再從王弼的
「意象」觀來看，「意以象盡」、「象以言著」的觀點透露著「意」、
「象」、「言」三者之間的微妙關係，若再回歸到《易・繫辭》「變而
通之以盡利，鼓之舞之以盡神」的論述，聖人以通變之法貫徹
「意」、「象」、「言」三者，以達其天人合德之實效；更以鼓舞激盪之
方，盡傳宇宙物象深層之神韻。可見「意」、「象」、「言」三者在宇宙
既有規律中，是不斷地互動、循環而提升的狀態，足以激盪出萬物深
層的神明。意象風格的存在，實可歸源於萬物的「神明之德」，以見
其符合宇宙自然規律的脈絡。

（二）從心理層面看

　　在現代心理學中有一個基本的出發點，是關於「物理境」
（physical situation）與「心理場」（psychological）的聯繫與區別。簡
單來說，宇宙存在著兩個不同的世界，一個是物理世界，另一個是心
理世界。物理世界是事物最原始存在的狀態，它不需靠任何特殊的經
驗，就已客觀的存在。然而當我們把人的經驗加入物理世界，我們就
會面對許多不同的心理世界，隨著個人經驗的不同，心理世界也隨之
多樣發展。從某些程度來說，心理世界是物理世界的反映，但是因為
人的主觀經驗不同，使物理世界和心理世界之間存在著距離、錯位、

傾斜。從科學研究的客觀角度來看，這些距離、錯位、傾斜是不被允許的，但是對於詩人來說，卻是求之不得。童慶炳針對這種現象，分析說：

> 這種距離、錯位、傾斜正是他個性的表現和心靈的瞬間創造，這正是詩意之所在。因此對詩人來說，從物理境的觀察，轉入到心理場的體驗，是他創造的必由之路。[7]

從物理境與心理場的定義來看，物理境是偏於「象」來說，而心理場則偏於「意」。人在創作過程中，會隨著對外在世界（象）的觀察，逐步深入挖掘內心的感情世界（意）。這種創作的心理過程，不僅體現了由物理境深入心理場的活動規律，更展現了從心理場欲探知物理境的心理意圖。可見物理境（象）與心理場（意）存在著兩條基本互動的路徑，具體而言，「象→意」與「意→象」的心理路徑，是寫作心理中最主要的脈絡。

　　一般來說，文學創作是屬於精神層次的生產行為，這種行為的背後有一寫作動機驅遣著寫作的進行，而寫作動機又來自於某種需要，他可能是物質層面的生理需求，如拿稿費；也可能是精神層次的尊重或自我實現的需要，如獲得學術聲譽和名望。這些需要反映了作者心靈世界的不平衡現象，為了尋求達到心理平衡的途徑，作者於是產生寫作動機。劉雨曾說明「寫作動機」產生的原因，他說：

> 目睹外界景物的四時變化，作者會因之而「遵四時以嘆逝，瞻

7　見《中國古代心理詩學與美學》（臺北市：萬卷樓圖書公司，1994年8月初版），頁5。

萬物而思紛，悲落葉於勁秋，喜柔條於芳春，心懍懍以懷霜，志眇眇而臨雲」。人世間的悲歡離合，作者也會因之而喜怒哀樂。這種主觀心理體驗，作者往往通過兩種形式傳達出來。一種是通過表情符號直接流露出來，或愁容滿面、涕淚縱橫，或笑逐顏開、眉飛色舞，其中一顰一笑都傳達著一種心理體驗；另一種是通過文字符號的形式寄寓或傳達這種主觀體驗。作者的情感往往是由外界人、事、景、物觸發而起，這種觸發常常導致寫作動機的產生。[8]

外界景物的四時變化觸發了作者心靈世界的波動，並透過文字符號來寄寓主觀的體驗。這裡體現了「象→意」的心理路徑。

外界的刺激是觸發寫作動機的原因之一，然而作者本身內在自發性的需求，也是根源之一。劉雨針對寫作的運思過程，更進一步說明寫作動機的成因，他說：

作者在現實生活中，由於生活中某些人事景物的觸發，使作者的心靈世界掀起了情感的波瀾。這種情感的爆發，打破了心靈世界的平衡，為了求得新的平衡，作者必須通過某種形式向外宣洩這種情感，以減弱情感在心靈中的壓力。[9]

這裡提出了寫作動機的根源，來自於心靈世界追求平衡的需要。至於寫作動機的萌生過程，才真正是從「意」聯繫到「象」的開端。具體來說，寫作動機的萌生過程可區分為兩種途徑，一是取決於某種刺

8　見劉雨：《寫作心理學》（高雄市：麗文文化事業公司，1995年3月初版），頁89-90。
9　劉雨：《寫作心理學》，頁225-228。

激，這些刺激是存在於周圍世界有形或無形的訊息，它們會形成一種刺激媒介，激發作者心靈深處的創作意圖；另一途徑是取決於作者本身的知識經驗、興趣愛好或情感思維的取向，激發作者自發性的創作熱情。這兩種途徑通常不會獨立進行，而是互相耦合的，也就是說，「寫作動機的形成過程，離不開具體的環境、刺激媒介和作者的經驗背景」[10]。於是，在創作要求的驅使下，喚起他開始蒐集創作材料。這就是從寫作動機（意）伸展到外界物象（象）的開始，其最主要透過「記憶」、「聯想」等心理活動，以達成「意→象」的聯繫。

先談「記憶」。在認知心理學上，「記憶」是一種重建活動。因為人類大腦的記憶活動不是簡單地把信息貯存起來，而是會將一種信息與其他經驗放在一起，形成回憶時的重建活動。所以，其他經驗的參與、加入，已經使回憶的內容與客觀物象產生誤差。更何況人在感知外界事物時，難免會引發某些情緒或情感的波動，更使記憶所重建出來的圖象或事象，與客觀物象誤差甚遠，所謂「心靈世界的圖景」雖然具有客觀物象的基本質素，卻有明顯的差異。

再從「聯想」心理來說，它是在記憶的基礎上，由一種事物想到另一種事物的心理過程，它會擴大經驗領域的內容與視野，同時也根植於作者豐富的經驗和知識。在作者構思的過程中，聯想心理會根據「相似」或「相反」的原則，使原始材料（象）進入最大限度的思考範圍，並在腦中進行與相似材料或相反材料之間的聯繫。經過此番聯繫，就會擴大寫作材料的種類和範圍，成為作者寫作時取材之所需。

從寫作動機的產生，再透過記憶、聯想的心理過程，產生足供寫作的材料。這裡體現了「意→象」的心理路徑。

從人類的心理層次認知「意」與「象」的互動，「象→意」的心

10 劉雨：《寫作心理學》，頁230。

理路徑，產生人類心靈情緒上的明顯波動，這是外界物象對內部心靈的感染力量，可視為意象風格的心理基礎之一；至於「意→象」的心理路徑，則凸顯了外界物象進入人類內部心靈的質變，「心靈的圖景」不同於客觀存在之物象，其兼融主觀情理的特性，也呈現不同於客觀物象的美感，這種美感也是意象風格重要的心理根源。

（三）從辭章層面看

　　「意象」之義涵源於中國古代的哲學論著，已如前述所見。將「意象」之概念延伸到辭章層面以論說文藝，則始於劉勰的《文心雕龍》。其〈神思〉篇所云：

> 陶鈞文思，貴在虛靜，疏瀹五藏，澡雪精神；積學以儲寶，酌理以富才，研閱以窮照，馴致以繹辭。使玄解之宰，尋聲律而定墨；獨照之匠，窺意象而運斤；此蓋馭文之首術，謀篇之大端。

這段文字在說明作家行文運思時所應具備的內、外條件。作家在臨文之際，必須做到心境虛靜，同時也要排除胸中積鬱，滌除精神上不必要的困擾，這是行文構思時的內在工夫；至於作家平時累積學問以充實知識，明辨事理以增廣文才，體驗生活以磨練眼力，順應情感以演繹文辭，這是行文構思所需要的外在條件。劉勰提出的行文構思之理，與前述意象的心理內涵不謀而合。至於「窺意象而運斤」實際上指作家根據意想中的形象來遣詞造句，可以溯源於王弼「言生於象，故可尋言以觀象；象生於意，故可尋象以觀意」的哲學義涵。可見劉勰對於「意象」的理解，符合哲學與心理學的規律。關於「意」與「象」的互動，劉勰在〈物色〉篇有更深入的闡述，其言：

> 詩人感物，聯類不窮；流連萬象之際，沉吟視聽之區。寫氣圖
> 貌，既隨物以宛轉，屬采附聲，亦與心而徘徊。

詩人受風物的感動，會引發各種聯想與類比，這正是寫作動機的開
端。至於「寫氣圖貌」、「屬采附聲」是指實際的寫作過程，「隨物以
宛轉」偏於「象→意」的構思路徑，而「與心而徘徊」則偏於「意→
象」的構思過程，劉勰對於寫作心理的詮解，有其細膩獨到之處，為
文藝創作提供了明確的指導原則，在傳統意象學的發展上，也具有重
要的參考價值。

　　齊、梁時期的另一重要文學理論鉅著是鍾嶸的《詩品》。它曾提
到外界物象對人類心靈的影響，其言：

> 若乃春風春鳥，秋月秋蟬，夏雲暑雨，冬月祁寒，斯四候之感
> 諸詩者也。嘉會寄詩以親，離群託詩以怨。至於楚臣去境，漢
> 妾辭宮。或骨橫朔野，或魂逐飛蓬。或負戈外戍，殺氣雄邊。
> 塞客衣單，孀歸淚盡。又士有解佩出朝，一去忘返。世有楊蛾
> 入寵，再盼傾國。凡斯種種，感蕩心靈，非陳詩何以展其義，
> 非長歌何以騁其情。[11]

這裡所提到自然物象與人事物象，其滌蕩詩人的心靈，足以激發吟詩
詠歌的衝動，也強調詩歌體現物象、馳騁情意的積極功能。

　　自齊、梁以後，有關「文學意象」的論述持續發展，如王昌齡的
「詩三格說」，指出詩有「生思」、「感思」、「取思」，強調主觀之

11　見鍾嶸：《詩品・序》。

「意」與客觀之「象」的自然渾合[12]；司空圖在《詩品・縝密品》所言「是有真跡，如不可知，意象欲生，造化已奇」，強調意象是「真跡」的顯露，而「真跡」則是生活中的一種原生象；劉熙載則認為「書與畫異形而同品。畫之意象變化，不可勝窮，約之，不出神、能、逸、妙四品而已。」[13]把意象和藝術的形象合而為一；直至近代，更有朱光潛提出意象必須具備「具體性」、「獨特性」和「情感性」，並清楚劃分了一般意象和藝術意象的區別。[14]

　　傳統的意象理論對於我們理解意象的內涵，固然有其文藝上的價值，但大都偏於狹義之個別意象的探討，很少就整體的高度來辨識意象在辭章系統中的定位。陳滿銘曾以傳統個別意象之概念為基礎，從辭章學的高度探討風格、主題、文法、章法、詞彙、修辭與意象（個別）的聯絡關係，其言：

> 如果是將一篇辭章所要表達之「情」或「理」，訴諸各種偏於主觀之聯想、想像，和所選取之「景（物）」或「事」接合在一起，或者是專就個別之「情」、「理」、「景（物）」、「事」等材料本身設計其表現的，皆屬「形象思維」；這涉及了「取材」與「措詞」等問題，而主要以此為研究對象的，就是意象學、詞彙學與修辭學等。如果是專就「景（物）」或「事」等各種材料，對應於自然規律，結合「情」與「理」，訴諸偏於客觀之聯想、想像，按秩序、變化、聯貫與統一之原則，前後

---

12 見王昌齡：《詩格》，收入《中國歷代詩話選》第一冊（長沙市：岳麓書社，1985年第1版），頁39。

13 見劉熙載：《藝概・書概》（上海市：上海古籍出版社，1978年第1版），頁168。

14 參考王長俊主編：《詩歌意象學》（合肥市：安徽文藝出版社，2000年8月第1版），頁8。

　　加以安排、佈置，以成條理的，皆屬「邏輯思維」；這涉及了「運材」、「佈局」、與「構詞」等問題，而主要以此為研究對象的，就字句而言即文（語）法學；就篇章言，就是章法學。至於合「形象思維」與「邏輯思維」而為一，探討其整個體性的，則為「綜合思維」，這涉及了「立意」、「確立體性」等問題，而主要以此為研究對象的，為主題學、文體學、風格學等。而以此整體或個別對象加以研究的，則統稱為辭章學或文章。[15]

這裡以辭章的景、事、情、理作為意象形成的四個基本要素，不僅直接觸及到辭章的根本原理，更能從整體辭章學的高度認知到意象（個別）的定位。根據其分析，我們可以認清辭章學各領域（包括風格、主題、意象、詞彙、修辭、文法、章法等）之間的關係，並繪出其關係表如下：

---

15 見〈談思維力與語文螺旋結構的關係〉，《國文天地》243期，2005年8月。

在關係表中，「風格」立於辭章上層的主導地位，若從順向之創作路徑來看，風格源自於作家的才識與氣度，並影響辭章有關於主題、意象、詞彙、修辭、文法、章法的發展；再從逆向之鑑賞路徑來看，辭章的形象思維所形成、表現出來的意象、詞彙、修辭，以及邏輯思維中的字句邏輯（文法）與篇章邏輯（章法），以至於辭章之主題（主旨），都會影響辭章風格的趨向。其中意象、詞彙、修辭會影響風格內在的形象質素，文法與章法則則影響著風格內部的邏輯規律，主題則直接與風格相關，與風格互為表裡，影響風格最深。[16]若專就意象來看，意象可以通於萬物的「神明之德」，它又是人類心靈波動之下的產物。所以，在心靈上（意），在自然的物象裡（象），在辭章中（言），三者之間貫通著一種合於宇宙規律的感染力量，這一抽象力

---

16 參考拙著：《辭章風格教學新論》（臺北市：萬卷樓圖書公司，2005年11月初版），
　　頁76-77。

量屬於整體辭章風格的一部分，其影響辭章風格的程度，端視意象在
辭章中的主、副地位、本身的類型，以及出現的頻率，這需要就實際
的文學作品以個別探討，才能體現個別之意象風格與整體辭章風格的
關係。

三　「意象風格」與整體辭章風格

　　意象的種類繁多，近代學者對意象的分類亦眾說紛紜。如袁行霈
《中國詩歌藝術研究》分意象為五大類：即「自然界」、「社會生
活」、「人類自身」、「人的創造物」與「人的虛構物」。[17]又如夏之放
《文學意象論》依照象的不同，把意象分為「審美意象」、「象徵性意
象」、「想像意象」、「幻想意象」；再從藝術世界所處位置，分意象為
「抒情型意象」、「敘事型意象」、「戲劇型意象」；又從作者所持的意
向性態度，可分為「肯定性意象」、「否定性意象」及「中間型意
象」。[18]再如王長俊主編《詩歌意象學》曾按照意象的結構方式，分為
「單一意象」與「複合意象」；按意象在詩歌的整體地位，分為「主
意象」、「副意象」、「裝飾性意象」；按照意象的表達方式，分為「描
述性意象」和「抒情性意象」；按照意象的表現作用，分為「實體性
意象」、「象徵性意象」和「比喻性意象」。[19]學者從意象的本質、功
能、結構、表達方式等方面來規範意象的種類，固然對意象的理解有
正面的助益，卻難免造成某些程度的混亂。若從構成辭章的基本要素
來歸類意象，「景（物）」、「事」與「情」、「理」的互動是構成意象的

---

17 參見《中國詩歌藝術研究》（北京市：北京大學出版社，2002年8月第1版），頁18-
　21。
18 參見《文學意象論》（汕頭市：汕頭大學出版社，1993年11月第1版），頁6。
19 參見《詩歌意象學》（合肥市：安徽大學出版社，2000年8月第1版），頁180。

根本因素。因此，我們以「物材」和「事材」作為意象的兩大基本類型，較能回歸其本質，以呼應意象風格的內在義涵。就物材而言，可在細分為「自然物材」與「人工物材」；就事材而言，可細分為「歷史事材」、「現實事材」與「虛構事材」等。本文將根據此意象的五大類型，並適度參酌學者的分類方式，引古典詩詞為例，具體分析意象風格對整體辭章風格的影響。

（一）自然物材之意象風格對整體辭章風格的影響

所謂「自然物材」是指自然界的天文、地理、動物、植物等物象，這些物象渾然天成，非人類刻意的造作，所以不直接受人文思維的影響，獨立於宇宙自然之間。然而，既成為文學意象的物材，當然與人文思維有所溝通，成為作家寄託情理的依據。就物象本身對人類心靈的感染作用而言，自然物材如天象的縹緲、地理的開闊、鳥獸的靈動、草木的清芬，對於人心的影響，多偏於滌靜心靈、疏闊襟懷的作用，或藉以表現作家超塵絕俗的情意。如柳宗元〈漁翁〉寫到：

> 漁翁夜傍西巖宿，曉汲清湘燃楚竹。煙銷日出不見人，欸乃一聲山水綠。回看天際下中流，岩上無心雲相逐。

從詩中所描繪的景象，可視為「山水」、「漁翁」和「詩人」三者之間的互動關係。詩題為「漁翁」，可見「漁翁」是這首詩的主意象，「詩人」為這首詩的副意象，至於「山水」為陪襯裝飾之用，可視為此詩的裝飾意象。所以這首詩所描寫的山水景物如「西巖」、「清湘」、「楚竹」、「煙銷日出」、「山水綠」、「天際下中流」、「雲相逐」等，營造了浪漫、悠遠、開闊而清爽的氛圍，作為襯托漁翁與詩人的背景，可以展現其「清遠疏闊」的感染力，對於漁翁的閒適之意、詩人的傾慕之

情，當有烘托凸顯的作用。而這些自然物象皆為裝飾之意象，其所展現的「清遠疏闊」之意象風格，只能視為「悠閒浪漫」之主調風格的陪襯。

又如蘇軾〈念奴嬌・赤壁懷古〉所云：

> 大江東去，浪淘盡，千古風流人物。故壘西邊，人道是，三國周郎赤壁。亂石崩雲，驚濤裂岸，捲起千堆雪。江山如畫，一時多少豪傑。

這闋詞是蘇軾漫遊赤壁所見，轉而思慕三國豪傑，以抒發懷才不遇之慨，進而拈出人生如夢的物外之思。這段詞以描寫赤壁壯闊之景入筆，延想出三國的英雄豪傑。就整闋詞所運用的材料來看，描寫赤壁之景仍為全詞的副意象，主意象是作者所虛想的三國豪傑如周瑜等人物，而作者「多情」之慚愧，以至「人生如夢」之感嘆、「還酹江月」之灑脫，則是全詞「意」之所在。其「大江東去」為現實意象，營造了「壯闊」的氛圍；「亂石崩雲」、「驚濤裂岸」、「捲起千堆雪」則屬譬喻意象，詞人運用譬喻之筆描繪滾滾江濤拍岸裂石的驚險畫面，其如雲之崩、如雪之捲的濤瀾洶湧，在壯闊的氛圍之中，又融入幾許縹緲浪漫的聯想，才能從眼前壯闊的空間，延伸到悠遠的時間，串起思慕三國豪傑的意象。詞中自然物象所展現「開朗壯闊」的意象風格，對於此詞「超塵絕俗」的風格主調具有明顯的推波助瀾之效。具體而言，開朗壯闊的意象，比較容易激發疏朗恢闊的情懷，對於此詞「超脫物外」之主旨，以及「超塵絕俗」的感染力量，當有正面的烘托作用。

（二）人工物材之意象風格對整體辭章風格的影響

所謂「人工物材」，包括人身之四肢、五官、肺腑，及人為之建築、器物、服飾、城市等物象，甚至是社會生活之戰爭、游獵、婚喪、宦游等，皆屬人工之物材。人工物材來自於人類的造作，所以本身蘊含多成分的人文思維，從其物象的大小、精粗、明暗、優劣，在辭章中會各自展現不同的感染力，形成多樣的意象風格類型。如高聳之建築容易營造高大雄偉的意境，而細緻之器物容易呈現細膩柔美的感覺。然而，建築與器物所處的外在環境，也會影響物象的本質，營造出不同的意象風格。以王昌齡〈留別郭八〉為例，其云：

> 長亭駐馬未能前，井邑蒼茫含暮煙。醉別何須更惆悵，回頭不語但垂鞭。

此詩為惜別之作。詩中的「長亭」向來是中國傳統「送別」意象的展現，唐宋詩人多所運用，其與「駐馬」的景象結合，展現了送別時依依難捨之情；至於「井邑」乃住家之所，處於暮色蒼茫之中，又見其炊煙裊裊，更顯其蒼涼之感；最後「垂鞭」的意象，再度把那份「欲別而不忍別」的愁緒發揮得淋漓盡致。「長亭」、「井邑」、「暮煙」皆為陪襯的副意象，呈現「蒼涼孤立」的意象風格，對於「駐馬」、「垂鞭」之主意象所展現的「惆悵」之感，具有側面烘托的效果，使全詩的惆悵之感更能發揮其悸動人心的力量。

又如李清照〈醉花陰〉寫到：

> 薄霧濃雲愁永晝，瑞腦銷金獸。佳節又重陽，玉枕紗廚，半夜涼初透。東籬把酒黃昏後，有暗香盈袖。莫道不銷魂，簾捲西風，人比黃花瘦。

這是李清照在重陽佳節為懷念丈夫而寫的離情詞。上片所敘獨處的愁苦，「薄霧濃雲」以天氣的陰暗低沉呼應於心中的愁緒；而「瑞腦銷金獸」則藉由銅爐燃香的消殘，表現落寞冷清的心思；「玉枕紗廚，半夜涼初透」描寫秋夜涼氣涼透了紗帳玉枕也涼透了寂寞芳心；作者藉閨房器物來描寫重陽秋節的蕭瑟，表現了心境上的淒涼。下片敘寫重陽賞菊景況，其飲酒賞菊，雖使菊花幽香盈滿懷袖，卻仍然難解離愁。故有「簾捲西風，人比黃花瘦」，藉西風捲起窗簾，寫到窗外黃菊與簾內主角形神酷似，於是同命相憐相惜，相映成輝。閨怨詩詞常描寫閨房器物以影射主角的愁緒，此詞所見「瑞腦」、「金獸」、「玉枕」、「紗廚」、「窗簾」皆屬女性閨房中的器物，從嗅覺與視覺的雙重感官，營造了古代女子閨房中「細膩柔美」的氛圍，而作者描寫這些器物，也往往是獨守空閨時才會投射關注，所以「孤寂落寞」的感染力也雖之浮現，對於全詞表現離愁的主旨和整體「蕭瑟淒涼」的風格，可以相互輝映。

（三）歷史事材之意象風格對整體辭章風格的影響

　　辭章中所運用的歷史事材大多為歷史人物或事件，藉以表現和現在時空的比較，所以常有藉古喻今的作用，或慨嘆紛亂時局，或抒發自身遭遇，故多能展現典雅持重、高古深幽的氣勢。在古典詩詞中，詠史、懷古是文人失意時借題發揮的最佳憑藉，總是抒發於對現實的不滿，期望與古人相交，或藉古事以影射當代，展現文人不同於流俗的器識。以杜甫〈蜀相〉詩為例，其言：

　　　　丞相祠堂何處尋，錦官城外柏森森。映階碧草自春色，隔葉黃
　　　　鸝空好音。三顧頻煩天下計，兩朝開濟老臣心。出師未捷身先
　　　　死，長使英雄淚滿襟。

這首詩是杜甫寓居成都時，往謁諸葛武侯祠堂，因而懷想諸葛亮的作品。其描寫「映階碧草」的春色與「隔葉黃鸝」的好音，本只是春景的形容，然而加入「自」、「空」二字，不僅傳達作者的主觀意象，更表現蜀漢諸葛的英雄事蹟，在當下草自春色與鳥空好音之中，徒留後人憑弔，帶出一種人事滄桑的思古情懷。這些物象均為陪襯的副意象，頸聯與尾聯所描述的諸葛亮事蹟，才是全詩的主意象。「三顧頻煩天下計，兩朝開濟老臣心」道盡諸葛亮一生的功業，展現的是氣勢恢弘、躊躇滿志的感染力；「出師未捷身先死，長使英雄淚滿襟」卻從反面著筆，敘寫諸葛亮一生的遺憾，充滿憾恨抑鬱的情緒。其所言的「英雄」，雖為諸葛亮而發，也可說是杜甫己身的自喻，整首詩所欲表現的壯志未酬的慨嘆，又何嘗不是杜甫懷才不遇、壯志難伸的自我影射！這首詩典重幽深、剛柔互濟的氣韻，在諸葛亮史事抑揚互見的筆勢襯托下，更見其渾厚有力的風韻。

又如辛棄疾〈永遇樂・京口北固亭懷古〉引用古事以影射當局，並抒寫報國赤忱，筆力更見雄渾。其云：

> 千古江山，英雄無覓，孫仲謀處。舞榭歌臺，風流總被，雨打風吹去。斜陽草樹，尋常巷陌，人道寄奴曾住。想當年、金戈鐵馬，氣吞萬里如虎。　　元嘉草草，封狼居胥，贏得倉皇北顧。四十三年，望中猶記，烽火揚州路。可堪回首，佛貍祠下，一片神鴉社鼓。憑誰問、廉頗老矣，尚能飯否？

典故的運用最忌晦澀，而辛棄疾在這闋詞中連用五個典故，卻能不落鑿痕，展現流暢自然的筆力。題名之京口，即今江蘇鎮江，北固亭位於鎮江城北北固山上，形勢險固，是南宋對金的重要隘口。辛棄疾此時為鎮江知府，登北固亭以面對這南北對峙的重鎮，自會聯想此地曾

發生的古人古事。首先是千古難再尋覓的孫仲謀；其次是小名寄奴的
宋武帝劉裕，並以「金戈鐵馬，氣吞萬里如虎」來讚揚劉裕北伐的功
業。這兩個英雄人物，一是鼎足而三、屢敗曹軍的東吳英主，一是北
伐建功、氣吞胡虜的南朝明君，作者藉此乃抒發自己一心收復國土的
宏願。下片轉入抑筆，以「元嘉草草，封狼居胥，贏得倉皇北顧」責
備宋文帝劉義隆未能繼承父親劉裕的功業，竟北伐兵敗，倉皇南逃，
又頻頻北顧，藉以影射韓侂胄想貿然北伐的錯誤；其次寫到個人經
歷，回想當年率眾渡江來歸，甘冒烽火艱危，全憑一股豪情壯志，轉
眼已過四十三年；至於「佛貍祠下，一片神鴉社鼓」在敘寫當年宋文
帝兵敗南逃，北魏太武帝曾引軍南下，在揚州瓜步山建立行宮，已成
為香火鼎盛的佛貍祠，影射當今金人的聲勢不衰，更引發作者對江北
淪陷的無限傷痛；結尾以廉頗自擬，寫「憑誰問、廉頗老矣，尚能飯
否」，再度表現自己已屆垂老之年，仍有據鞍上馬、冀求朝廷重用的
雄心。作者詠懷史事，或為英雄豪傑叱吒疆場之事，或為漢胡爭戰烽
火千里之景，大都能展現「慷慨悲壯」之氣；至於史事所造成弔古傷
今的意緒，亦多有「含蓄蘊藉」的感染力；這兩種意象風格對於整闋
詞所抒發的「沉鬱孤憤」的英雄情懷，當有正面烘襯的效果。

（四）現實事材之意象風格對整體辭章風格的影響

在辭章中，凡是描寫現實所發生的事情，均屬於「現實事材」的
範疇。此現實的定義應包含過去與現在時空曾發生的種種事實。藉由
事實的描述，我們能根據事件的質性，感知各種多樣的意象風格。如
李白〈下終南山過斛斯山人宿置酒〉：

> 暮從碧山下，山月隨人歸。卻顧所來徑，蒼蒼橫翠微。相攜及
> 田家，童稚開荊扉。綠竹入幽徑，青蘿拂行衣。歡言得所憩，

美酒聊共揮。長歌吟松風，曲盡河星稀。我醉君復樂，陶然共
忘機。

這首詩主要在描寫李白下山過訪友人的情景及飲酒共樂的趣味。其所
描述的事情有三：首先是「暮從碧山下，山月隨人歸。卻顧所來徑，
蒼蒼橫翠微」，敘寫詩人下山的情境與過程，在山色與月色的烘托之
下，表現出祥和輕鬆的氣氛。其次「相攜及田家，童稚開荊扉。綠竹
入幽徑，青蘿拂行衣」，則描述詩下山到斛斯山人家中的景況，童稚
開門歡迎，湧現了無比親切的感染力，而詩人走入小徑，有綠竹、輕
蘿相伴，也隱約透露著主人勁節樸素、孤高幽靜的居家風格。最後是
飲酒作樂，「歡言得所憩，美酒聊共揮。長歌吟松風，曲盡河星稀」，
其表現李白與主人話語投機，歡言無限之外，更以共飲美酒渲染逍遙
快樂的氣氛，在松風間長歌，在稀星下縱曲，更不覺韶光的流逝。結
尾「陶然共忘機」道出兩人毫無機心的深厚友誼，更點出這首詩的主
旨，表現李白「寬闊疏淡」的寫作風格。詩中所述三件事材，雖有孤
高幽淡情境，卻能與詩人寬闊歡暢的胸襟相互輝映，使這首詩在平淡
中更蘊含生活的真趣。

又如蔣捷〈虞美人・聽雨〉所云：

少年聽雨歌樓上。紅燭昏羅帳。壯年聽雨客舟中。江闊雲低、
斷雁叫西風。　　而今聽雨僧廬下。鬢已星星也。悲歡離合總
無情。一任階前、點滴到天明。

此詞以「聽雨」為主題，實則涵蓋了人生三個過程，及其不同的心
境。「少年聽雨歌樓上」，面對紅燭羅帳，自然是纏綿溫柔的浪漫情
懷；「壯年聽雨客舟中」，面對「江闊雲低」、「雁叫西風」的景致，流

露出流離江海、不堪行役的愁苦；晚年面對亡國，「聽雨僧廬下」應會有無親無依、孤寂蕭索的感受。這三個階段是作者親身經歷的生活歷練，少年的浪漫、壯年的飄零與老年的淒苦皆為實境，屬於現實意象，而聽雨的情境卻屬於譬喻意象，兩者是「一而二、二而一」的表裡關係。至於「悲歡離合總無情」一句則點明義旨，作者體悟到人生聚首時的歡樂、分離時的悲哀，一切終將化為沉寂，歸於無情的起點。眼前的雨滴任憑無情地滴到天明，卻表現出另一層次的深沉慨嘆，營造一種「沉痛」的格調。少年浪漫的「溫柔纏綿」自是反襯的力量，而壯年的「低吟愁苦」與老年的「孤寂蕭索」，對於這整體「沉痛」之格調則具有正面烘托的效果。

（五）虛構事材之意象風格對整體辭章風格的影響

所謂「虛構事材」是指現實世界不可能發生或尚未發生的事件，包括懸想的時空情境、未來的時空情境、假設的情境、虛幻的夢境等等。因為事件虛構的質性，大多會蘊含「縹緲虛無」的感染力。以杜甫〈月夜〉為例，其言：

> 今夜鄜州月，閨中只獨看。遙憐小兒女，未解憶長安。香霧雲鬟濕，清輝玉臂寒。何時倚虛幌，雙照淚痕乾。

這首詩是杜甫因安、史之亂而身困長安，懷念住在鄜州的妻兒所作。既是懷念妻兒，本應直寫杜甫思念妻兒，但是杜甫卻從遠在鄜州的妻子思念自己寫起，可見「今夜鄜州月，閨中只獨看。遙憐小兒女，未解憶長安。香霧雲鬟濕，清輝玉臂寒」皆為懸想的景況。從妻子在鄜州月下「閨中獨看」，寫到兒女不知思念困於長安的父親，表達家中妻子所面臨的種種困境，最後又描寫妻子因思念時間太長，以致頭髮

被霧水霑濕，雙臂暴露於月光下而寒冷的形象。其所營造的懸想意象，既充滿悲情，又蘊含虛幻。結尾從現在的想像，進一步拉到未來的想像，「何時倚虛幌，雙照淚痕乾」表達杜甫與妻子希望平安團聚的共同想法。整首詩在表現烽火中親人離散的思念之情，表現的是「淒苦孤寒」的情致，作者運用懸想的意象，不僅營造「空靈虛幻」的氛圍，更展現杜甫與妻子之間心靈互通的深厚情誼。

又如韋莊〈女冠子〉所云：

> 昨夜夜半，枕上分明夢見。語多時，依舊桃花面。頻低柳葉
> 眉。　　　半羞還半喜，欲去又依依。覺來知是夢，不勝悲。

這是一闋藉夢境以表達相思之深的詞作。詞的上片描寫夢中相會敘舊的情人「語多時，依舊桃花面。頻低柳葉眉」，形容伊人面頰紅潤猶如桃花，眉宇細緻猶如柳葉，「語多」傳達傾訴之情切，「頻低」形容神態之嬌羞，雖是夢境，卻如此真實，也因為是夢，才塑造如此完美的伊人神貌，也充分傳達「清麗秀雅」的美人神韻。下片續寫夢境，「半羞還半喜，欲去又依依」著眼於伊人內心世界的揣摩，其嬌羞驚喜、既愛又怕的神態，以及臨別欲去還留的矛盾心境，展現了「幽怨纏綿」的美感。其夢醒「不勝悲」的心緒，給人「沉痛凝重」之感。夢醒之後的孤寂對襯夢境中的歡聚，形成心境上的強烈對比。就風格表現來說，夢境中「清麗秀雅」的美人神韻和「幽怨纏綿」的感染力，對於全詞「沉痛凝重」的整體格調產生極大的反襯效果。

四　「意象風格」的美感效果

經過哲學、心理與辭章層面的探討，意象風格的形成脈絡已昭然

若揭。再透過實地作品的分析，使我們更瞭解意象風格對於整體辭章
風格的實際影響。至於風格本身就是一種審美表現，所以意象風格也
會展現其特殊的美感效果。

（一）心物合一之美

意象的形成是心理場與物理境相互交流的結果，在哲學上則反映
了「心物合一」的境界。心物合一的境界有其審美義涵，格式塔心理
學派曾經提出「異質同構」的概念來詮釋這種境界的美感效果。此學
派的代表人物魯道夫‧阿恩海姆曾說：

> 萬事萬物的表現，都具有力的結構。……像上升和下降、統治
> 和服從、軟弱與堅強、和諧與混亂、前進與退讓等等基調，實
> 際上是一切存在物的基本存在形式。[20]

這種力的結構放在物理世界與心理世界的溝通時，強調彼此質料不
同，卻有相通的結構存在。童慶炳說明其美感效果時指出：

> 他們認為，物理世界和心理世界的質料是不同的，但其力的結
> 構可以是相同的。當物理世界與心理世界的力的結構相對應而
> 溝通時，那麼就進入了身心和諧、物我同一境界，人的審美經
> 驗也就由此境界而產生。[21]

---

20 見魯道夫‧阿恩海姆著，滕守堯、朱疆源譯：《藝術與視知覺》（成都市：四川人民
　　出版社，1998年3月第1版），頁146。

21 見《中國古代心理詩學與美學》（臺北市：萬卷樓圖書公司，1994年8月初版），頁
　　170。

「意」與「象」的力的結構是不同質的，但是可以相互對應、溝通，以達到同一的境界，甚至達於內外兩個世界的同型合一，辭章的創作就是在這種同構關係中營造意象的美感效果。

（二）意緒波動之美

劉勰在《文心雕龍・物色》篇中說：「春秋代序，陰陽慘舒，物色之動，心亦搖焉。」他明確指出外在事物的變化，會造成內在情緒的波動。我們從心理層面探究意象風格的形成規律，已經獲得具體的印證。這種情緒的波動可以視為意象風格的美感效果之一。張紅雨在《寫作美學》中提到：

> 作為激情物的事物，是觸動人們美感情緒產生波動的物體。人們之所以認為它美，是因為具有了美的形態。人們之所以有了美感，是因為情緒產生了波動。這種波動與事物的形態常常是統一起來的，美感總是附著在一定的事物上。[22]

他並進一步指出，這個激情物總是在腦海中出現，其影像會一直蕩漾在大腦的屏幕，所以才會產生美感。可見外界自然之「象」與內在心靈之「意」的交流互動，會產生意緒的波動，這種波動會多樣發展，並隨著寫作進度不斷地變化所以，作家會運用文字形式來摹擬情緒波動的狀態，造就各種豐富而雕琢的意象。例如「白雲在飄」，作家通常會進一步寫著「白雲悠悠地飄」。「悠悠」的形容摹擬了白雲飄的狀態，也透出飄的閒淡、飄的自在、飄的舒緩。這就是意象互動造成意緒之波動，進一步雕琢出來的美感效果。

---

22 見《寫作美學》（高雄市：麗文文化事業公司，1996年10月初版），頁311。

（三）顯隱互動之美

「象」與「意」的互動關係，恰如具體與抽象的關係。在辭章中，「情」、「理」皆屬抽象，而「景」、「事」屬具象，抽象與具象本來就並存於人類的心理當中。蔣孔陽說明具體與抽象之關係提到：

> 具象性與抽象性，本來是人類心理結構中一對既矛盾而又統一的範疇。它們不是絕對地相互排斥，而是相反相成。我們認識客觀現實，有形象的方式，也有概念的方式。這兩種方式固然各有其特殊的規律，特殊的功能，但它們都統一於人的內心的結構中。

「抽象」與「具象」既是相反相成的兩個範疇，其同時出現在辭章當中，一方面各形成抽象美與具象美，另一方面也因為互相適應而形成調和的美感。所以說：

> 具象性與抽象性相結合，可以在內心中引起豐富的想像，從而有助於審美意境的創造。審美意境的創造，一方面必須要有具象性的形象，另一方面則須這一形象能引起豐富的想像使我們「登山則情滿於山，觀海則意溢於海」。因此，審美意境是和想像分不開的。想像的特點，就是能在內心中把具象性的形象與抽象性的概念統一起來，使本來沒有生命和情感的東西具有生命和情感，使本來只事物質性的東西能夠和抽象的概念掛起鉤來，從而從有限的天地走向無限的聯想，從樸實的大地向著天空飛翔。[23]

---

23 見蔣孔陽：《美學新論》（北京市：人民文學出版社，1995年9月第1版二刷），頁 324、325。

美感經驗固然來自於具體的「形象的直覺」，但是抽象性的思維確有凸顯、強化具象的作用，更能將審美的意象提升到更高的層次，兩者之間的矛盾非但不會破壞心理結構的和諧，反而有助於和諧的提升。意象的形成，具備抽象與具象的調和關係，其所呈現的感染力，當然具有顯隱互動的美感效果。

（四）超越意象之美

　　「風格」作為辭章中的抽象力量，在豐富的漢語詞彙中，又有「氣」、「神」、「韻」、「境」、「味」等詞，用以詮釋它的美感效果。關於「氣」，它不是辭章中具體的景事、情理，而是根植於宇宙元氣和作家心靈的抽象力量；關於「神」，它雖然離不開人的形相，卻又超越於形相之外；關於「韻」，並非聲韻、音韻之義，而是指藝術品的風氣韻度；關於「境」，是情與景、物與我相互交融統一之後的藝術世界，它是超越於情、景、意之外的一種氛圍；關於「味」，並非具體的酸鹹之味，而是抽象的味外之旨。可見中國傳統的「氣」、「神」、「韻」、「境」、「味」等概念，雖有不同的藝術概括，卻都是一種超越意象之外的「整體質」。童慶炳以為，這種整體質就是「格式塔質」，他說：

　　　　我們古人所說的「氣」是一種「總而持之」、「條而貫之」的東
　　　　西；「神生象外」，「傳神在遠望中出」；「韻」在「筆墨之外」，
　　　　是「聲外之音」；「境生於象外」，是「象外之象、景外之景」；
　　　　「味在酸鹹之外」，實際上都不是著眼於詩中可見可解的象、
　　　　意、言這些元素，而是著眼於情境的整體組織。即通過情境整
　　　　體的創造，使詩在象、意、言之外獲得詩的「格式塔質」──

深遠綿長的美的極致。[24]

格式塔心理美學所強調的「異質同構」理論，證明「意」與「象」之間存在著無形溝通的橋樑。它們也同時強調「整體大於部分之和」[25]，足以說明「意」與「象」的相加不可能等於具有整體組織的「意象」本身。因為意象本身仍蘊含著超越「言」、「意」、「象」的抽象力量，此力量會依附意象存在，同時也形成一種超越意象的美感效果。

五　結語

　　「意象風格」在整體辭章風格的地位，僅是局部抽象之感染力量的展現。從哲學層面來看，它相通於宇宙的「無有」概念，也契合「意──象──言」三位一體的自然規律，故能產生「心物合一」的美感。從心理層面來看，無論是「象→意」或「意→象」的心理路徑，皆可能產生「意緒波動」的美感效果。從辭章層面來看，意象風格是整體辭章風格的一部份，它必須結合詞彙、修辭、文法、章法、主題等領域，才能見出整體風格的全貌。就其本質而言，它有「顯隱互動」之美，更有超越實體意象，形成所謂「氣韻生動」的美感效果。辭章就如同一個小型的宇宙，在豐富紛繁的辭章世界裡，具體意象是尋找抽象神韻的重要媒介。簡而言之，意象是風格的重要質素，透過此一質素，可以開啟風格探索的門徑，也可以藉此瞭解辭章形象

---

24 見《中國古代心理詩學與美學》（臺北市：萬卷樓圖書公司，1994年8月初版），頁21。

25 格式塔心理學強調經驗和行為的整體性，反對當時流行的構造主義元素學說和行為主義「刺激─反應」公式，認為整體不等於部分之和，意識不等於感覺元素的集合，行為不等於反射弧的循環。參見庫爾特‧考夫卡著，黎煒譯：《格式塔心理學原理》（臺北市：昭明出版社，2000年7月第一版第一刷），頁11。

思維的內在脈絡。因此,研究辭章個別意象所形成的風格,是探索辭章風格的必經之路。本文試圖完整呈現意象風格的理論探究與實際作品的分析,對辭章風格的研究應是重要里程。

　　——發表於「第八屆中國修辭學學術研討會」,2007年11月;後收入《修辭論叢》第八輯(新北市:臺北大學文獻所,2009年1月初版)。

附錄二
辭章「修辭風格」探究
——以古典詩詞為考察對象

一　前言

　　「修辭」是辭章意象表現中的重要範疇，也是遣詞造句進階到美感要求的主要手段。它對於辭章整體的影響很大，在主旨掌握與風格呈現方面尤見其要。就風格呈現來說，不同的修辭技巧，會形成不同的感染力量，使讀者可以感受到字句、甚至是辭章整體的風趣格調。本文探索修辭對於辭章風格的影響，試從「哲學」、「心理」及「辭章」三個層面，建構其理論基礎，並以古典詩詞為例，分析、歸納其修辭風格所產生的美感效果，期能瞭解修辭在風格表現上的影響與地位。

二　「修辭風格」的理論基礎

　　探索文學作品的修辭風格，必須建立其理論基礎，以作為我們分析辭章的依據。關於「修辭風格」的理論，可以從三方面加以探討，一是「哲學層面」，二是「心理層面」，三是「辭章層面」，試分述如下。

（一）哲學層面

　　關於「修辭風格」的哲學基礎，我們可以先就「修辭」方面來加

以論證。古代哲學的論著中，將「修辭」二字連用者，首見《周易・文言・乾九三》。其言：

> 子曰：君子進德脩業。忠信，所以進德也；脩辭立其誠，所以居業也。

黃慶萱以為，「修辭立其誠，所以居業也」已經指出了修辭的方法、內容、原則和效果。具體而言，「修」是方法，「辭」是內容，「誠」是原則，「居業」是效果[1]。可見，修辭的「辭」是指文辭而言，後代論述如「建言修辭」[2]、「立誠在肅，修辭必甘」[3]，皆是此義。而宋儒更言「擇言篤志，所以居業也」[4]，擇言就是修辭，這很明顯是繼承《易・文言》的說法而來。

　　修辭的重要原則是「誠」，孔穎達《周易正義》認為「誠」有「誠實」之義，此義可與《大學》、《中庸》對於「誠」的詮釋相互闡發。《大學》八目有「誠意」之說，其解釋「誠意」說到：

> 所謂「誠其意」者，毋自欺也。如惡惡臭，如好好色，此之謂自謙。故君子必慎其獨。

這裡用「毋自欺」、「慎獨」來解釋「誠」的內涵，充分說明學者進德修業，知道為善以去其惡，就應該「實用其力禁止其自欺」[5]。而個

1　參見黃慶萱：《修辭學》（臺北市：三民書局，2002年10月增訂三版一刷），頁2。
2　見劉勰：《文心雕龍・宗經》篇。
3　見劉勰：《文心雕龍・祝盟》篇。
4　見程頤：《易傳》。
5　見朱熹：《大學章句》。

人誠實與否，有他人所不知，唯有透過「慎獨」的功夫，才能達到「誠意」的境界。《中庸》向以「至誠」為進德之最高境界，它以為達於至誠的途徑有二，所謂：

> 自誠明，謂之性；自明誠，謂之教。誠則明矣，明則誠矣。

由至誠而自然明白善道，是天賦之本性；由明白善道而達於至誠，是人為之教化。這是中庸所強調的「天人互動」的軌跡。所以，無論是天賦或人為，「至誠」終將完成自我人格的修養（成己——進德），進而成就萬物（成物——脩業）。這就印證了《易‧文言》所謂「進德」、「居業」的精神內涵。

　　所以，若將《大學》、《中庸》對於「誠」的詮釋落於修辭來說，「誠」不僅是修辭的原則，也是修辭之最終目的。具體而言，「修辭」乃君子進德修業的必要工夫，君子以至誠無妄之心，修其文辭之善，就是「自誠明」的途徑；以至善之文辭，達於至誠之境界，就是「自明誠」的途徑。所以，「修辭」應該可以視為人類與生俱來的天性，同時也是人為教化所明示的進德工夫。可見「修辭」與「誠」之間有其互動、循環的關係，因為「誠」，君子之文辭可以趨於善；因為「修辭」，君子之德業可以臻於至誠之境界，兩者因互動、循環而不斷地提升。所以，《周易》強調修辭達於至誠的境界，同時也明白指出修辭不善的偏失。在《易‧繫辭下》提到：

> 將叛者其辭慚，中心疑者其辭枝，吉人之辭寡，躁人之辭多，誣善之人其辭游，失其守者其辭屈。

這是《繫辭傳》用以檢驗學者進德修業「誠」或「不誠」的具體例

證，同時也顯示六種因擇言修辭之不善而產生的性格缺失，更印證了
個人文辭（包含言語、行文）的優劣，其人格特質也出現極大的差
異。在漢魏之際，品鑒人物的風氣逐漸形成，相關的著作也相繼提
出。從班固的〈古今人表〉，到劉劭的《人物志》，以至於後來劉勰
《文心雕龍‧體性》篇的論述，大多繼承了《易‧繫辭》的說法，用
以推演鑒識人物的標準。而這些論著又成為後來中國風格理論的濫
觴[6]，由此可知「修辭」與「風格」仍具有某些哲學上共通的根源。

　　就「全」的角度來看，「誠」是修辭與風格所共通追求的終極目
標。「修辭立其誠」代表著修辭所追求的「真、善、美」的境界，而
「真、善、美」也是風格最完整的本質。就「偏」的角度來看，《繫
辭傳》所謂「將叛者其辭慚，中心疑者其辭枝，吉人之辭寡，躁人之
辭多，誣善之人其辭游，失其守者其辭屈」者，其中「辭慚」、「辭
枝」、「辭寡」、「辭多」、「辭游」、「辭屈」是不同的言辭表現，而「將
叛者」、「中心疑者」、「吉人」、「躁人」、「誣善之人」、「失其守者」則
是不同言辭所形成的人物風格。不同的修辭可以形成人物風格的差
異，透過《易‧繫辭傳》的哲學論述，獲得了最佳的詮釋。

(二)心理層面

　　修辭風格涵蓋了「修辭」與「風格」兩個領域，而風格的本質又
是一整體審美風貌的展現，所以，從心理層面探索修辭風格的根源，
必須結合美學的理論，才能兼顧修辭風格的心理基礎與美感效果。

　　在美學中有一重要分支，我們稱之為「審美心理學」，或稱為
「心理學美學」。此一美學分支的理論中，「審美聯想」又是一重要的

6　黃美鈴：「魏晉之人物品鑒，以超實用之藝術心靈，觀照出人體形相之美，久之，
　　乃擴及於文學，故是時對文學作品之品評，輒喜以人體為喻。」見《唐代詩評中風
　　格論之研究》（臺北市：文史哲出版社，1982年2月初版），頁3。

研究範疇。「聯想」在審美體驗中是一種原始的心理活動，它是人類腦中表象的聯繫。也就是說，一個或一些表象出現於腦海中，就會引起一些相關的表象。黃天驥針對「聯想」有更深入的論述，他認為這是一種「隱性的構造意境的方式」。其言：

> 人的大腦，具有儲存信息的功能。不同種類的信息，分別儲存於大腦皮質不同的區域中，當人們接受到外界的信息，大腦皮質某一區域獲得信號，又會引動相鄰或相類區域的皮質細胞活躍起來，從而產生比較、比擬、聯想、推理的種種功能。而不同的功能引發皮質細胞的活躍程度，又由不同的人、不同的質素而定。[7]

這裡提到，人類的「聯想」活動是大腦皮質細胞獲得信息之後，所引動相鄰或相類腦區的皮質細胞之活躍。由此可知，「聯想」的形成具有兩個必要條件：一是大腦必須先有外在信息的接收或刺激，二是信息在大腦皮質內部必須產生引動作用。這些引動作用會因不同的人、不同的質素而有所差異。此差異便形成不同的聯想作用。一般可分為：

> 接近聯想：是指對時間或空間上接近事物的聯想。
> 相似聯想：是指對性質、形態相似事物的聯想。
> 對比聯想：是指性質、特點相反事物的聯想。
> 因果聯想：對具有因果關係事物的聯想。

用「聯想」來解釋審美體驗，是許多中外學者所持的觀點。他們認為，在審美活動中，人的腦海會出現相關的各種意象，正是透過聯

7　見《詩詞創作發凡》（廣州市：廣東人民出版社，2003年8月第1版），頁484-485。

想，使人們忘卻實際生活中的羈絆，進入特殊的藝術世界，從而產生美感。更有學者認為所有的審美體驗都要靠聯想，沒有聯想，簡直就沒有人的意識活動，也沒有人的審美活動。[8] 許多藝術如音樂、繪畫等形式，就是藉由聯想的活動造就了審美的創作與欣賞。就文學的領域來看，文學創作亦離不開聯想，藉由聯想的活動，文學的意象有了更開展的空間，進而表現其審美意識，我們稱之為「寫作主體心理意象的詩化」[9]。

聯想活動既然在文學意象的表現中佔有重要地位，而意象表現又以修辭為主，所以，我們探索修辭心理，可以運用審美聯想的過程，來詮釋各種修辭的心理基礎及其美感效果。藉由修辭格與聯想模式的比對分析，我們發現了二十餘種修辭技巧[10]與審美聯想的心理活動有密切關聯，茲表列說明如下：

聯想模式	修辭技巧	說明
相似聯想	引用	運用詩詞、成語或俗語來印證、補充作者的本意，就是將詩詞、成語的內涵與作者的本意聯結起來，這必須以相似聯想為基礎才能形成引用修辭的作用。
	飛白	飛白修辭所引用的方言、俚語、行話、黑話等，就是透過聯想所產生的符號，這些符號恰與語言的內

8　創始於十七世紀中葉的英國聯想主義心理學派，其代表人物如洛克（J.Locke, 1632-1704）、休謨（D.Hume, 1711-1776）、博克（E.Burke, 1729-1797）等人，皆持類似的理論。參見《西方美學通史》第三卷，收入《十七十八世紀美學》（上海市：上海文藝出版社，1999年12月第1版）。

9　「意象的詩化」就是指文學意象透過聯想心理的進一步表現而產生的美感效果。見童慶炳：《中國古代心理詩學與美學》（臺北市：萬卷樓圖書公司，1994年8月初版），頁133-140。

10　這裡表列的修辭技巧，其名稱與定義皆參照黃慶萱：《修辭學》。

聯想模式	修辭技巧	說明
相似聯想		涵及其情境相合，產生刺激讀者的效果。
	轉品	詞有「本性」與「變性」之分，詞之變性雖然是語法上的自然現象，但透過作者刻意的聯想活動，聯結了本性與變性之關係，以達到詞性變化的目的。
	婉曲	運用委婉閃爍的言詞是婉曲修辭的主要精神，就作者而言，因聯想活動而聯結本意與含蓄意的關係；就讀者而言，也需透過聯想以理解含蓄語言的本意。
	誇飾	透過聯想活動，誇飾所運用之誇張鋪飾的語言，雖超過客觀事實，彼此之間卻仍存在某關聯，如此既可以語出驚人，又能不傷害事實。
	譬喻	譬喻是運用相似聯想的作用，使喻體和喻依產生密切的關聯。也就是從新經驗聯想到舊經驗，從難知聯想到易知，從抽象聯想到具體，以達到借彼喻此的目的。
	借代	借代是指行文或談話中，放棄常用之本名或語句不用，改以其他與本名密切相關的名稱來代替，而尋找密切相關的名稱或語句，就需要透過相似聯想的心理來達成。
	轉化	無論是人性化、物象化或具象化，轉化修辭都是透過相似聯想活動，以聯結人與物、具象與抽象之間的關係，才能達到轉化的效果。
	雙關	一個語句同時關顧到兩種事物，無論是作者或讀者，都需透過相似聯想的過程，才能完成字音或字義的雙關，同時達到「言在此而意在彼」的美感效果。

聯想模式	修辭技巧	說明
相似聯想	象徵	象徵修辭是聯結了「抽象情意」與「具體物象」的關係，透過理性關聯或社會約定，以達成其表意目的。其所謂「理性關聯」就是相似聯想的心理活動。
	類疊	類疊中的「類字」和「類句」很明顯地在句式上運用接近聯想形成類似的句型，而「疊字」與「疊字」為字句重複，亦可視為相似聯想的心理模式。
	排比	排比句的條件是三個或三個以上結構相似、語氣一致、字數大致相同的句子並列，從語句的形式看，是藉由「相似聯想」的心理活動才可以造出結構近似的語句。
	層遞	層遞修辭所排列的三件或三件以上的事物，具有層層遞進之關係，在內涵上也是運用「相似聯想」的活動，才足以形成層遞關聯。
	頂真	頂真的特色是前一句之結尾與後一句之起頭，用同一詞彙來形成聯結，這一相同的詞彙運用，基本上就是一種「相似聯想」的心理活動。
接近聯想	仿擬	模仿是人類學習上的天性，而修辭上的仿擬是藉由原作在讀者心中的熟悉印象，引發出新的特殊旨趣，這種引發就需要「接近聯想」的心理活動來輔助達成。
	摹況	摹況可視為廣義的摹擬，文學創作中對自然及人生各種現象摹擬，必須透過聯想的活動，才能將感官所知覺的事物完整真實地呈現在文學作品中。
	示現	無論是追述、預言或懸想，示現修辭可說是充分運用了「接近聯想」的心理活動，才能將人類內心的思維，超越時間與空間的限制，達到景象如映眼前的美感效果。

聯想模式	修辭技巧	說明
對比聯想	映襯	映襯修辭可分為對襯、雙襯、反襯等幾種形式，基本上都是以「對比」做為心理根源，所以用對比聯想來詮釋其心理基礎，最能凸顯映襯的「對比」特質。
	倒反	倒反修辭運用與內心想法完全相反之語句來反諷事理，這是一種「表象」與「事實」的對比，兩者之間就是運用對比聯想而形成對立式的聯結關係。
	對偶	對偶的條件是兩個語句字數相同、平仄相對，且避用同字。其「平仄相對」就是一種對比的精神。除此之外，對偶修辭在句式上語法相似，除對比聯想之外，仍兼有接近聯想的心理活動。
	跳脫	跳脫是指心念的急轉、事象的突出或語句的中斷轉折。這些心理現象容易呈現意象的懸殊與突兀，此懸殊（或突兀）的意象，就是對比聯想的心理活動所形成的。
因果聯想	回文	回文修辭的淵源來自於宇宙人生的循環、相關、因果等現象，在詞語的形式上兩兩相關，詞語的內涵上又互為因果，完全符合因果聯想的心理活動。

　　每一種修辭技巧皆有其個別的心理詮釋，但從求同而不求異的角度來看，「聯想」可成為多數修辭格的共通心理根源。上述表格的說明已經印證此一概念，而邱明正更明白指出：

　　審美聯想是藝術創作中和審美表達中的比興、烘托、陪襯、誇張、象徵等手法的心理基礎。……由於聯想才通過特定的事物來比興、烘托、反襯、誇張、象徵所表現的事物和自己的思想、情感。……此外，審美聯想還是審美通感、想像、意識

流、移情和審美意志等心理活動的前提。[11]

其所謂「比興、烘托、陪襯、夸張、象徵」者，皆是修辭學上的重要
表現手法。「聯想」作為修辭心理的重要基礎，同時也是各種審美心
理的前提。落到文學創作來說，作家藉由聯想來創造各種修辭之美，
而讀者也藉由聯想領略到辭章的藝術之美，這些美感經驗也可以從不
同辭章的各種風格來詮釋。由此可知，審美聯想的心理是修辭與風格
之間的重要橋樑。藉由聯想活動，修辭風格的心理基礎就更加清楚明
白了。

（三）辭章層面

從整體辭章學的角度來說，修辭的本質來自於作者的意象。黃慶
萱在《修辭學》一書明白提到：

> 修辭的內容本質，乃是作者的意象。這兒所說的「作者」，包
> 括寫作者和說話者。所謂「意象」，《文心雕龍・神思》有「窺
> 意象而運斤」，指文藝構思運作中形成的藝術形象。英文
> Image，通常指喚起心象或感官知覺的語言表現。這裡我採用
> 我的老師李辰東先生的定義：「意象就是由作者的意識所組合
> 的形相。」意識是主觀的，形相是客觀的，而意象便是主觀觀
> 照之下的客觀景象。一種客觀景象，由於作者主觀意識的不
> 同，而產生不同的意象。……修辭學中的「辭」，在內容方
> 面，就是作者主觀意識將客觀形相加以選擇、組合所產生的意
> 象。[12]

---

11 見邱明正：《審美心理學》（上海市：復旦大學出版社，1993年4月第1版），頁193。
12 見《修辭學》，頁6。

這裡將「修辭」與「意象」作一緊密的結合，是把修辭之本質研究，導入一個正確的方向。因為，修辭不僅等於意象，它是意象在形成之後，更進一步的「意象表現」。陳滿銘在詮釋辭章學的各個領域時提到：

> 如果是將一篇辭章所要表達之「情」或「理」，訴諸各種偏於主觀之聯想、想像，和所選取之「景（物）」或「事」接合在一起，或者是專就個別之「情」、「理」、「景（物）」、「事」等材料本身設計其表現的，皆屬「形象思維」；這涉及了「取材」與「措詞」等問題，而主要以此為研究對象的，就是意象學、詞彙學與修辭學等。如果是專就「景（物）」或「事」等各種材料，對應於自然規律，結合「情」與「理」，訴諸偏於客觀之聯想、想像，按秩序、變化、聯貫與統一之原則，前後加以安排、佈置，以成條理的，皆屬「邏輯思維」；這涉及了「運材」、「佈局」、與「構詞」等問題，而主要以此為研究對象的，就字句而言即文（語）法學；就篇章言，就是章法學。至於合「形象思維」與「邏輯思維」而為一，探討其整個體性的，則為「綜合思維」，這涉及了「立意」、「確立體性」等問題，而主要以此為研究對象的，為主題學、文體學、風格學等。而以此整體或個別對象加以研究的，則統稱為辭章學或文章。[13]

這段論述明白指出，辭章是由「形象思維」、「邏輯思維」和「綜合思維」所組成。在「形象思維」方面，我們通常藉由「景（物）」、

---

13 見〈談思維力與語文螺旋結構的關係〉，《國文天地》243期，2005年8月。

「事」等材料的主觀聯想，來表達「情」、「理」，這就是「意象」的形成。「意象」形成後，運用各種符號作為媒介而轉為「詞彙」，「詞彙」就是意象表現於辭章的初步。如果我們進一步透過表意方法的調整，或優美形式的設計來表現意象，就是一種「修辭」行為。因此「修辭」可視為「意象」之更進一步的美感表現。

　　至於辭章的「綜合思維」所涉及的「主題」、「文體」、「風格」等領域，是「形象思維」與「邏輯思維」所結合而成的「整體意象」，這與辭章的「個別意象」有所差別。以風格來說，它融合了意象（個別）的形成（包含意象領域）、意象的表現（包含詞彙、修辭領域）、意象的組織（包含文法、章法領域）及意象的統合（包含主題（旨）領域），形成辭章的整體藝術風貌。所以想要理解辭章風格的內在條理，就可以從「意象」、「詞彙」、「修辭」、「文法」、「章法」、「主題」、「文體」等領域來分析。可見藉「修辭」以見辭章之風格，可以分析風格在形象思維方面的內在條理，是研究風格的具體途徑之一。黎運漢在《漢語風格學》就明白指出：

> 語言的表現風格有人稱為修辭風格，它是從綜合運用各種風格表達手段所產生的修辭效果方面來說的，是對一切語言交際的產物——話語的氣氛和格調從多角度、多側面的抽象概括。[14]

黎教授認為，表現風格是綜合運用各種風格手段所形成的氣氛和格調，而「修辭」是主要運用的手段。

　　這裡所謂的「修辭」是一種較為廣義的定義，可以視為各種文學技巧。因為「個別的、零散的風格手段不能構成一種表現風格，每一

---

14 見《漢語風格學》（廣州市：廣東教育出版社，2000年2月第1版），頁211。

種表現風格都是諸種美學功能相同的風格手段相作用、相匯合的結晶」[15]，我們在探討修辭風格之時，除了鎖定其局部修辭格的風格表現之外，更應結合其他風格手段（如文法、章法、主題等），才可以準確統整辭章風格的全貌。

三　辭章「修辭風格」舉隅

根據哲學、心理與辭章三層面所梳理出來之修辭風格的理論，我們可以進一步就文學作品加以印證。試舉重要修辭格為例，並以古典詩詞為分析對象，分項說明辭章之修辭風格如下。

（一）引用

「引用」是一種訴諸權威或訴諸大眾的修辭法。其目的是為了增加言語或辭章的說服力，所以引用成語、俗語或詩詞容易使語句變得典重莊嚴，營造出「典雅」的風格。例如蘇軾〈江城子〉：

> 欲待曲終尋問取，人不見，數峰青。

乃引自錢起〈省試湘靈鼓瑟詩〉的「曲終人不見，江上數峰青」。又如劉長卿〈過賈誼宅〉：

> 秋草獨尋人去後，寒林空見日斜時。

是化用賈誼〈鵩鳥賦〉的「庚子日斜兮，鵩集予舍；野鳥入室兮，主

---

15 見《漢語風格學》，頁218。

人將去」。這裡化用前人詩句，不僅使詩句優雅，更能收到言簡意深
之效。此外，引用古人古事還可能具有影射之意，例如杜甫〈詠懷古
跡之一〉：

　　　支離東北風塵際，飄泊西南天地間。
　　　三峽樓臺淹日月，五溪衣服共雲山。
　　　羯胡事主終無賴，詞客哀時且未還。
　　　庾信生平最蕭瑟，暮年詩賦動江關。

此處自述作者生平，又引用庾信「蕭瑟」的際遇，實為影射杜甫自身
的遭遇。透過時空的距離感，這種影射營造了詩句「含蓄」的風格。
這種營造手法在唐詩中常常見到，例如李商隱〈嫦娥詩〉云：

　　　嫦娥應悔偷靈藥，碧海青天夜夜心。

這首詩可能在描寫作者所暗戀的女道士，此乃暗示女道士後悔立下淨
戒，像嫦娥為長生不老而拋棄人間愛情一樣，全詩同樣透露著「含
蓄」的風格。

（二）轉品

　　「轉品」修辭最大的特色是改變詞彙原來詞品，由於詞品的轉
變，表現方式靈活、新穎而生動，其文意也隨之豐富，營造一種「簡
練」的風格。這種運用簡練單詞，營造豐富意象的修辭技巧，在詩詞
中尤為常見。例如杜審言〈和晉陵陸丞相早春游望〉：

　　　雲霞出海曙，梅柳渡江春。

詩中「曙」、「春」二字皆由原來名詞轉變為動詞。一個「曙」蘊含雲霞受曙光照耀所形成的燦爛景象，而「春」字則表現梅柳所渲染的無限春意。此外，轉品修辭所形成的新穎詞式，還可能增加柔婉之氣。例如王安石〈泊船瓜洲〉：

> 京口瓜洲一水間，鍾山只隔數重山。
> 春風又綠江南岸，明月何時照我還？

詩中「綠」字由形容詞轉動詞，形成新穎而具體的句式。將整首詩的春意，又加入幾許柔情，添增了柔婉的風致。

（三）婉曲

「婉曲」修辭最能營造辭章「含蓄」的風格。因為含蓄曲折的語言具有辭意委婉，不迫不露的特色，而語帶溫厚的情味，毫無刻薄之意，亦充分表現中國詩歌「溫柔敦厚」的美質。以杜甫〈春望〉詩為例，其云：

> 國破山河在，城春草木深。感時花濺淚，恨別鳥驚心。

司馬光《溫公詩話》曾評論說：

> 古人為詩，貴於意在言外，使人思而得之，近世詩人惟杜子美得詩人之體，如〈春望〉詩「國破山河在，城春草木深。感時花濺淚，恨別鳥驚心。」「山河在」，明無餘物矣。「草木深」，明無人矣。花鳥，平時可娛之物，見之而泣，聞之而恐，則時可知矣。

杜甫表現安史之亂，不直接描寫京城殘破、生靈凋敝的景象，反而用
「山河在」委婉表現家國殘破，用「草木深」呈現生民不存，又以
「花濺淚」、「鳥驚心」間接表達時局動亂、萬物驚恐慌亂的心境。這
些委婉的表現方式充分展現含蓄溫厚的風格。

（四）誇飾

　　誇張鋪飾是「夸飾」修辭最大的特色，辭章形象因夸飾而更加凸
顯，情意也更為鮮明。正因為意象的凸顯鮮明，可能使辭章的明快之
氣更加明快，哀怨之情更加哀怨。例如李白〈早發白帝城〉云：

　　　　朝辭白帝彩雲間，千里江陵一日還，
　　　　兩岸猿聲啼不住，輕舟已過萬重山。

其謂「千里江陵一日還」誇張地描寫長江水流之快，對於整首詩「豪
爽明快」的風格具有重要的影響。又如范仲淹〈御街行〉云：

　　　　愁腸已斷無由醉，酒未到，先成淚。

愁至腸斷已經是夸飾的筆法，此言酒未到腸已先化為淚水，更進一層
地表現愁思之極致。使這闋詞所傳達的哀愁更加淋漓盡致，可謂沈著
痛快。

（五）示現

　　「示現」修辭最能應用聯想力的作用，以達到其超越時空的意象
經營。由於虛時空與實時空的對比交錯，容易在文學作品中呈現「虛
實錯落」的美感效果。就風格而言，因為「虛」空間的凸顯而營造出

縹緲悠遠的陰柔風貌。以杜甫的〈月夜〉詩為例，其云：

　　今夜鄜州月，閨中只獨看。
　　遙憐小兒女，未解憶長安。
　　香霧雲鬟溼，清輝玉臂寒。
　　何時倚虛幌，雙照淚痕乾。

詩中的「鄜州月」、「閨中獨看」、「憶長安」、「雲鬟溼」、「玉臂寒」、「淚痕乾」都是杜甫透過虛想，描寫鄜州妻兒思念自己的情景。杜甫思念妻兒，想當然耳妻兒亦思念自己，就在這種同理心的驅使之下，杜甫便透過懸想和預言的示現筆法，寫下這首別出心裁的淒怨之作。此外，亦有追憶往事，歷歷如在眼前的追述示現，如晏幾道的〈臨江仙〉寫到：

　　記得小蘋初見，兩重心字羅衣，琵琶絃上說相思，當時明月在，曾照彩雲歸。

此句「當時明月在，曾照彩雲歸」，彷彿真的將時空拉到初見小蘋的當下，使相思之情更加鮮明，而淒柔婉約的風格也洋溢其中。

（六）譬喻

　　「譬喻」修辭通常使用極少的詞彙，表現出豐富的意象。因為喻依通常是已知、熟悉、具體、故舊的事物，可用讀者容易理解的詞彙來表意；而喻體則為未知、陌生、抽象、新穎的經驗，當已知和未知、熟悉和陌生、故舊和新穎之間產生類比聯結時，其豐富的意象就自然而然地呈現。如此言簡意賅的美感效果，最容易展現簡約凝練的

風格。詩詞所運用的詞彙極少，其蘊含的意象卻很豐富，尤其在運用譬喻修辭之後，這種現象更加明顯。如杜牧的〈山行〉寫到：

停車坐愛楓林晚，霜葉紅於二月花。

此處以二月豔紅的春花比喻秋天經霜的楓紅，其詞極簡，卻營造了滿山霜葉的豐富意象。又如李煜的〈清平樂〉寫著：

雁來音信無憑，路遙歸夢難成。離恨恰如春草，更行更遠還生。

他以春草比喻抽象的離恨，其離恨之情便不多加形容，直可渲染出「更行更遠還生」的豐富意象。再如秦觀的〈浣溪沙〉：

自在飛花輕似夢，無邊絲雨細如愁。

這裡同時運用了倒裝筆法，以飛花喻夢，帶出夢境的清柔飄渺；用絲雨擬愁，深化愁緒的哀怨淒絕。深化愁緒的哀怨淒絕。這三個例證皆以簡約凝練的詞彙，表現出豐富而深刻的意象。

（七）借代

以相關之名詞來代替原來的詞彙，是「借代」修辭的基本精神。在借代形成之後，原有的詞彙隱而不現，卻仍可表達心中的情理，更可凸顯事物的特徵，在形式上，其用以取代的名稱又能營造新奇有趣的美感效果。如李白的〈贈孟浩然〉詩云：

紅顏棄軒冕，白首臥松雲。

「紅顏」、「白首」概括了「少壯」至「晚年」的生涯，而「軒冕」代表「達官顯貴」，「松雲」代表「隱居生活」，充分表現孟浩然高潔的心志，其詞式新穎脫俗，更具高曠之美。又如辛棄疾的〈鷓鴣天〉寫到：

> 千載後，百篇存，更無一字不清真。若教王謝諸郎在，未抵柴桑陌上塵。

其中「千載」、「百篇」、「王謝」、「柴桑」皆為借代，使整闋詞因詞式的新穎而展現清疏曠遠的感染力。

（八）轉化

　　由於事物本質的改變，轉化修辭縮短了物象與物象之間的距離。就其類別來說，「人性化」與「物性化」的修辭打破了人與物的隔閡，而「具象化」則化解了抽象與具體的藩籬。這種縮短距離、打破隔閡的作用在辭章中會產生一種親切自然的美感，情意的表達也更為深刻。例如崔護〈題都城南莊〉詩：

> 去年今日此門中，人面桃花相映紅。
> 人面不知何處去？桃花依舊笑春風！

此詩用「笑」的動作，使「桃花」人性化，人面與桃花合而為一，而桃花也笑出作者內心的惆悵。又如李煜〈相見歡〉云：

> 剪不斷，理還亂，是離愁。

離愁本是人的情緒，這裡用「剪」、「理」的動作將離愁物性化，其所欲傳達的愁緒也更為深刻具體。可見轉化修辭縮短了物象之間的距離，容易呈現親切自然、情真意摯的格調。

（九）映襯

「映襯」修辭的精神是將相反的事實或觀念對列起來，互為襯托，所以容易產生對比的美感，就風格而言，則易出現偏於陽剛的氣勢。由於用詞精簡，而對比所產生的情理卻更深刻，故常有凝練的風致。例如崔顥〈題沈隱侯八詠樓〉詩云：

> 綠窗明月在，青史古人空。

「綠窗明月」代表自然，「青史古人」代表人事，這兩句將自然的永恆與人事的短暫對襯，其詩句的簡約凝練，卻對比出人生短暫徒勞的深切感嘆。這種現象在古詩中可隨手擷拾，如：

> 舊時王謝堂前燕，飛入尋常百姓家。（劉禹錫〈烏衣巷〉）
> 壯士軍前半死生，美人帳下猶歌舞。（高適〈燕歌行〉）

因為映襯的效果，一切昨是今非、家國興衰、振奮與頹靡，都已躍然紙上，無須再多言詞形容，其抑揚褒貶之意已非常明確。

（十）雙關

「雙關」包括字義的兼指、字音的諧聲、語意的暗示等類型，它通常可以製造「言在此意在彼」的趣味，也容易在辭章中營造含蓄、幽默的風格。例如劉禹錫〈竹枝詞〉云：

　　　　楊柳青青江水平，聞郎江上唱歌聲；

　　　　東邊日出西邊雨，道是無晴還有晴。

此以「晴」字雙關「情」，因字音的諧聲含蓄地傳達脈脈的情意。又如朱慶餘〈近試上張水部〉：

　　　　洞房昨夜停紅燭，待曉堂前拜舅姑，

　　　　妝罷低聲問夫婿，畫眉深淺入時無。

這首詩充分運用了語意上的雙關，藉由新媳妝扮取悅公婆，來影射自己所獻詩文的水準，在含蓄的筆意中，也蘊含幾許幽默的風趣。

（十一）象徵

　　「象徵」修辭運用了具體的形象，以表達抽象的情理，其構成的基礎在於理性的關聯和社會的約定俗成。因其間接的表意方式，使辭章容易呈現含蓄的風格，而象徵所蘊含的理性關聯與社會價值觀，使其含蓄風格又多含有濃厚的理趣。例如李商隱的〈登樂遊原〉詩：

　　　　向晚意不適，驅車登古原。夕陽無限好，只是近黃昏。

此詩的「夕陽」象徵宇宙萬物即將消逝的階段，包含了詩人面對殘日將盡、人生苦短的感慨。在宋詩中常有以理入詩的情形，如朱熹的〈觀書有感〉：

　　　　半畝方塘一鑑開，天光雲影共徘徊。

　　　　問渠哪得清如許？為有源頭活水來。

其中「半畝方塘」象徵人類的心性,「天光」象徵宇宙虛靈不昧的本體,而「雲影」代表外在的物欲,「源頭活水」則是因學習所產生的靈明之氣。此詩含蓄莊嚴,又不失清新自然的理趣。

(十二) 類疊

「類疊」修辭中以「類字」、「疊字」較容易影響辭章的風格,其餘如「類句」、「疊句」可與排比修辭一起討論。類字、疊字的反復運用,會造成詞式的繁複,以致影響辭章容易展現「豐繁」的格調。如《詩經・蓼莪》所云:

> 父兮生我,母兮鞠我,拊我,畜我,長我,育我,顧我,復我,出入腹我。

詩中不斷出現「我」字,並且使用不同的動詞來增加變化,凸顯雙親養育「我」的辛苦,也豐富了偉大親恩的意象。又如歐陽脩〈蝶戀花〉:

> 庭院深深深幾許,楊柳堆煙,簾幕無重數。

「深」字的復疊,同樣有凸顯幽深庭園的效果。再如李清照的〈聲聲慢〉云:

> 尋尋,覓覓;冷冷,清清;悽悽,慘慘,戚戚。乍暖還寒時候,最難將息。

這裡連用七個疊字,使女子獨居的淒冷意象非常鮮明,在詞式上亦產

生豐繁的美感。上述三例皆強調某些意象，在效果上，豐繁的詞式不僅抒發了強烈的感情，更加深讀者的印象。

（十三）對偶

　　「對偶」修辭具有工整、勻稱、對比等多重特質，所以在風格表現上也容易形成這些效果。唐代近體詩強調對仗，在句式上也多符合工整的要求，例如杜甫〈登高〉詩：

　　無邊落木蕭蕭下，不盡長江滾滾來。

白居易〈春江〉詩：

　　鶯聲誘引來花下，草色勾留坐水邊。

這些對偶詩句要求工整，仍不妨害詩的意境。而完美的對偶句應是自然成對，不見作者鑿痕。例如晏殊〈浣溪沙〉：

　　無可奈何花落去，似曾相識燕歸來。

其語意一貫，字字相對，「無可奈何」與「似曾相識」在語意及句式上自然成對，充分展現了工整與自然相互融合的美感。

（十四）排比

　　「排比」修辭可能形成繁複的風格，也可能營造磅礡的氣勢，端看其鋪敘的內容而定。一般而言，表現優柔情感的的內容較容易呈現表現優柔情感的的內容較容易呈現繁複的風格，例如《詩經·蒹葭》所云：

> 蒹葭蒼蒼，白露為霜，所謂伊人，在水一方。溯洄從之，道阻
> 且長；溯游從之，宛在水中央。
> 蒹葭淒淒，白露未晞。所謂伊人，在水之湄。溯洄從之，道阻
> 且躋；溯游從之，宛在水中坻。
> 蒹葭采采，白露未已。所謂伊人，在水之涘。溯洄從之，道阻
> 且右；溯游從之，宛在水中沚。

《詩經》的「重章」是為普遍現象，〈蒹葭〉以三章意象相近、句型相似的句式凸顯詩人思念「伊人」的情意，在反復誦讀之間，其豐美繁複的格調令人感受深刻。至於表達高尚情操或開闊意境的內容，則容易營造磅礴的氣勢。例如文天祥〈正氣歌〉寫到：

> 在齊太史簡，在晉董狐筆，在秦張良椎，在漢蘇武節；
> 為嚴將軍頭，為嵇侍中血，為張睢陽齒，為顏常山舌；
> 或為遼東帽，清操屬冰雪；或為出師表，鬼神泣壯烈；
> 或為渡江楫，慷慨吞胡羯；或為擊賊笏，逆豎頭破裂。

其分用三組不同的排比句型，在句式上兼顧了秩序與變化的美感，而連舉十二哲人可以見出其激昂情操的豐富性與聯貫性，更展現氣勢一貫的感染力。

四　辭章「修辭風格」的美感效果

風格是一種美感的表現，就修辭風格而言，根據其理論與實例的探討，可歸納出「秩序分明」、「變化豐富」、「對比凸顯」及「形象鮮明」等美感效果。試列舉說明如下：

（一）層次井然的「秩序美」

「秩序」是宇宙生成規律中回歸單純、齊一的過程，在美學上容易營造整齊、一律的美感。歐陽周、顧建華、宋凡聖針對「秩序」之美曾定義說：

> 它是單一、純淨、重複的，不包含差異和對立的因素，給人一種秩序感。顏色、形體、聲音的一致和重複，就會形成整齊一律的美。……這種形式美給人一種質樸、純淨、明潔和清新的感受。[16]

在修辭中有運用因果聯想作為其淵源的辭格，而「回文」屬之。「回文」修辭具有循環、因果等邏輯特質，容易形成邏輯性的秩序美。此外，同樣強調循環特質的「互文」也具有這種美感。至於「層遞」、「類疊」、「排比」、「對偶」等修辭技巧則基於整齊的原則，強調層次、反復及勻稱上的秩序感。這些修辭影響到整體辭章風格展現，多能凸顯其層次井然的「秩序美」。

（二）時空交錯的「變化美」

「變化」也是宇宙生成進化中必然存在的現象。以各種學術領域為例，西方哲學思潮從「古典主義」發展到絕對的「形式主義」，後來卻出現了強調個人自由及變化的「浪漫主義」，至二十世紀以後，更出現「現代主義」及「後現代思潮」，強調變動、跳躍與破壞的精神。在數學上，「常數」的發展逐漸轉向「函數」及「無理數」探討，印證了數字本身不斷變化的事實。物理學本來鎖定在教條式的機

---

16 見歐陽周等：《美學新編》（杭州市：浙江大學出版社，1993年3月第1版），頁76。

械理論，在二十一世紀的今天卻逐漸邁向生物學的有機推理，這也是認知到生物變化的特質所致。[17]

落實到辭章層面來說，「示現」修辭凸顯了虛實時空的變化，其運用穿梭時空、超越虛實的想像力，表面上看似紊亂、支離，實際上則具有高度變化的美感。而「錯綜」修辭更兼顧了形式與內容的變化，卻不至蕪亂無章，任意妄為，在變化中仍有秩序可循。整體辭章風格在這些修辭技巧的影響之下，容易展現時空交錯的「變化美」。

（三）映襯鮮明的「對比美」

「對比」是美學中極為重要的概念，它與「調和」俱為統領美學的兩大支柱。陳雪帆曾解釋「對比」之美提到：

> 對比的形式，因為變化極為明顯，每每帶有華美、鮮活、健強及闊達等情趣，與調和所隨有的情調，差不多相反。[18]

在修辭中，「映襯」法的淵源就是來自於「對比」的美學概念。因為對比而產生明顯的落差，造成華美、鮮活、健強及闊達的美感，其影響整體辭章風格，就容易展現映襯鮮明的「對比美」。除「映襯」之外，其他如「倒反」、「對偶」、「跳脫」等修辭技巧，也運用到對比、落差的概念，對於辭章風格的影響也大致相同。

（四）聯想豐富的「形象美」

如前節所述，「聯想」是修辭的重要心理基礎，因為聯想活動，

17 參見黃慶萱：《修辭學》，頁754。
18 見陳雪帆：《美學概論》（臺北市：文鏡文化事業公司，1984年12月重排初版），頁72。

使人類心中的原型記憶有了變化、發酵的空間，將記憶中的原始形象轉換至藝術層次的美感形象。邱明正說明審美聯想在凸顯形象上的效果提到：

> 審美聯想是把蕪雜、渙散、的審美對象、對象特性加以篩選、編排、撮合，粘結為合規律的審美整體的過濾器粘合劑，不僅深化了對事物審美特性的感知、理解，而且豐富和鞏固了審美記憶。[19]

可見藉由聯想所轉換的事物形象，已提升到審美的層次而更加靈動鮮明。在修辭中，如「譬喻」、「借代」、「象徵」等技巧，充分運用相似聯想以美化意象，它們對於整體辭章風格的影響，則容易營造聯想豐富的「形象美」。

五　結語

　　修辭是將辭章所形成的意象，進一步作形式上的設計，或意象上的調整，使其產生美感。至於風格在辭章而言，是指其整體的審美藝術風貌。從哲學層面上來說，修辭與風格同以「誠」的境界為最高目標，這也是求真、求善、求美的形上表現；從心理層面來說，修辭以聯想為基礎，延展出各種不同的審美風貌；從辭章層面來說，修辭是一種意象表現，藉各種修辭技巧以達到美感藝術的要求。我們探討修辭風格的目的，在於瞭解修辭對於整體辭章風格的影響。這些影響因不同的修辭格而輕重各異，卻讓我們認知到辭章的形象思維（包含意

---

19 見邱明正：《審美心理學》，頁188。

象、詞彙與修辭等領域）在風格表現上的定位。本文將修辭風格的認識提升到哲學、心理及美學的層面來探討，或許可以提供修辭學研究的另一方向，同時也釐清了辭章風格在形象思維方面的內在條理。

——發表於「第七屆中國修辭學學術研討會」，2005年10月；後收入《修辭論叢》第七輯（臺北市：東吳大學中國文學系，2006年10月）。

附錄三
論「詞彙風格」的形成及其根源

一　前言

　　所謂「詞彙」，是指一種語言系統中所有詞的總稱，它是構築語言的基本材料，其組成成分包括詞、短語和熟語。[1] 這指出了詞彙在字句中的定位與功能。事實上，詞彙的本質在於指稱物（事）象的意涵，它可以成為物（事）象的代表符號，傳達了物（事）象的精神內蘊，所以也間接承載著象與意所蘊含的感染力。從另一層面來說，在相同的意象中使用不同的詞彙，也會產生不同的語言氛圍，從而影響閱聽者的感受。我們統稱這種感染力或氛圍叫做「詞彙風格」。

　　詞彙風格的形成是錯綜複雜的。在不同的人、不同的時空環境、不同的心理背景，甚至不同的表現形式，均會產生不一樣的詞彙風格。因此，欲研究詞彙的風格表現，除了針對個別的詞彙進行分析之外，深入探討詞彙風格形成的根源，才是直指核心，梳理棼絲的正確方法。本文以華語詞彙風格為研究範疇，一方面藉由中國諸子思想如《周易》、《莊子》等著作，以建立華語詞彙風格的哲學基礎；另一方面，試從華人社會與文化之種種現象，以探索華語詞彙風格形成的根源。當然，詞彙本身在整體語言學（或辭章學）中所扮演的角色與定位，也是我們瞭解華語詞彙風格之根源的重要線索。透過哲學思辨、

1　「詞彙」又作「詞匯」，根據葛本儀的定義，詞匯應是詞的總匯和所有相當於詞的作用的固定短語的總匯。見葛本儀：《漢語詞匯學》（濟南市：山東大學出版社，2003年），頁60。

文化探索和語文思維等途徑，詞彙風格的來源應可清楚掌握，我們期望藉此建構華語詞彙風格的理論基礎，為詞彙學提供具體可循的研究資源和教學參考。

二　華語「詞彙風格」的存在與研究價值

人類為表達或記錄思維中的情理與圖象，形成兩大傳遞訊息的系統，一是口語聲韻的表達，一是書面文字的表現，兩者皆透過外顯符號以傳遞內在意象。作為與外界溝通的媒介，外顯符號具有述象、表意的重要功能，此符號最基本的單位就是語言系統中所謂的「詞彙」。詞彙既是語言系統中的要素之一，它是否和語言風格的存在一樣，本身也具備感染外物的抽象力量？我們可以從兩方面來驗證「詞彙風格」的存在：

（一）「詞彙風格」的存在

所謂「風格」是指事物整體所展現的風貌格調，它是一種抽象的感染力，也代表著事物之內在本質所呈現的外在觀感。基於這樣的定義，任何具體事物大都能展現其特別的抽象風格，而在語言或辭章的範疇中，語言風格或辭章風格的存在也是事實。在語文系統中，語言文字形成的三大要素分別是音韻、詞彙和語法。單就詞彙來說，它的本質是為表達物（事）象或物（事）象之情理所形成的符號，它既蘊含意象的質性，也包括符號本身所指向的意圖、趨勢或情理。在語言（或文學）風格的形成要素中，豐富的詞彙運用才能把事物的細微之處描繪出來，也才能充分傳達語言栩栩傳神的魅力。黎運漢曾強調詞彙風格的重要性，他說：

> 語匯風格手段是語言風格賴以生成和體現的重要物質因素，因
> 而風格學必須十分注重語匯風格手段的研究。[2]

這裡所謂「語匯風格」就是詞彙風格，他不僅強調詞彙在語言（或文字）風格的生成和體現中的重要性，更特別指出「同義詞」所形成的不同的風格色彩。例如：

　　吃飯←→用餐
　　害怕←→畏懼

這兩組同義詞中所展現的是「通俗←→典雅」兩種風格色彩的對應。又如：

　　浴室←→浴間
　　努力←→打拼

這兩組同義詞彙，一是雅言，代表其正統性；一是方言，表現其親切感，其風格也各具特色。可見只要有詞彙存在，就會產生代表其抽象感染力的詞彙風格。

（二）研究「詞彙風格」在語文表達上的價值

　　既然詞彙風格是語言風格形成與體現中的要素，它在語文表達的過程中究竟有何價值？簡單來說，研究「詞彙風格」可以收到以下三種學術成果：

2　見黎運漢：《漢語風格學》（廣州市：廣東教育出版社，2000年），頁135。

1 歸納語文表達的豐富美感

風格的形成代表著美感的展現。具體而言，任何藝術形式所展現的美感，大都可以從其風格類型、形成規律、表現手法等方面歸納其特色。就語言文字這一藝術形式來說，語言（或文學）風格是語文表達藝術的核心，研究語言（或文學）風格可以歸納語文表達的豐富美感，對於文學鑑賞或語文表達的教學研究均有正面助益。而詞彙是語文系統中的基本元素，建構詞彙風格的理論，並進一步探索其風格類型與社會功能，是研究語文表達藝術的第一步，更是歸納其豐富美感的基礎。

2 辨識語文表達的內在義蘊

語言（或文學）風格是一種抽象的感染力，而語言（或文學）風格的形成規律卻有具體可循的脈絡。藉由風格形成的脈絡，我們可以感受到表達者內心的深層意圖，或辨識語言或文學的內在義蘊。就詞彙風格的範疇來說，詞彙是表達意象的符號，其形成的感染力通常會隨著意象風格而變動，然而詞彙本身的表達方式，也會影響風格的趨向。可見影響詞彙風格的因素，除了表達者的性格特質及外在的語言氛圍之外，其「物（事）象情意」與「詞彙表達」所透露的感染力仍是牽動詞彙風格的主因。

3 推溯古今語彙的變動規律

一套語文系統的形成，必須經過深廣時空的推演與多元文化的融合，其中也必然經歷了語言文字之間的矛盾、磨合、篩除、新增等變動程序，才能創造豐富的語彙，並建構嚴整的邏輯思維。語言（或文學）風格雖然抽象而不易捉摸，實則包含表達者的核心情理、材料意

象的使用、詞彙的指稱、措辭的修飾及字句與篇章的邏輯等。這些具
體可供研究的材料，是我們統整語言（或文學）風格的依據，也是探
索語言變動規律的重要線索。單就詞彙的指稱來說，古今詞彙的異動
代表著不同詞彙風格的展現，也蘊藏著語文變動的軌跡，所以研究詞
彙風格，有助於我們推溯古今語彙的變動規律，對於人類語言學的溯
源當有正面助益。

三　華語「詞彙風格」形成的哲學思辨

　　哲學往往蘊含著人類文明的貫通之道。它可以詮解科技或人文的
疑義，亦足以追溯知識的源頭，有助於建構知識學門的理論系統。
　　如前所述，詞彙是表達內在意象的符號，而內在意象與外顯詞彙
的聯結，透露著「象」與「意」、「意」與「言」之間的對應關係。在
西方語言學理論中，大都明示三者之間為「圖象」、「意念」與「符
號」的關係，確認了語言文字的心理基礎。[3] 而中國傳統的思想體系
則提升到哲學層面，以詮釋「意」、「象」與「言」之間的互動關係。
《周易》是中國研究宇宙變化的重要論著，它最早提出有關意與象的
概念。在《易·繫辭傳》所記載：

> 古者庖犧氏之王天下，仰則觀象於天，俯則觀法於地，觀鳥獸
> 之文與地之宜，進取諸身，遠取諸物，於是始作八卦。聖人有
> 以見天下之賾，而擬諸其形容，象其物宜，是故謂之象。[4]

〈繫辭〉所言，可視為文藝創作中意象理論的雛形。它指出「象」的

3　如瑞士語言學家索緒爾（Ferdiand de sausure）
4　見《易·繫辭上》。

來源的兩個途徑：一是觀察，如「仰則觀象於天，俯則觀法於地，觀鳥獸之文與地之宜」；二是選取，如「進取諸身，遠取諸物」；透過觀察與選取的程序，構築了「物象 → 心象 → 形象（卦象）」的創作流程，這個流程大致符合藝術創作的規律。

其又言「象其物宜」，主要在強調《周易》的卦象具有模仿、再現的功能，可以體現自然事物的實質內涵。以明夷卦為例，其卦象符號為䷣，上為坤，坤為地；下為離，離為火、為日。卦辭解為「利艱貞」，其含意是「太陽被大地掩蓋」，象徵「光明受阻」或「美好的事物受到打擊」，在君主專制時代也常被用來詮釋「闇主在上，明臣在下的亂世」。

由此可知，《周易》的卦象不只是像物而已，有很大的成分在於「示意」，而示意的方向不僅止於模仿，更明顯地展現其「象徵」的功能。《周易》透過象徵的功能，試圖涵蓋宇宙自然事物的外貌與內蘊，故其每一卦象就是代表宇宙自然單一物象之符號，而卦辭與爻辭所蘊涵的象徵義則更為多元。在上古初民時期，《周易》之意象系統的形成，已經具備了「言——象——意」的聯繫關係。

即使如此，《周易》欲藉由六十四卦的卦象與卦辭來涵蓋宇宙自然之義蘊的意圖並不容易實現。事實上，存在於自然界的物象（象）與人類的心象（象含意）本來就有差距，而心象（象含意）落實為形象（言）的過程又會產生落差，《周易》對於人類語言系統必然存在的盲點，究竟有何解決之道？《繫辭傳》言：

> 子曰：「書不盡言，言不盡意」，然則聖人之意，其不可見乎？
> 子曰：「聖人立象以盡意，設卦以盡情偽，繫辭焉以盡其言，變而通之以盡力，鼓之舞之以盡神。」[5]

5　見《易・繫辭上》

其所謂「書」，就是文字符號；而這裡的「言」，則單指概念。「書不盡言，言不盡意」點出文字符號的表意能力低於概念，而概念亦不能完全表達思想與情意。依照這樣的邏輯，任何典籍並不能完全傳達聖人之意，但是孔子進一步強調「聖人立象（形象或卦象）以盡意，設卦以盡情偽」，則透露出形象的表意功能優於概念。既然形象比概念具有更高的表意功能，是否代表概念的表意功能毫無價值呢？其實不盡然。一般而言，概念比形象簡潔、明確，當我們在思考複雜問題時，概念使我們可以迅速抓住事物的本質，使思維能很快地向前推進；至於形象的特質是以較為接近事物的原始狀態呈現，讓人領悟其內蘊豐富的意義，但仍有蕪雜而隱晦難明的缺點。陳望衡在《中國古典美學史》曾對兩者的功能做一辯證，他說：

　　藝術是用形象反映世界的，科學是用概念反映世界的。

他點出形象之於藝術、概念之於科學，各有其表意的價值與功能。形象能涵蓋豐富而多元的意象，適用於藝術的創作；而概念具有簡單明確的特質，則適於科學詮釋所用。〈繫辭〉所言「書不盡言，言不盡意」透露著符號與概念無法盡述意象的缺失，聖人仍藉由形象來表達複雜而多樣面貌的情意。落到詞彙的範疇來說，詞彙屬於文字符號，儘管不能盡述概念與意象的內涵，在某些程度上，仍可代表「概念」，所以具有簡單明確的科學性；而其背後所代表的形象（象）與思想（意），卻蘊含著藝術的美感，詞彙風格之美就是由此發端的。故〈繫辭〉又言：

　　其稱名也小，其取類也大，其旨遠，其辭文，其言曲而中，其

事肆而隱。[6]

在《易經》的六十四卦中，每卦標舉的名稱雖然很小，但是它所涵蓋的同類事物卻很多，它的意旨很深遠，它所延伸的卦辭、爻辭很有文采，話語曲折卻能切中肯綮，涉事繁多卻又隱晦不明。這段說明不僅充分顯示了卦象「盡意」的規律，也完全符合藝術創作的本質。因為以小見大，以個別見出一般正是藝術形象的本質。陳望衡說：

> 藝術形象也是「其旨遠，其辭文」的，「其旨遠」，它的內涵深邃、豐富，在隱晦、含蓄之中給欣賞者留下了一個廣闊的再創造的天地。「其辭文」，它的外部形象是鮮明的、生動的富有極大的感官誘惑力。這樣的藝術形象當然就是美的形象。[7]

《周易》在闡述「言——象——意」的關聯時，已經確定了詞彙的本質內涵。蓋詞彙既有概念的科學性，也蘊含形象的藝術性，其簡單明確的本質，背後亦蘊含豐富多樣的意象。更具體來說，華語詞彙具有簡單明確的優點，也蘊含豐富而含蓄的美感，這是探索華語詞彙風格非常重要的美學基礎。

中國意象理論的發展，時至戰國中期，莊子首先提出的「得意忘言」的說法，進一步闡述了《周易》「立象以盡意」的。《莊子・外物》篇云：

> 荃者所以在魚，得魚而忘荃；蹄者所以在兔，得兔而忘蹄；言

6　見《易・繫辭下》。

7　見陳望衡：《中國古典美學史》（長沙市：湖南教育出版社，1998年8月一版一刷），頁205。

者所以在意，得意而忘言。吾安得忘言之人而與之言哉？[8]

莊子用筌和蹄比喻為了達成目的而採取的手段，捕捉魚和兔才是獵人
真正的目的。如果已經捕捉到魚，那筌就沒有用處；已經捉到兔子，
那蹄印也失去了作用，這兩者就可以拋棄不用了。莊子言此，是繼承
老子「道可道，非常道；名可名，非常名」[9]的觀點。老子以為可以
用語言文字形容的道，並非道的真象，這顯示道家所認為天地間的至
理，並非言語文字所能傳示，所以主張人不可拘泥於語言文字之中，
一旦通達道理，就應該捨棄這些外在的形式。這與《易繫辭》所謂
「書不盡言，言不盡意」的觀點是一致的。時至魏晉，王弼闡述《易
繫辭》所說的「立象以盡意」，結合了莊子的「得意忘言」，進一步提
出「得意忘象」的命題。其言：

> 夫象者，出意者也；言者，明象者也。盡意莫若象，盡象莫若
> 言。言生於象，故可尋言以觀象；象生於意，故可尋象以觀
> 意。意以象盡，象以言著，故言者所以明象，得象而忘言；象
> 者所以存意，得意而忘象。[10]

王弼有系統地將「言」、「象」、「意」作一次序排列，認為「言」生於
「象」，「象」生於「意」。所以，尋「言」可以觀「象」，尋「象」可
以觀「意」，「言」具有彰顯「象」的作用，而「象」也具備詮釋
「意」的功能。就「言」與「象」的關係來說，「言」是工具，「象」
是目的；就「象」與「意」的關係來說，「象」是工具，「意」才是目

---

8 見黃錦鋐注譯：《新譯莊子讀本・外物》篇（臺北市：三民書局，1999年），頁373。
9 見余培林注譯：《新譯老子讀本・第一章》（臺北市：三民書局，1999年），頁17。
10 見王弼：《周易略例・明象》篇。

的。工具往往只為了目的而存在，當目的達成，工具便可捨棄，所以得「象」可以忘「言」，得「意」可以忘「象」，「意」成為語言系統或辭章架構中最核心的部分，「象」與「言」反而在語意理解的最終過程可以被忽略。

　　從《周易》到莊子，從莊子到王弼，其哲學論述對於意象的詮釋已經梳理出完整的系統。具體而言，「得意忘象」、「得意忘言」所偏重於「意」的概念，已經成為中國美學上的重要命題，也間接影響後世「以形寫神」、「形神兼備」[11]的理論，甚至後代所謂「氣韻說」、「神韻說」[12]，都與先秦意象理論中強調「意」的主導地位有關。

　　如前所述，詞彙的本質是符號（書），儘管它不能全然包含概念（言）或形象（象）的內蘊，但至少可以指稱其某些成分，所以當然可以直指核心的思想情感（意）的部分內容。總其事物的概念、形象與思想情感，它們所共同內蘊的感染力（神韻或氣韻），也間接影響了符號本身的風格趨向。《周易》、《莊子》及王弼等有關意象的哲學論述，確實為詞彙風格提供了完整的理論基礎。

四　華語「詞彙風格」形成的文化背景

　　從中國古代的哲學論述，我們找到了詞彙風格形成的內在規律，

---

11 「以形寫神」、「形神兼備」是中國古代人物美學理論的核心概念，其中「形神兼備」尤為人物描寫傳神的美學原則。如劉安《淮南子・原道訓》：「形者，生之舍也；氣者，生之充也；神者，生之制也」、「故以神為主者，行從而利」。〔見劉安：《淮南子》（上海市：上海古籍出版社，1986年），頁1210、1303。〕

12 「神韻說」最早出現在南齊謝赫《古畫品錄》評顧駿之的畫說：「神韻氣力，不逮前賢，精微謹細，有過往哲。」後來在〔宋〕嚴羽的《滄浪詩話》、〔明〕胡應麟的《詩藪》、〔清〕王士禛的《漁洋詩話》等，皆有評論。王士禛從神韻的概念出發，甚至還特別強調沖淡、超逸和含蓄、蘊藉的藝術風格的概念。

而詞彙風格亦有其形成的外在因素。現代華語歷經了幾千年的時代更迭與多重空間的變換，並在諸多朝代詭譎多變的政治、社會、經濟等環境，以及豐富的學術傳承與民間風俗的影響，逐漸融合而成一個完整的語言系統。語言文字雖然只是人類溝通思想、傳遞訊息的工具，卻承載著人類悠久廣遠的文化傳統。相對地，文化傳統也時時影響著語言文字的發展和演變，而語言風格當然也會受到文化的影響。詞彙是語言文字系統中的要素，其所形成的語言氛圍更受其背後文化之影響。具體而言，影響華語詞彙風格的文化背景約有下列數端：

（一）文白更迭

　　人類的語言系統會因為時代的變遷而產生變化。以華語系統來說，漢字的演變從甲骨文、金文、大篆、小篆、隸書等字形的變化，才形成現代通行的楷書，而中共在一九四九年以後所推行的簡體字，也成為現代漢字的主流。字體的演變會產生各種字形的風格，而這種風格的探討多歸於書法藝術的美學，無關乎詞彙風格的研究。至於在語音方面，從周、秦、兩漢的上古音，歷經唐、宋的中古音，以至元、明、清所出現的近代音，各時代的音韻系統差異極大，同樣字詞在上古、中古及近代的發音方式多不相同，其咬字、聲調所形成的語言感染力也各不相同，此為音韻風格的範圍，其影響詞彙風格的成分不大。

　　語言和文字在表達方式及傳達速度上有很大的差異，因此，同義的詞彙往往容易同時出現書面語和口頭語的形式。在華語文系統中，由於文字發明的初期，可用於書寫的文字有限，因此書面的用語儘量簡省，一個詞彙往往涵蓋多重語意。這種書寫邏輯延續至後代，形成一種言簡意賅的「文言體」，其用語精簡，展現典雅精緻的風格。相對於白話語彙的豐繁通俗，在表現風格上也產生差異。茲表列生活用語、

文教用語和器物用語等方面，其文言詞彙和白話詞彙的差異如下：

	文言	白話
生活用語	炊爨	煮飯
	做齋	吃素
	素服	白衣服
	宮室	房屋
	駟乘	馬車
文教用語	塾堂	學校
	尺牘	書信
	致仕	退休
	翰墨	文章
器物用語	觴、觥	酒杯
	戶限	門檻
	牖戶	門窗
	釜甑	鍋子

由於生活模式的不同，古代文人的書寫習慣易受傳統禮教的約束，其使用的詞彙雖趨於典雅，有時卻易流於雕琢晦澀，相較於現代白話的通俗淺白，其風格是截然不同的。而時代與生活模式的改變，這些古代文言的詞彙也漸漸褪去流行，僅見於古書中而不被現代世俗所用了。

（二）政治環境

　　中國的君主專制政體傳承了近三千年的歷史，其間有聖王仁君所統治的太平聖世，也有暴君亂臣所宰制的動亂時代；至於胡人亂華、漢族興復，在中國交錯著胡、漢各族分立統治的歷史；而中原一統的帝國、南北分裂的割據，又更迭著「合久必分、分久必合」的政治規

律。在這幾千年複雜多變的政治環境中，統治階級的思維與人民心緒的向背，也呼應著不同詞彙的流通。在聖王仁君勤政愛民的時代，象徵開朗光明的詞彙如「聖王」、「賢臣」、「天下為公」、「河清海宴」、「安居樂業」、「國泰民安」等則時時出現於文獻典籍中；在暴君亂臣所統治的昏亂朝代，其較為陰鬱晦暗的詞彙，如「昏君」、「獨夫」、「亂臣賊子」、「民不聊生」等也成為深植民心的語彙；至於指稱國土分裂時局所流行的「偏安」、「板蕩」，政治一統時代所宣揚的「集權」、「統一」，也各展現其「拘限」與「恢闊」的詞彙風格；此外，每當異族揮軍南侵、宰制中原之時，所謂「亡國」、「蒙塵」、「山河變色」、「雜種」、「異類」等富於激烈民族情緒的語彙也不斷出現，而隨著胡人文化所產生的「琵琶」、「葡萄」等詞彙也逐漸流傳於中國。當漢族重掌政權，興復中原，所謂「光復」、「中興」、「夷夏之辨」、「漢賊不兩立」、「漢奸」、「賣國賊」、「逆賊」等具有華夷立場鮮明的詞彙更不勝枚舉。由此可見，政治環境影響朝野社會詞彙的流行，詞彙內涵的差異，當然也呈現詞彙風格的不同。

當西力東漸，一方面帶來差異性更大的文化衝擊，另一方面也促成了君主集權政體的瓦解。具體來說，西方列強對中國的侵略，更甚於歷代異族的侵擾，他們不僅威脅傳統政體的完整，更使中華傳統文化瀕於顛覆。而民主政治思潮的逐漸流傳，讓昏庸無能、封閉守舊的君王統治遭遇前所未有的挑戰，以致顛覆。所謂「自由」、「平等」、「博愛」，所謂「民有」、「民治」、「民享」，這些西方世界所創造的概念，逐漸在中國形成詞彙而廣為流傳。至於「民主」、「科學」、「現代」、「後現代」等富有西方文化意涵的詞彙也甚囂塵上，使傳統的華語詞彙系統注入一股新穎的感染力，這種感染力也深深影響著現代華語詞彙的風格趨向。綜而言之，中國由古至今政治環境的詭譎多變，對於華語詞彙風格的轉變是具有直接的影響。

（三）社會變遷

　　中國社會的變遷主要分為兩個時期：十九世紀以前，數千年的農業文化是社會生活的主軸；自鴉片戰爭以後，西力東漸，歐美工業革命與科技生產為中國社會帶來鉅大的轉變。

　　在傳統的農業社會中，從統治者到庶民，其日常生活所用的詞彙大都與農業有關。至於鴉片戰爭之後，中國逐漸轉變為新興的工商業社會，其詞彙的使用也隨著工業科技的普遍而出現更新的詞彙。試比較傳統社會與新興社會在詞彙使用上的差異，如下表：

	傳統農業社會	新興工業社會
飲食	黍稷、黃梁、茶水	漢堡、牛排、可樂
衣著	黻冕、長袍、絲帛、皮裘	西裝、尼龍
居住	宮室、耕讀、園囿、棟梁	摩天樓、洋房、鋼筋水泥
交通	車馬、舟船、奔馳	汽車、噴射機、郵輪、飛行
教育	學堂、塾院、弟子、受業	學校、學院、學生
休閒娛樂	唱戲、說書、酒肆	派對、戲院、電視
軍事國防	干戈、水師、刀劍、射箭	戰爭、海軍、槍彈、射擊
疾病醫療	大夫、瘟疫、風寒	醫師、醫院、傳染病、感冒
商業活動	錢莊、錢票、墟集、薑售	銀行、鈔票、市場、批發

從上表列出社會生活中常用的詞彙，我們發現因為生活模式的改變，同樣的活動的確有不同的用詞，或因使用材料的改變，產生了新的詞彙。以飲食為例，傳統中國農業社會是以「稻米」或「小麥」為糧食，故「黍稷」、「黃梁」、「茶飲」等詞彙常見於飲食生活中；到了西方飲食文化傳入中國，以歐美常用食材為名的詞彙，如「漢堡」、「牛排」、「可樂」等，也逐漸流傳於中國。再以疾病醫療為例，我們稱傳

統的醫療人員為「大夫」，稱流行病為「瘟疫」；而西醫傳入中國後，醫療人員稱為「醫師」，「醫院」成為集中醫療的重要場所，流行病稱「傳染病」，而「感冒」則是傳統「風寒」的新稱。

　　傳統生活用詞與新興社會的用詞確實有明顯的不同，其詞彙背後所呈現的風格，也有「古雅傳統」和「新穎活潑」的差異，可見社會變遷確實是詞彙風格形成的重要背景。

（四）生活習俗

　　生活習俗的差異也是詞彙風格產生差別的重要因素，無論是地域的差異、族群的區隔或是新舊世代的落差，皆可能造成詞彙風格的迥然不同。

1　地域環境的差異

　　自古中國地大物博，生活文化多有南北差異，而現代生活模式因交通便利，遂逐漸弭平了南北生活文化的差別。然而海峽兩岸因為政治上的長期分治，雖屬同文同種的華人社會，實際上已有生活文化的不同，詞彙的使用也隨之大異其趣。茲列舉大陸與臺灣對於相同事物的不同用詞，以見其詞彙風格之差異：

大陸詞彙	臺灣詞彙
朝鮮	北韓
新西兰	紐西蘭
菠罗	鳳梨
方便面	泡麵
土豆	馬鈴薯
冰棍	冰棒

大陸詞彙	臺灣詞彙
打印机	印表機
博客	部落格
鼠标	滑鼠
硬盘	硬碟
早上好	早安
普通话	國語
抓緊時間	把握時間

大陸因共產思想的主導，在語文表達較偏向於工農兵等勞動階級的通俗用語；相較於臺灣在教育文化上仍秉持一貫的中華文化傳統思維，用語則維持典雅傳統的風格。上表雖不能完全展現兩岸詞彙用語的差異，但大陸用語的平易通俗與臺灣用語的傳統典雅，其風格對照已顯不同，若再以繁簡字體對照，其展現的風格更加不同。

2 族群的差異

　　所謂族群差異是指標準華語和不同族群所使用的方言之間的差別。以閩南方言為例，其現今通用的詞彙與標準華語所呈現的風格也大有不同。試表列數端以見其風格的差異：

標準華語	閩南語
氣定神閒	老神在在
全力對抗	大車拼
在一起	作伙
好處	好康
努力	打拼

標準華語	閩南語
亂扯	唬爛
假惺惺	假仙
挑釁	嗆聲
暗自高興	暗爽
妻子	牽手

現代華語因為有古代漢語系統的支持，不僅有深厚的文化基礎，更具備穩定的邏輯思辨，同樣源於古代漢語系統的閩南方言也有這些特質，但因為閩南族群單純敦厚的性格，在加上移民臺灣後所增添的草根性，閩南方言更具有俚俗親切的感染力，與標準華語的穩重風格形成明顯的對照。

3 新舊世代文化的差異

新世代的語言一直存在於自我的次文化世界，由於數位媒體的興盛，這些次文化的詞彙使用傳播漸廣，其流通之快速，影響之深遠，改變了華語的使用習慣，甚至凌駕了標準華語的影響力。例如閒聊說成「打屁」、形容女孩長得標緻說「正點」、形容人低級說「沒品」、稱經驗老到的人為「老鳥」、稱威脅恐嚇為「放話」，甚至有結合外來語的詞彙，如稱胸圍大的女子叫「波霸」、痛揍叫「海K」，更有轉化舊名詞為新詞彙，如形容這人很討人厭叫做「機車」。這些詞彙不僅具備顯附露骨的特色，其無理而妙的邏輯更充滿創意，顛覆了正統華語詞彙的思維脈絡，卻大大牽引著新興世代的語言習慣，其對於華語系統的影響不容小覷。

儘管生活習俗的差異造成詞彙風格的不同，但邁入二十一世紀的華人世界，因交通便利發達，網路傳播更是一日千里，原有的這些差

異會因為彼此的交流融會而產生風格上的變易或轉化，甚至會有相互取代的現象，這些都是我們在研究詞彙風格時所必須注意的重點。

五　華語「詞彙風格」形成的語文思維

　　探索華語詞彙風格形成的語文思維，可從近代語言風格的研究論述著手，再進一步延伸到辭章風格，以確定詞彙風格在整體辭章學的定位，從而梳理其形成之脈絡。

（一）從「語言風格」到「辭章風格」

　　從語文思維來探索詞彙風格形成的根源，仍須回歸到整體的語言學，以梳理其形成的脈絡。事實上，海峽兩岸對於語言風格的探究，大都從語言學的角度定義其特質，或界定其分野。如張德明教授所言：

> 「語言風格」主要應該是語言運用或言語活動中各種特點的綜合表現。[13]

這裡明白指出語言風格是從語言的使用及其相關活動展現出來。著名的語言學家程祥徽教授則說：

> 風格是人在使用語言的時候表現出來的氣氛或格調。用語言材料營造氣氛，常常採取兩種方法：一是充分利用「風格要素」，二是使用或駕馭「風格手段」。[14]

13　見張德明：《語言風格學》（高雄市：麗文文化公司，1995年），頁78。
14　見程祥徽：《語言風格初探》（臺北市：書林出版公司，1999年），頁22。

所謂「利用風格要素」，或「駕馭風格手段」，乃強調使用語言材料的方法不同，就會產生不同的風格，這裡已經指出語言中「表現風格」的功能。所以風格學家黎運漢教授就明白提出「語言風格就是表現風格」的觀點。他說：

> 語言風格是表現風格，是綜合運用風格手段的結果。從調音、遣詞、擇句、設格到謀篇的風格手段，綜合地反映在一篇文章、一部作品，或一種語體，或一個作家的作品，或一個時代作家的作品，或一個民族作家的作品裡，這就形成它的語言表現風格。[15]

黎教授具體指出語言的表現風格需藉由調音、遣詞、擇句、設格、謀篇等具體手段才能展現出來，可見這些文學手段是語言風格形成的重要媒介。國內聲韻學家竺家寧教授更將語言風格延伸到文學藝術的範疇。他說：

> 凡是用文學的方法從事研究，涉及作品內容、思想、情感、象徵、價值判斷、美的問題的，是「文藝風格學」；凡是用語言學的觀念和方法進行研究，涉及作品形式、音韻、詞彙、句法的，是「語言風格學」。[16]

這裡明白畫分了「文藝風格學」與「語言風格學」的差異。竺教授將「文藝風格學」著眼於文藝的內涵，「語言風格學」著眼於表現形式。事實上，無論是內涵還是形式，兩者均為語言（口頭語）與辭章

---

15 見黎運漢：《漢語風格學》（廣州市：廣東教育出版社，2000年），頁8。
16 見竺家寧：《語言風格與文學韻律》（臺北市：五南圖書出版公司，2001年），頁27。

（書面語）所不可或缺的要素。他與黎運漢教授不約而同地將語言風格界定為「語言特質的綜合表現」，更值得注意的是，兩位學者皆強調影響語言風格的動向包含了音韻、詞彙、句法、辭格、章法等要素。這些觀點對於我們研究辭章風格有很大的助益，至少提供了如何形成抽象風格的具體途徑。簡而言之，辭章風格的形成與辭章的音韻、詞彙、句法、辭格、章法有密切關係。專就探索詞彙與辭章風格的關係，應可找到詞彙風格在語文系統中的形成脈絡。

（二）詞彙風格在整體辭章風格的定位

辭章學（或稱文章學）和語言學最大的差異，僅在於表達媒介的不同。辭章學的研究偏於文字，語言學的研究偏於語言，而語言和文字在任何一種成熟的語言系統中是可以互相串聯、互為詮釋的。因此，語言學家通常也跨足辭章學的研究，辭章學者也無法忽略語言學的研究成果。近十年來，漢語辭章學的研究在海峽兩岸三地逐漸開花結果，除上述幾位學者之外，另有南京大學王希杰教授的「三一語言學」、臺灣師大陳滿銘教授「多二一（０）螺旋結構」等，其理論架構均可作為定位詞彙風格的基礎。

1 「三一理論」對於詞彙風格定位的啟發

王希杰教授所提出的「三一理論」，乃結合「偏離、潛顯、四個世界」三者為「一」，成為「三一語言學」的完整理論體系。[17]其最核心概念乃以「偏離」為主，涉及「偏離」、「零度」與「正偏離」、「負偏離」之間的互相聯繫與轉化。王教授認為語言的使用以正確為基準，使用正確則為零度，使用錯誤則為「負偏離」，而詞彙在正確使

---

17 李名方、鍾玖英：《王希杰和三一語言學》（北京市：中國文聯出版社，2006年11月第1版），頁190-222。

用的基礎上進一步去追求詞彙的優美，則為「正偏離」。茲以圖示說明如下：

以詞彙的使用來說，詞彙的錯用皆屬於負偏離的範疇，其錯用的狀況很多，如詞不達意、詞性錯置、過於口語及錯別字等。至於正偏離的概念通常用於解釋修辭章的美感修飾多以修辭為討論對象，而事實上，優美詞彙的使用尚未達修辭之標準，卻已屬於正偏離範疇。茲以表列詞彙使用之正、負偏離的實例如下：

負偏離	零度	正偏離
緊張	不安	忐忑
矇矓	模糊不清	朦朧
累了	疲累	疲憊
磨合	意見不合	齟齬
偷看	非分之想	覬覦
眼睛浮腫	剛剛睡醒	睡眼惺忪
混水摸魚	打混摸魚	渾渾噩噩
看來看去	你看我我看你	面面相覷
寫很用力	用力去寫	絞盡腦汁
用力照顧	仔細照顧	細心呵護

在詞彙使用中，我們要表達不安的情緒，使用「緊張」仍不夠達意，而「忐忑」一詞涵蓋不安的情緒，更使詞感更具典雅；再如形容打混摸魚，其意與「混水摸魚」迴異，若使用「渾渾噩噩」則更為優美典

雅。詞彙風格必須建立在優美詞彙的基礎上，才能發展其感染力，「零點與偏離」的理論不僅是修辭美感的理論基礎，更可作為梳理詞彙風格的重要根據。

2 「多二一（０）螺旋結構」對詞彙風格定位的啟發

陳滿銘教授以「多二一（０）螺旋結構」為始，詮釋辭章學各學門領域的關係，其言：

> 如果是將一篇辭章所要表達之「情」或「理」，訴諸各種偏於主觀之聯想、想像，和所選取之「景（物）」或「事」接合在一起，或者是專就個別之「情」、「理」、「景（物）」、「事」等材料本身設計其表現的，皆屬「形象思維」；這涉及了「取材」與「措詞」等問題，而主要以此為研究對象的，就是意象學、詞彙學與修辭學等。如果是專就「景（物）」或「事」等各種材料，對應於自然規律，結合「情」與「理」，訴諸偏於客觀之聯想、想像，按秩序、變化、聯貫與統一之原則，前後加以安排、佈置，以成條理的，皆屬「邏輯思維」；這涉及了「運材」、「佈局」、與「構詞」等問題，而主要以此為研究對象的，就字句而言即文（語）法學；就篇章言，就是章法學。至於合「形象思維」與「邏輯思維」而為一，探討其整個體性的，則為「綜合思維」，這涉及了「立意」、「確立體性」等問題，而主要以此為研究對象的，為主題學、文體學、風格學等。而以此整體或個別對象加以研究的，則統稱為辭章學或文章。[18]

---

18 陳滿銘：《意象學廣論》（臺北市：萬卷樓圖書公司，2006年11月初版），頁287。

　　這裡提出「形象思維」與「邏輯思維」是辭章的兩大支柱，可視為辭章之「二」；撤上合為「綜合思維」，再融匯成主題（主旨）、風格，此為辭章的「一（0）」；而形象思維撤下所涵蓋的「意象」、「詞彙」與「修辭」，及邏輯思維撤下所涵蓋的「文法」與「章法」，則為辭章的「多」。茲以下圖說明風格、主旨、意象、詞彙、修辭、文法及章法之間的關係：

　　「風格」作為最上層統括各辭章領域的核心，雖然它是辭章中抽象的感染力量，卻與其他領域密切相關，即意象、詞彙、修辭各有其美感效果，透過形象思維之形成表現以影響整體辭章的風格展現；而文法與章法亦有其美感成份，透過邏輯思維之排列組合以影響整體辭章的風格表現；至於主旨的美感力量則與風格互為表裡，統合為辭章整體的風趣格調。由此可知，研究取材意象的感染力量，即稱為「意象風

格」；探討修辭的美感效果，可稱為「修辭風格」；分析文法邏輯的感
染力量，有「文法風格」；梳理篇章邏輯的節奏韻律，有「章法風
格」；統合主題思想所呈現的美感，有「主題風格」。至於詞彙風格的
探究，則著眼於使用詞彙時所產生的各種抽象感染力之研究。詞彙風
格對於整體辭章風格的影響雖然不是關鍵，但是辭章中詞彙使用的某
種習慣或偏好，仍可能影響整篇辭章的風格取向。

　　詞彙是在意象形成之後，運用符號的指稱以初步表現辭章之情
理，其多樣而細瑣的表現過程固然不是整體風格形成的關鍵，亦可能
與其相互呼應。從辭章學「多二一（0）」的脈絡，我們又找到詞彙風
格形成的重要依據。

六　結語

　　研究詞彙風格，讓我們透過歸納語文表達的豐富美感，去辨識語
文表達的內在義蘊，並推溯古今語彙的變動規律，這是詞彙風格學研
究的價值所在。而釐清華語詞彙風格形成的規律，從哲學思辨、文化
背景與語文思維等三個面向，推溯其根源，更有助於華語詞彙之使
用、研究與教學，舉凡詞彙風格類型的分辨與歸納、詞彙風格的社會
功能及詞彙風格的美感表現等，皆須從其形成的根源著眼，才能從華
語浩瀚而繁雜的詞彙體系中梳理出風格的形成脈絡，更有助於語文的
表達與辭章的鑑賞。

重要參考書目

（以作者姓氏筆畫為序）

一　國文教材、教學理論專著

宋　裕等　《國民中學國文》（一）～（六）冊　翰林書局　九十八
　　　　學年八月新版

莊萬壽等　《國民中學國文》（一）～（六）冊　康軒圖書公司　九
　　　　十八學年八月新版

董金裕等　《國民中學國文》（一）～（六）冊　南一書局　九十八
　　　　學年八月新版

宋　裕等　《高級中學國文》（一）～（六）冊　翰林書局　九十八
　　　　學年八月新版

何寄澎等　《高級中學國文》（一）～（六）冊　龍騰圖書公司　九
　　　　十八學年八月新版

邱燮友等　《高級中學國文》（一）～（六）冊　南一書局　九十八
　　　　學年八月新版

黃志民等　《高級中學國文》（一）～（六）冊　東大出版社　九十
　　　　八學年八月新版

董金裕等　《高級中學國文》（一）～（六）冊　康熹圖書公司　九
　　　　十八學年八月新版

王更生　《國文教學面面觀》　臺北市　臺灣師範大學中等教育輔導
　　　　委員會　1996年6月初版

艾　偉　《中學國文教學心理學》　臺北市　國立編譯館出版　臺灣
　　　　中華印行　1955年6月臺一版

江錦珏　《詩詞義旨透視鏡》　臺北市　萬卷樓圖書公司　2001年9
　　　　月初版

宋　裕　《高中國文趣味教學手冊》（一）～（六）冊　臺北市　萬
　　　　卷樓圖書公司　1996年10月初版二刷

莊銀珠　《高中國文教學設計活路》　臺北市　新學識出版中心
　　　　1992年10月初版

陳滿銘　《國文教學論叢》　臺北市　萬卷樓圖書公司　1998年4月
　　　　初版四刷

陳滿銘　《文章結構分析──以中學國文課文為例》　臺北市　萬卷
　　　　樓圖書公司　1999年5月初版

潘麗珠　《臺灣現代詩教學研究》　臺北市　五南圖書出版公司
　　　　1999年3月初版

潘麗珠　《國語文教學活動設計》　臺北市　萬卷樓圖書公司　2001
　　　　年9月初版

潘麗珠　《創意國語文教學活動設計》　臺北市　幼獅出版社　2004
　　　　年12月初版

蒲基維等　《散文‧新詩義旨古今談》　臺北市　萬卷樓圖書公司
　　　　2002年1月初版

鄭圓鈴　《你也是創意命題高手》　臺北市　萬卷樓圖書公司　2002
　　　　年9月初版

鄭圓鈴　《國中國文教學評量》　臺北市　萬卷樓圖書公司　2004年
　　　　1月初版

黃春貴等　《如何進行國文教學》　臺北市　臺灣師範大學中等教育
　　　　輔導委員會　1996年6月初版

臺灣師範大學實習輔導處　《中等學校各科教案編寫示例》　1996年
9月

二　風格類專著

王明居　《唐詩風格美新探》　北京市　中國文聯出版公司　1987年
10月第1版

竺家寧　《語言風格與文學韻律》　臺北市　五南圖書出版公司
2005年5月二版

周振甫　《文學風格例話》　上海市　上海教育出版社　1989年7月
第1版

程祥徽等　《語言風格學》　南寧市　廣西教育出版社　2000年8月
第1版

張德明　《語言風格學》　高雄市　麗文文化出版公司　1995年10月
初版

張慧美　《語言風格之理論與實例研究》　臺北市　駱駝出版社
2006年11月初版

黃美鈴　《唐代詩評中風格論之研究》　臺北市　文史哲出版社
1982年2月初版

楊成鑒　《中國詩詞風格研究》　臺北市　洪葉文化事業公司　1995
年12月初版

蒲基維　《章法風格析論──以蘇軾詞、姜夔詞為考察對象》　新北
市　花木蘭文化出版社　2007年3月初版

黎運漢　《漢語風格學》　廣州市　廣東教育出版社　2000年2月第1版

蔣伯潛　《體裁與風格》　臺北市　世界書局　1971年9月三版

顏瑞芳等　《風格縱橫談》　臺北市　萬卷樓圖書公司　2003年2月
初版

三　經、史、哲學類專著

王　弼　《周易略例》　《易經集成》149　臺北市　成文出版社
　　1976年8月二版
余培林　《老子讀本》　臺北市　三民書局　1990年11月九版
汪　中　《新譯宋詞三百首》　臺北市　三民書局　1998年8月十版
李學勤　《周易正義》　臺北市　台灣古籍出版社　2001年9月初版
邵　雍　《皇極經世書》　臺北市　廣文書局　1988年7月初版
周敦頤　《周子全書》　臺北市　武陵出版社　1990年2月初版
祝　賞　《獨立蒼茫自詠詩——詩聖杜甫》　臺北市　萬卷樓圖書公
　　司　2000年1月初版
韋政通　《中國思想史》　臺北市　水牛出版社　1991年9月初版
夏乃儒　《中國哲學三百題》　臺北市　建宏出版社　1994年9月初版
張　載　《張子正蒙注》　臺北市　河洛圖書出版社　1975年10月臺
　　景印初版
章學誠　《文史通義校注》　臺北市　頂淵文化事業公司　2002年9
　　月初版
黃錦鋐　《新譯莊子讀本》　臺北市　三民書局　1999年3月初版
蔡崇明　《新編人物志》　臺北市　台灣古籍出版社　2000年11月初版
滕志賢　《新譯詩經讀本》　臺北市　三民書局　2001年2月初版二刷

四　文學、美學、心理學理論專著

上海古籍出版社　《古典文學三百題》　臺北市　建宏出版社　1994
　　年6月初版
公木主編　《新詩鑑賞辭典》　上海市　上海辭書出版社　1991年11
　　月第1版

中國戲曲研究院主編　《中國古典戲曲叢書集成》　北京市　中國戲
　　劇出版社　1980年2月第1版
方麗娜　《現代漢語詞彙教學研究──以對外華語文教學為範疇》
　　高雄市　復文出版社　2003年初版
王希杰　《修辭學通論》　南京市　南京大學出版社　1996年　第1版
王昌齡　《詩格》　《中國歷代詩話選》第一冊　長沙市　岳麓書社
　　1985年2月第1版
王更生　《文心雕龍讀本》　臺北市　文史哲出版社　1991年9月初
　　版四刷
王長俊　《詩歌意象學》　合肥市　安徽文藝出版社　2000年8月第1版
王國維　《王國維戲曲論文集──宋元戲曲考及其他》　臺北市　里
　　仁書局　1993年2月初版
仇小屏　《古典詩詞時空設計之研究》　臺北市　國立臺灣師範大學
　　國文研究所博士論文　2001年2月
朱榮智　《文氣論研究》　臺北市　臺灣學生書局　1986年3月初版
沈德潛　《說詩晬語》　臺北市　新文豐出版公司　1989年臺一版
何文煥　《歷代詩話》　北京市　中華書局　1981年4月第1版
邱明正　《審美心理學》　上海市　復旦大學出版社　1993年4月第1版
李名方、鍾玖英主編　《王希杰和三一語言學》　北京市　中國文聯
　　出版社　2006年11月第1版
李春祥主編　《樂府詩鑑賞辭典》　鄭州市　中州古籍出版社　1990
　　年3月第1版
宗廷虎等　《中國修辭學通史‧隋唐五代宋金元卷》　長春市　吉林
　　教育出版社　2001年2月第1版二刷
金啟華等　《詩經鑑賞辭典》　合肥市　安徽文藝出版社　1992年3
　　月第1版二刷

竺家寧　《漢語詞彙學》　臺北市　五南圖書出版公司　1999年10月
　　　　初版

殷　璠　《河嶽英靈集》　1929年上海商務印書館四部叢刊影印明刊本

袁行霈　《中國詩歌藝術研究》　北京市　北京大學出版社　2002年
　　　　8月第1版

徐志摩　《徐志摩全集》　臺南市　世一文化公司　2001年9月初版

奚少庚等　《歷代詩詞千首解析辭典》　臺北市　建宏出版社　1996
　　　　年2月初版

孫燕文　《孟浩然詩欣賞》　臺南市　文國書局　2004年2月第一版

馬自毅　《新譯人間詞話》　臺北市　三民書局　2000年5月再版

馬茂元《古詩十九首探索》　高雄市　復文圖書出版社　1984年11月
　　　　初版

夏之放　《文學意象論》　汕頭市　汕頭大學出版社　1993年11月第
　　　　1版

庫爾特・考夫卡著、黎煒譯　《格式塔心理學原理》　臺北市　昭明
　　　　出版社　2000年7月第一版第一刷

屠　隆　《鴻苞集》　臺南市　莊嚴文化事業公司影印明萬曆三十八
　　　　年毛元儀刻本　1995年9月初版

陳望道　《修辭學發凡》　臺北市　文史哲出版社　1989年1月再版

陳望衡　《中國古典美學史》　長沙市　湖南教育出版社　1998年8
　　　　月一版一刷

陳滿銘　《詞林散步——唐宋詞結構分析》　臺北市　萬卷樓圖書公
　　　　司　2000年1月初版

陳滿銘　《章法學綜論》　臺北市　萬卷樓圖書公司　2003年6月初版

陳滿銘　《意象學廣論》　臺北市　萬卷樓圖書公司　2006年8月初版

陳鵬祥　《主題學的理論與實際：抽象與想像力的衍化》　臺北市
　　　　萬卷樓圖書公司　2001年5月初版

陸應南　《陸游詩選》　臺北市　遠流出版社　1988年7月初版

梁鑒江　《白居易詩選》　臺北市　遠流出版社　1988年7月初版

符淮青　《現代漢語詞彙》　臺北市　新學林出版社　2008年11月一版

常敬宇　《漢語詞彙與文化》　臺北市　文橋出版社　2000年11月初版

賀新輝主編　《古詩鑑賞辭典》　北京市　中國婦女出版社　1988年
　　12月第1版

曹　旭　《詩品集注》　上海市　上海古籍出版社　1994年10月第1版

曾棗莊　《蘇詞彙評》　成都市　四川文藝出版社　2000年1月第1版

曾棗莊等　《蘇辛詞選》　臺北市　三民書局　2000年11月初版

曾國藩　《評注古文四象》　上海有正書局排印版　1917年版

黃天驥　《詩詞創作發凡》　廣州市　廣東人民出版社　2003年8月
　　第1版

黃永武　《中國詩學・設計篇》　臺北市　巨流圖書公司　1999年6
　　月初版十三刷

黃美鈴　《唐代詩評中風格論之研究》　臺北市　文史哲出版社
　　1982年2月初版

黃慶萱　《修辭學》　臺北市　三民書局　2002年10月增訂三版一刷

費經虞　《雅倫》　臺南市　莊嚴文化事業公司影印四庫全書存目叢
　　書　1997年6月初版

童慶炳　《中國古代心理詩學與美學》　臺北市　萬卷樓圖書公司
　　1994年8月初版

傅錫壬　《歷代樂府詩選析》　臺北市　五南圖書出版公司　1988年
　　5月初版

瘂　弦　《六〇年代詩選》　臺北市　大業書局　1974年1月初版

葛本儀主編　《漢語詞彙學》　濟南市　山東大學出版社　2003年8
　　月第2版

楊如雪　《文法ABC》　臺北市　萬卷樓圖書公司　1998年9月初版

楊　牧　《鄭愁予傳奇》　臺北市　志文出版社　1997年2月初版

楊濟東等　《詩詞曲賦名作鑑賞大辭典・詩歌卷》　太原市　北岳文
　　藝出版社　1991年12月第1版二刷

楊　倫　《杜詩鏡銓》　臺北市　頂淵文化事業公司　2004年3月初版

詹　鍈　《文心雕龍的風格學》　臺北市　正中書局　1994年4月臺
　　初版

劉　雨　《寫作心理學》　高雄市　麗文文化出版公司　1995年3月
　　初版

潘君昭　《李後主・李清照詞欣賞》　臺北市　漢風出版社　2000年
　　二版三印

鄭奠等　《古漢語修辭學資料彙編》　臺北市　明文書局　1984年9
　　月初版

鄭頤壽　《辭章學新論》　臺北市　萬卷樓圖書公司　2004年5月初版

蔣孔陽　《美學新論》　北京市　人民文學出版社　1995年9月第1版
　　二刷

劉熙載　《藝概・書概》　上海市　上海古籍出版社　1978年第1版

魯道夫・阿恩海姆著　滕守堯、朱疆源譯　《藝術與視知覺》　成都
　　市　四川人民出版社　1998年3月第1版

賴橋本　《新譯元曲三百首》　臺北市　三民書局　1998年9月再版

歐陽周等　《美學新編》　杭州市　浙江大學出版社　1993年3月第1版

歸　人　《楊喚詩集》　臺北市　洪範書店　2005年8月初版

謝无量　《詩學指南》　臺北市　中華書局　1958年臺一版

謝國平　《語言學概論》　臺北市　三民書局　1998年10月增訂二版

繆鉞等　《名家鑑賞宋詩大觀》　上海市　上海辭書出版社　1988年
　　5月香港第1版

蘇珊・朗格著　滕守堯、朱疆源譯　《藝術問題》　北京市　中國社
　　會科學出版社　1983年2月第1版
顧祖釗　《文學原理新釋》　北京市　人民文學出版社　2001年5月
　　一版二刷
蕭滌非等　《唐詩鑑賞集成》　臺北市　五南圖書出版公司　2001年
　　12月初版三刷

五　期刊論文

刁晏斌　〈現代漢語詞彙的形成及其他〉　《香港語文建設通訊》
　　2004年7月　頁1-8
仇小屏　〈論章法的移位、轉位及其美感〉　《辭章學論文集》上冊
　　福州市　海潮攝影藝術出版社　2002年12月一版一刷　頁
　　98-122
冷　草　〈王之渙與文學〉　《國文天地》　15卷9期　2000年2月
　　頁43-46
何淑貞　〈中華文化對漢詞語彙的影響〉　《中國語文》　2008年
　　613期　頁4-12
何淑貞　〈漢語中的文化意蘊〉　《中原華語文學報》　2008年1月
　　頁17-32
沈益洪　〈語言風格與「心理頻率」說〉　《上海大學學報》　1991
　　年5月　頁63-66
陳　思　〈中國古典風格理論的演進〉　《求索》　1993年第3期
　　頁91
陳滿銘　〈論章法的哲學基礎〉　《國文學報》　第三十二期　2002
　　年12月　頁116

陳滿銘　〈意象與辭章〉　《修辭論叢》第六輯　臺北市　洪葉文化
　　　　事業公司　2004年11月初版　頁351-375

陳滿銘　〈論東坡清峻詞的章法風格〉　《宋代文學研究叢刊》　第
　　　　九期　高雄市　麗文文化出版公司　2003年12月　頁336-
　　　　337

陳滿銘　〈談思維力與語文螺旋結構的關係〉　《國文天地》　21卷
　　　　3期　2005年8月　頁79-86

曾萍萍　〈從漢字詞彙運用看不同區域的文化衍變〉　《華語文教學
　　　　研究》　2009年6月　頁113-131

賈沛若　〈摹神取象、無美不臻──談「二十四詩品」風格論的形象
　　　　描述〉　《文史雜誌》　1995年4期　頁20-22

蒲基維　〈修辭風格初探──以古典詩詞為考察對象〉　《修辭論
　　　　叢》　2006年7月　頁474-501

國家圖書館出版品預行編目（CIP）資料

跨界章法學研究叢書
辭章風格教學新論 ； 蒲基維著.
許錟輝總策畫 ； 中華章法學會主編
-- 初版. -- 臺北市：萬卷樓，2016.11
6 冊 ； 17（寬）x23（高）公分
ISBN 978-986-478-033-4（全套:精裝）
ISBN 978-986-478-038-9（第 4 冊:精裝）

1.漢語 2.篇章學 3.文集

820.7607   105018940

跨界章法學研究叢書

辭章風格教學新論   ISBN 978-986-478-038-9

作　者　蒲基維
總策畫　許錟輝
主　編　中華章法學會
出　版　萬卷樓圖書股份有限公司
總編輯　陳滿銘
發　行　萬卷樓圖書股份有限公司
發行人　陳滿銘
聯　絡　電話 02-23216565　　傳真 02-23944113
　　　　網址 www.wanjuan.com.tw
　　　　郵箱 service@wanjuan.com.tw
地　址　106 臺北市羅斯福路二段 41 號 6 樓之三
印　刷　百通科技股份有限公司
初　版　2016 年 11 月
定　價　新臺幣 12000 元 全套六冊精裝 不分售